PALACIO VALDÉS
SINFONÍA PASTORAL
Barlow

THIS long novel portrays realistically life in a remote
village of Asturias and vividly depicts the manners and
customs of the modern Spanish peasant. The plot is
concerned with the physical and spiritual regeneration
of a wealthy society girl who is saved from a life of futility
by a forced return to the simple ~~~~~~ life which her
father led as a boy

The text has be~~~~~~~~~~~~~~~~~~~~~~~~~ For teachers
who wish ~~~~~~~~~~~~~~~~~~~~~~plete novel,
the omitted~~~~~~~~~~~~~~~~~~~~~ller type on
pages 253–28~~~

The simplicity of ~~~~~~~~style, his use of the commonest
words and idioms, and his comparative freedom from
dialect make a strong appeal to the teacher. This edition is planned for second or third year Spanish courses
in high schools or colleges.

A detailed Introduction (pages xi–xx) supplies an interesting biography of the author, a discussion of his works
and his rôle in Spanish letters, together with a careful
study of this novel in particular. A list of his writings
is also given.

For other purposes of class instruction the volume contains
footnotes on the text pages giving all necessary explana-
tions, a section devoted to exercises of the various ap-
proved, modern types providing drill on the most essential elements (pages 289–340) and a full vocabulary (pages
343–448).

The book, furthermore, includes many illustrations made
in Spain by a Spanish artist, which contribute greatly
to the beauty of the edition and convey admirably the
distinctive atmosphere of the story. A map of Spain
is also provided.

B-120

AMERICAN BOOK COMPANY

CONTENTS

Armando Palacio Valdés

Sinfonía Pastoral

EDITED BY

Joseph W. Barlow

Professor of Spanish and Administrative Chairman
of the Department of Spanish
New York University

ILLUSTRATED BY
FERNANDO MARCO

NEW YORK · CINCINNATI · CHICAGO · BOSTON · ATLANTA

American Book Company

PREFACE

The novels of Palacio Valdés are more widely used in American schools and colleges than those of any other modern Spanish writer. His realistic descriptions of Spanish manners and customs, his unfailing humor, and his simplicity of style appeal to the student; his use of the commonest words and idioms and his comparative freedom from dialect appeal to the teacher.

The author of *Sinfonía pastoral* regards it as one of the best novels he has produced,[1] and it has been called "an admirable story for American classes."[2] The editor hopes that it may prove to be a useful addition to the rapidly growing list of Spanish books available for the classroom.

The text of the present edition is that of the first printing, Madrid, 1931. It has been abridged approximately one fifth to enable classes to read it in one semester, without the necessity for long assignments. The excisions are lengthy descriptive passages or digressions, the omission of which in no way interrupts the flow of the narrative. However, all these passages will be found in small type at the back of the book, as the editor believes that the complete text should be available to the student. Some of the omitted passages are interesting little stories, complete in themselves, which may serve as extra assignments for the brighter students and as material for dictation, for sight translation, and for silent

[1] See note, p. xvi.

[2] See Wilfred A. Beardsley, *Sinfonía pastoral*, in *Hispania*, October, 1931, pp. 329–330.

reading.   Common idioms in these passages, excluding
those listed in the exercises, are printed in bold-faced type.

Sinfonía pastoral contains nearly ninety per cent of all
the idioms in the Keniston *Spanish Idiom List* with a frequency of thirty or above and about fifty-two per cent of the
entire list, surpassing in this respect even the author's
José.   Professor Keniston's *A Basic List of Spanish Words
and Idioms* has just appeared (May, 1933).   This very useful list, based exclusively on Spanish word and idiom counts,
contains a graded summary of the commonest words.   This
summary is divided into four sections.   The vocabulary has
been checked against this list and found to contain all the
words of Section I, all but three of Section II, all but fourteen
of Section III, and all but forty-one of Section IV, or nearly
ninety-six per cent of the entire list.

Bold-faced numerals are used to divide the text into lessons and to mark corresponding divisions of the exercises.
The lessons range in length from little more than a page to
a maximum of about six pages.   Immediately preceding the
exercises, suggestions are offered as to their most effective
use.

Señor Marco has taken great pains to make his drawings
illustrate the text with fidelity.   They should not serve
merely to adorn the text.   Teachers will recognize their
value as a basis for class discussions and for written composition.   In the vignettes, appearing at the end of each
movement, the artist has admirably symbolized the essential spirit of the preceding pages — desecration of the pastoral idyl by the onrush of civilization, p. 64; labor in the
fields, p. 126; popular festivals, p. 164; tragedy and justice,
symbolized by rural police, p. 208; the arrival of the *indiano*, p. 251.

The editor wishes to offer sincere thanks to the distinguished author of *Sinfonía pastoral* for permission to edit the novel and for answering numerous questions during the preparation of the text; to Mr. Pedro Fernández, a native of Asturias, for help in clearing up doubtful points; to Miss Barbara Matulka, for valuable suggestions with reference to the excisions; to Mr. Frank Russo, for assistance in reading the proof; to Miss Annette Ciancimino, for patient and painstaking assistance in the preparation of the vocabulary and of the manuscript in general.

J. W. B.

June, 1933

CONTENTS

GOLFO DE VIZCAYA

A S T U R I A S

Avilés
Gijón
Noreña
Río Nalón
Oviedo
Cangas de Onís
Sama de Langreo
San Andrés
San Martín del Rey Aurelio
Iguanzo
Pola de Laviana
Condado
Entralgo
Lorio
Villoria
Puente de Arco
Sobrescobio
Caso
Río
Aller
Aller

ESCALA EN KILÓMETROS
0   10   20

GOLFO DE VIZCAYA
FRANCIA
Oviedo ASTURIAS
Cordillera Cantábrica
Bilbao
GALICIA
NAVARRA
Río Miño
CASTILLA
ARAGON
CATALUÑA
LA VIEJA
Río
Ebro
Barcelona
LEON
Zaragoza
Duero
Segovia
Sierra de Guadarrama
Escorial
MADRID
Toledo
CASTILLA
MENORCA
MALLORCA
Río Tajo
LA NUEVA
Valencia
ESTREMADURA
VALENCIA
Río Júcar
ISLAS BALEARES
IBIZA
PORTUGAL
Río Guadiana
ESPAÑA
Sierra Morena
Río Guadalquivir
Río Segura
Murcia
ANDALUCIA
Sevilla
Granada
MAR MEDITERRÁNEO
GRANADA
Sierra Nevada
Cádiz
Málaga
MAPA de ESPAÑA
Estrecho de Gibraltar
MAR
OCÉANO ATLÁNTICO

ESCALA EN KILÓMETROS
0   80   160   240   320

X

INTRODUCTION

Armando Palacio Valdés was born October 4, 1853, at
Entralgo, a little village near the river Nalón in the mountains of Asturias. Shortly after his birth, the family re-
moved to Avilés on the Cantabrian coast where, he tells
us, his parents " had the bad taste to spend six years without setting foot in Entralgo." [1] Nevertheless, it was during
these impressionable years that he conceived that enduring
passion for the sea, so evident in *José*, which is equaled
only by his love for the valleys and mountains of his
native province. The family returned to Entralgo in the
summer of 1859. Among the most charming pages of Palacio
Valdés are those in which he describes, under the caption
Adán en el paraíso,[2] the first impressions of a six-year-old in
what he repeatedly calls his earthly paradise. He remembers
with delight the sight that met his eyes that first morning,
when he awoke to gaze in wonderment from the balcony of
the room in which he was born. Near the windows, a magnificent grape arbor raised its myriad tendrils, half concealing
the immediate landscape; above, in the distance, waiting to
be crowned by slowly moving sunlit clouds, rose a lofty
mountain, its crest resembling that of a fantastic castle.
Dressing quickly he slips out of doors to find himself in an
orchard of heavily laden fruit trees. With a plum in one
hand and a branch full of cherries in the other, he starts for
the stable accompanied by an admiring hired man. He
witnesses the milking, and then takes a ride on a donkey.

---

[1] *La novela de un novelista.*   [2] *Ibid.*

He dines in the servants' quarters from a great plank, hinged to the wall and lowered to form a table,[1] with *Micona*, "that stately cat, mother of three generations of warriors," perched on his shoulder. In the open again, he follows delightful little paths through the village, through groves of hazelnut trees, and between hedges of blackberries and honeysuckle. The greatest thrill of all comes when he meets an old sow with her litter of pink and white pigs. He lived in this "earthly paradise" for six years, and he firmly believes that here, among those who live simply, by the fruits of their own labors, with a minimum of sham and pretense, are to be found life's real values. It is here that he takes us in *Sinfonía pastoral*.

Palacio Valdés was blessed with parents of intelligence and high ideals. Their substantial means enabled them to give him every advantage. In the fall of 1865, at the age of twelve, they sent him to the *Instituto* of Oviedo where he took his bachelor's degree (*bachillerato*)[2] five years later. If we are to judge from his own account, he was not a very serious student during the first two years of the course. In his third year he came under the influence of a small group of upper classmen, two of whom, Leopoldo Alas (*Clarín*) and Tomás Tuero, contributed in no small degree to the development of his interest in the field of criticism, which was later to lead him into his life's work as a novelist. Alas was, by all odds, the best thinker of the group. Of him Don Armando has written: "He dicho que

---

[1] This table, folded against the wall when not in use, is called *la perezosa*.

[2] The course at the *instituto* leading to the degree of *bachiller* is approximately equal to four years of high school and two years of college in the United States. Graduation from the *instituto* entitles the student to enter the *universidad*.

Alas había logrado ser un crítico eminente y no es enteramente exacto. Lo fué después de muerto. Mientras vivió
no se quiso reconocer su gran talento; se le negó el fuego y el
agua.[1] Todo por haber dado en la inocente manía de poner
albarda a los asnos que pasaban sin ella por la calle." [2]

The essays with which Palacio Valdés began his writing
for the public were of quite a different nature from the
mordant and, on the whole, destructive criticism of Alas,
for his kindly nature rebelled against the use of bitter
satire; but his taste for critical writing was formed in the
little circle at the *Instituto* in Oviedo, organized by Alas and
his friends, and called by them *el Ateneo*, in imitation of the
famous literary society of Madrid.

The excessive number of lawyers in Spain has given rise
to the saying, *Todo español es abogado, mientras no pruebe
lo contrario.* Very many Spanish men of letters have
studied law at one time or another and Palacio Valdés
is no exception. Following his graduation from the *Instituto* he entered the University of Madrid for a course in law,
which he completed at the age of twenty-one. Some
time before taking his degree, however, he found a special
interest in the study of economics and philosophy, and his
recent writings clearly demonstrate that he has never lost
his enthusiasm for the latter. In his senior year he was
elected to membership in the *Ateneo* of Madrid in which he
later became secretary of the division of moral and political
science.

In September, 1874, he became editor of the foreign department of the daily, *El Cronista*, and the following winter
was made editor of the *Revista Europea*, the most important

---

[1] A reference to the ancient Roman custom of banishing a man by
denying him fire and water.   [2] *Ibid.*

scientific review then published in Spain. During his three years as editor of the *Revista* he contributed a number of sketches of orators, poets, and novelists, later published under the title, *Semblanzas literarias* (1908). Following these efforts, a compelling desire to devote himself to literature caused him to relinquish his editorship and give all his time to writing.

In October, 1883, Palacio Valdés married Luisa Maximina Prendes, a beautiful girl of sixteen years, who appears as the principal character in *Maximina* (1887). The happiest period of his life was cut short eighteen months later by the death of the youthful wife, who left him an infant son, the only child he has had. This son, Armando Palacio Prendes, was killed in a motorcycle accident in June, 1922. In November, 1899, he married Manuela Vela y Gil, a native of Cádiz. The persistent rumor that she was the heroine of one of his most popular novels, *La Hermana San Sulpicio* (1889), has been disposed of by the author himself who points out that the novel was published before he met Doña Manuela.

Shortly after the death of José María de Pereda, February 28, 1906, Palacio Valdés was elected to fill the vacancy in the Royal Spanish Academy. Dread of public functions and respect for the memory of Pereda, whose love for the mountains and whose views with regard to their desecration by industry he shares, caused him to defer taking his seat until December, 1920.

Since the publication of Palacio Valdés' first novel, *El señorito Octavio* (1881), more than half a century has elapsed, representing a period of uninterrupted productivity seldom equaled. His most recent work, *Tiempos felices*, has just come from the press (1933). In the prologue he says:

" Quizá mis lectores se sorprenderán de que un hombre a quien le faltan solamente algunos meses para cumplir ochenta años se entretenga en escribir novelitas y narrar al público historietas de amor. No les faltará razón. Yo debiera ser más serio, más triste. Pero es precisamente porque estoy triste por lo que me place evocar escenas alegres."

At a time when sadness is the rule rather than the exception throughout the world it is not strange that Don Armando should feel depressed. However, the world would soon be much happier if all sadness in men of letters gave birth to such *páginas alegres* as are found in *Tiempos felices*, *La novela de un novelista*, and especially in *Sinfonía pastoral*.

The tendency to reminiscence is natural in one of advanced age, but the multiplicity and tiresome repetition of insignificant details frequently characteristic of such reminiscences are absent from those in the recent works of Palacio Valdés. He has become increasingly personal in his writings, increasingly frank in his portrayal of the weaknesses as well as of the virtues of his people, and no living Spanish writer knows more intimately the provinces of northern Spain. It would be difficult to find a better characterization of the *ovetense* than in the chapter entitled " Oviedo " from *La novela de un novelista*, of the *gallego* in *Como se casó Brañanova* from *Tiempos felices*, or of the Asturian peasant in *Sinfonía pastoral*.

Palacio Valdés has been a lifelong student of the classics and he believes that no mortal will ever write more beautiful works than those of Homer, Aeschylus, Sophocles, Euripides, Vergil and Horace. He has also read widely, but with discrimination, in the literatures of England, France, and Germany. In his *Testamento literario* he gladly acknowledges his debt to the writers of his own and other lands and deplores the straining after originality in some of his contemporaries, for, he says, " Originality comes without being called," and adds, " if she does not come, it is useless to pound on her door."

The student who wishes to know Palacio Valdés would do well to read *La novela de un novelista, Testamento literario*, and the pages that serve as introductions to the little stories that make up the *Tiempos felices*. He would then have a clearer conception of the underlying philosophy that has guided the life and writings of Palacio Valdés and a better understanding of his value and position in Spanish literature than can be obtained from any other source.

* * *

Sinfonía pastoral is a novel of manners and customs, demonstrating the futility of seeking happiness in worldly possessions, the worthlessness of an aristocracy based on money and accident of birth, and the artificiality of the pleasures of urban society in contrast to the genuine happiness to be found in a life of simplicity, self-denial, and hard work in the country. It presents in one volume most of the outstanding characteristics and ideals for which Palacio Valdés stands. Of it he has said: " Es una de las novelas de la que estoy más satisfecho." [1] There is clear, logical development of plot; there is, in the incident of the two *tíos*, Pacho and Leoncio, perhaps the best example Palacio Valdés has given us of his skill in dialogue — lively, humorous, natural; there is contrast between the extremely artificial life of high society in a big city and the simple life

---

[1] Letter to the editor, February 3, 1932.

of the country, between beauty and ugliness, joy and sorrow, good and evil; there are more of his delightful *cuadros de costumbres*, in which the charming portraits of women dominate the picture, as usual; and finally, there is the author's genial philosophy, the most essential element of which is love of humanity.

Though *Sinfonía pastoral* apparently takes its name from the Sixth Symphony of Beethoven, to whom it is dedicated, the author could not have intended to indicate a similarity of style between the musical composition and the novel. It would be difficult to establish a definite relationship between the movements of one and the other. The pastoral and lyrical elements, so conspicuous in the Symphony, are not so prominent in the novel. There is, however, the same responsiveness to the beauty of nature — for both Beethoven and Palacio Valdés are poets of nature — and Beethoven's description of the Symphony as a "recollection of country life" is equally applicable to *Sinfonía pastoral*. In the prologue Don Armando says: "Besides the joy that comes from the beauty and the amiable silence of the fields, I confess that I have been extremely diverted by the many comical incidents, bound to be engendered by the rustic ignorance of their inhabitants. Some of these pleasant impressions I have wished to reflect in the pages that follow. Those few of my contemporaries who have lived in an Asturian village half a century ago will be able to testify as to whether they are true or false." He believes that the eclogues of Vergil, with all their artificiality, are truer pictures of country life than those of the moderns. In his own words: "Desde la remota antigüedad hasta nuestros días parece que poetas y novelistas se han complacido en disfrazar la vida de los campesinos. ... Pero los

antiguos, debemos confesarlo, han sido más fieles a la verdad que los modernos. Las *Pastorales* de Longo y *los Idilios* de Teócrito son deliciosos y, salvando la intervención sobrenatural, . . . más verídicos en lo que se refiere a la vida ordinaria de los campesinos que los que después se han escrito. Las mismas églogas de Virgilio, bastante artificiosas, se acercan más a la verdad que las de nuestro Garcilaso.

"El sueño pastoril fué constante hasta los tiempos modernos. El sin par don Quijote de la Mancha participó de él cuando, vencido por el caballero de la Blanca Luna, se vió obligado a renunciar a la andante caballería. Entonces, no resignándose a una vulgar existencia, quiere vivir como los inocentes pastorcitos. Él se llamará el pastor Quijotiz, su escudero Sancho Panza el pastor Pancino, el cura de su pueblo el pastor Curiambro. Es uno de los episodios más graciosos del libro inmortal.

"El sueño se ha disipado. Llegaron los novelistas del siglo XIX con sus anteojos ahumados y no vieron en el campo más que negruras, monstruos de malicia, . . . suciedades y abominaciones de todo género. No es posible leer uno de los libros más famosos del más famoso de los naturalistas franceses sin sentir el corazón oprimido y el estómago asqueado.

"Tan falso es uno como otro. He nacido en una aldea y he vivido largas temporadas en ella. Cierto no he conocido Filis y Galateas, Batilos y Nemorosos, ni he visto corderitos intelectuales y bueyes sensibles, pero tampoco hallé las monstruosas abominaciones de las modernas novelas naturalistas. Egoísmo como en todas partes, vicios también, aunque no tan refinados como en la ciudad y sobre todo lucha de mezquinos intereses. Esto es lo que pude observar en la aldea. En el campo se lucha por el interés y en las

ciudades por la vanidad. ¿ Cuál de estas dos luchas es más
despreciable y ridícula ? "

Those who have had the good fortune to pass at least a
portion of their childhood on a farm will find a special
pleasure in the reading of *Sinfonía pastoral.*

WORKS OF PALACIO VALDÉS

CRITICISM: *Los oradores del Ateneo,* 1878; *Los novelistas
españoles,* 1878; *Nuevo viaje al Parnaso,* 1879 (published together as *Semblanzas literarias,* 1908). *La literatura en 1881*
(in collaboration with Leopoldo Alas), 1882. Bits of
criticism also appear in the prefaces to his novels, especially
La Hermana San Sulpicio and *Los majos de Cádiz,* in the
Dedicatoria (to his son) of the *Obras Completas,* 1921, and in
Testamento literario, 1929.

NOVELS: *El señorito Octavio,* 1881; *Marta y María,*
1883; *El idilio de un enfermo,* 1883; *José,* 1885; *Riverita,*
1886; *Maximina,* 1887; *El cuarto poder,* 1888; *La Hermana
San Sulpicio,* 1889; *La espuma,* 1891; *La fe,* 1892; *El
maestrante,* 1893; *El origen del pensamiento,* 1894; *Los
majos de Cádiz,* 1896; *La alegría del capitán Ribot,* 1899;
La aldea perdida, 1903; *Tristán o el pesimismo,* 1906; *Pape-
les del doctor Angélico,* 1911; *Años de juventud del doctor
Angélico,* 1918; *La novela de un novelista,* 1921; *La hija de
Natalia: últimos días del doctor Angélico,* 1924; *Santa
Rogelia: De la leyenda de oro,* 1926; *A cara o cruz,* 1929;
Los cármenes de Granada, 1929; *Sinfonía pastoral,* 1931.

SHORTER PIECES: *Aguas fuertes,* 1884 (seventeen sketches;
twenty, in the edition of 1921); *¡ Solo !,* 1899; *Seducción,*
1914; *Páginas escogidas,* 1917 (selections from the *novelas*
and the *cuentos,* with an interesting « Conferencia pre-

liminar »); *Cuentos escogidos*, 1923; *El gobierno de las mujeres*, 1931 (historical essay, including *Una opinión*, first published in *Papeles del doctor Angélico*, 1911); *Tiempos felices*, 1933 (eight short stories).

BIBLIOGRAPHICAL NOTE

For studies on Armando Palacio Valdés see: James Fitzmaurice-Kelly, *Spanish Bibliography*, Oxford University Press (Hispanic Notes and Monographs), 1925, p. 283; Mérimée and Morley, *History of Spanish Literature*, 1930, p. 554; and César Barja, *Libros y autores modernos*, 1933, p. 441.

ANDANTE CON MOTO

I

1. Lo primero que Angelina pensó al abrir los ojos fué que madame Petit no le había enviado el vestido. Si no lo tenía listo antes de la tarde, imposible asistir a la Embajada de Austria. Rechazó con horror esta visión, se agitó entre las sábanas, hizo repetidas muecas de disgusto, dió algunas 5 vueltas y al fin, dejando escapar un suspiro, cerró de nuevo los ojos y se quedó dormida.

Era una linda cabecita de negrísimos cabellos, un rostro pálido, suave y aniñado. Sin embargo, Angelina no era un *bebé:* había cumplido ya diez y nueve años. 10

Al cabo de unos minutos se despertó otra vez y la misma visión temerosa surgió delante de sus grandes ojos negros y expresivos. Su frentecita se arrugó, sus labios se alargaron con una mueca de profundo disgusto y sus lindas manos apretaron convulsas el embozo de la cama. No le faltaban, 15 no, trajes de noche; tenía el de tafetán azul, el violeta, el blanco crema. Angelina contó hasta siete. Todos ellos los había estrenado. ¡Qué desgracia! Dió otras cuantas vueltas, dejó escapar otro suspiro y otra vez quedó dormida. [p. 253] 20

Angelina se despertó, y lo primero que vieron sus ojos fué a su doncella Rufina plantada a la puerta del cuarto y mirándola sin pestañear.

— ¿Qué haces ahí, tonta? — le gritó encolerizada —. ¿Por qué me has despertado? 25

No era verdad.

—Pensaba que la señorita deseaba levantarse, pues son ya las diez.

3

— Yo no te pregunto la hora que es. Lo que quiero saber es que [1] por qué me has despertado, ¿ entiendes ?

— Pensaba que la señorita . . . — repitió la doncella.

— Tú no puedes pensar nada, porque eres una tonta, 5 ¿ sabes ? . . . Bueno, ayúdame a vestir. ¿ Tienes preparado el baño ?

— ¿ Cómo no, señorita ?

— Bien, ayúdame a vestir.

Angelina se levantó perezosamente de la cama. La 10 doncella le calzó unos ricos chapines después de frotarle suavemente los pies y le pasó sobre los hombros un salto de cama de toda elegancia.

2. Era Angelina de mediana estatura, extremadamente delgada; sus ojos, velados por largas pestañas, rodeados por 15 un leve círculo azulado, tenían expresión de quietud y melancolía, que contrastaba con la viveza, y aun podría decirse violencia de sus ademanes.

Resueltamente se dirigió al cuarto de baño. [p. 253] La doncella la despojó cuidadosamente del salto de cama 20 y el camisón, y con el mismo esmero la ayudó a introducirse en el baño. La señorita dejó escapar un grito:

— ¡ Tonta, retonta, está frío !

Y tomando un puñado de agua se lo arrojó a la cara.

— ¡ Como la señorita tardó tanto tiempo en desper- 25 tarse ! — balbució la doméstica limpiándose con la toalla que tenía en la mano —. Pero no se enfade la señorita, eso tiene pronto arreglo.

Y abrió la llave del agua caliente.

Cuando estuvo a su gusto, Angelina se dejó caer, y bajo

---

[1] **que.** After **preguntar** and **decir,** this redundant **que** may be used to introduce an indirect question. The phrase in which it is used here is equivalent to **Te pregunto que por qué** . . .

la suave caricia del agua permaneció unos momentos como adormecida, frotándose lenta y delicadamente el pecho y los brazos.

¡ Frágiles brazos y exiguo pecho los de aquella criatura ! Causaba pena ver un cuerpecito tan enclenque. Cerró los ojos y así, gozando de la dulzura del baño, se estuvo un rato largo mientras la doncella, con los ojos fijos en ella, permanecía atenta a sus menores movimientos. De pronto los abrió asustada cual si hubiera sentido un golpe.

— ¿ Madame Petit ha enviado el vestido ?

— Hasta ahora no, señorita.

— Pues que vayan inmediatamente a buscarlo ... ¡ Inmediatamente !

La doncella tardó unos instantes en contestar. Al fin profirió sin saber lo que decía:

— Es un poco temprano, señorita ... ¿ Quién sabe si estará durmiendo ?

— Si está durmiendo que la despierten. Llama a María, llama a Mariano, que enganchen un coche y se vaya inmediatamente.

— No puedo dejar a la señorita sola.

— Es inútil.

Y acercando la mano a la pared apretó el botón del timbre.

No tardó en oírse la voz de otra doncella. Rufina le comunicó las órdenes al través de la puerta cerrada.

Con viveza y dando señales de nerviosidad, Angelina se alzó del baño. Rufina la envolvió en una capa-esponja y tomándola en brazos (¡ pesaba tan poco !) la extendió sobre una *chaiselongue* y muy delicadamente comenzó a frotarla. Después que la hubo bien secado la ungió con una pomada olorosa, la perfumó [p. 253] y la vistió, dejando sus

pies desnudos, que comenzó a acariciar, frotando sus uñas
con una pasta hasta ponerlas brillantes.   Luego antes de
calzarlos los besó repetidas veces.   Angelina sonrió halagada.

5   — ¡ Qué retontísima eres, Rufina !

II

3. Ni se crea [1] que aquellos besos significaban pura adulación. Rufina adoraba a la señorita, a pesar de sus despóticos caprichos, de sus enfados intempestivos y hasta de sus castigos. Porque también la castigaba alguna vez. Verdad que en pos de ellos solían venir sabrosas compen- 5 saciones, dinero, trajes, regalitos. Mas no era esto, no, hay que repetirlo, lo que a ella la ligaba, sino una verdadera pasión como la que muchas veces inspiran los niños a las personas sensibles.

— Que me traigan el desayuno aquí. 10

— ¿ La señorita no va al comedor ?

— No. ¿ Papá está en casa ?

— Me han dicho que ha salido ya hace dos horas.

Le trajeron en primoroso servicio el café con sus acostumbrados aditamentos, mantequilla, pan tostado, *brioches*. 15 Angelina no hizo más que beberlo. La doncella la miraba con profunda tristeza.

— ¿ Pero, señorita, no toma usted siquiera una tosta ?

— No tengo apetito.

— La señorita cada día lo pierde más. ¡ Es horrible ! 20

— Bien; no me vengas tú con sermones, que harto largos me los echa papá. ¡ A lavarme y peinarme ! [2]

Después que Rufina la hubo pasado por la cara una y otra vez la esponja empapada, Angelina se sentó delante

---

[1] **Ni se crea** . . . *Nor should one believe* . . .

[2] ¡ **A lavarme y peinarme !** Supply **Ven.** *Come, wash my face and comb my hair!*

del espejo y comenzó el solemne peinado. La doncella lo
llevaba a término con feliz esmero. Sin embargo, la señorita
no estaba jamás satisfecha.

— ¡ Que me tiras, tonta ! [1] . . . ¡ Basta ya ! ¡ Qué manos
5 tienes hoy !

Rufina, sin enojarse, seguía su tarea. La vistió después. Cuando terminaba de hacerlo penetró en la estancia,
sin anunciarse, un hombre.

— ¡ Papá !
10 — Buenos días, hija mía.

La besó tiernamente unas cuantas veces.

Este papá formaba notable contraste con su hija. Era
un sujeto corto de talla, ancho de hombros, más grueso que
delgado, las mejillas rasuradas, fornido, burdo, vestido con
15 chaqueta, corbata mal anudada, botas gordas, el tipo de un
zurupeto o cobrador de Banco. Pero los ojos de aquel
hombre ordinario eran extraordinarios, brillantes, altivos,
penetrantes.

Después de besar a su hija echó una mirada investigadora
20 a los restos del desayuno.

— ¿ Te has desayunado bien ? Veo ahí demasiadas
tostas.

— Sí, papá, bastante bien.

La doncella, sofocada, se apresuró a decir:
25 — No, señor; la señorita no ha hecho más que beber el
café.

Angelina le dirigió una mirada fulgurante.

— Cállate, necia, tú has salido del cuarto y no me has
visto.
30 El padre movió la cabeza y la contempló fijamente con
tristeza.

---

[1] ¡ Que me tiras, tonta ! *You're pulling my hair, stupid!*

¿ Te has desayunado bien ?

— ¿ Te sientes bien, hija mía ?

— Perfectamente. Y tú, papá, ¿ dónde has estado ?

— ¿ Pero es de veras ?

— Sí, sí; de veras.

5 — Yo he dado mi paseo de costumbre. He llegado hasta Chamartín.

Tomó con sus dedos gordos y velludos por la barba la delicada faz de la niña, volvió a mirarla fijamente, la besó otra vez y se retiró serio y cabizbajo.

10 Angelina también salió y entrando en un saloncito próximo a su dormitorio se sentó al piano y tecleó distraídamente.

— ¿ Es que no han ido a la modista por el vestido, María ?

— preguntó a otra doncella que allí entró con un jarro en las 15 manos.

— Sí, señorita; pero aún no han venido.

Angelina hizo su acostumbrado gesto de disgusto.

— ¡ Pero qué pesados, Dios mío, qué pesados !

— La señorita no necesita adornarse mucho para estar 20 preciosa — dijo la doncella acercándose zalamera.

Angelina sonrió encogiéndose de hombros, afectando indiferencia. [p. 253]

— Todos los colores le sientan bien a la señorita, pero el encarnado o el fresa son cosa que la favorecen de un modo 25 que asusta.

— Rojo es el vestido que debe enviarme hoy madame Petit — repuso Angelina poniéndose seria —. ¡ Pero qué pesadísima es la buena señora ! [p. 253]

4. En vano esperó el vestido. El recado que le trajeron 30 de madame Petit fué que lo tendría antes de las cuatro. Con esto se puso de un humor endiablado y lo pagó con todo el mundo en la casa, sobre todo con Rufina. Como hubiese llamado [1] a ésta algunas veces sin acudir, la tomó por un brazo, la llevó hasta un rincón y la dejó allí en pie, arrimada a la pared.

— ¡ Tonta, más que tonta, ahí te estarás quieta hasta que yo te mande otra cosa ! 5

Permaneció un rato en la habitación y luego distraída salió de ella, bajó al jardín, cortó algunas flores, las tiró después, riñó con el jardinero y al fin se introdujo en la cuadra.

— ¿ La señorita viene a ver a *Rosette ?* 10

— ¿ Pues qué le pasa a *Rosette ?* — replicó sorprendida.

— Anda malucha desde anteayer. Se niega a comer.

— ¡ Ah !, ¿ no quiere comer ?

Y se acercó a una hermosa negra jaca andaluza de silla. Sin temor alguno la puso la mano sobre el lomo. El animal 15 volvió la cabeza y dando señales de conocerla dejó escapar un leve relincho. Angelina le pasó repetidas veces la palma de la mano por el cuello y la cabeza, acariciándola.

— ¡ Pobrecita ! No tienes apetito, ¿ verdad ? Te pasa lo que a mí. 20

— Desde ayer apenas ha comido la mitad de un pienso. Vea la señorita cómo tiene delante el grano sin tocarlo. Hace una hora estuvo aquí el veterinario y ha mandado purgarla.

— ¡ Ah, purgarla ! — exclamó Angelina, sin dejar de 25 acariciarla — Pobrecita, te quieren purgar como a mí.
[p. 255]

---

[1] **Como hubiese llamado** . . . *Since she had called* . . . This use of the subjunctive after **como** (causal) has not been adequately explained. **Como había llamado** would be equally correct. See Bello y Cuervo, *Gramática Castellana* (§1232): « Sólo si notaremos que [como] en el significado de causa rige indiferentemente indicativo o subjuntivo, aun cuando se afirma la causa. »

Y la seguía acariciando con mayor fuerza. El animal,
cual si quisiera corresponder a aquellas muestras de afecto,
bajaba la cabeza, la inclinaba, trataba de frotarse contra
ella.

5   — ¡ Pobrecita, pobrecita !

Al fin le aplicó unos sonoros besos sobre el hocico. Clemente, estupefacto, la miraba con los ojos muy abiertos.
En la cuadra había otros cuatro caballos que se movían
inquietos cual si aquellos besos les sobresaltaran.

10   — No dejes de enviar a decirme esta tarde cómo sigue
— dijo, apartándose y saliendo de la cuadra.

— Pierda cuidado la señorita: lo sabrá.

Atravesó el jardín, miró a la terraza, entró en el comedor y tomando un periódico que había sobre la mesa, se
15 puso a leer sentada en una butaca. Un criado colocaba en
aquel momento la vajilla de plata sobre uno de los apara-
dores.

Al cabo de un rato preguntó:

— ¿ Pero dónde está esa tonta que no la veo hace un
20 siglo ?

— ¿ Pregunta la señorita por la Rufina ? [1]

— Claro está.

— Pues hace un instante la vi ahí arriba, de pie, pegada
a la pared en un rincón. Me dijo que la señorita la había
25 mandado estarse allí quieta — contestó el criado sonriendo.

Angelina abrió los ojos, sorprendida. Luego saltó de la
butaca y se lanzó a la escalera, riendo. Rufina aún estaba
en su rincón haciendo la centinela.

5.   — ¡ Eres de lo que no hay ! [2] ... Y yo lo mismo. Me

---

[1] **la Rufina.** The definite article is commonly used before names of
women in familiar conversation. Do not translate.

[2] **¡ Eres de lo que no hay !** *You're the limit!*

había olvidado por completo de ti — decía sin dejar de reír y zarandeándola cariñosamente por un brazo —. Bueno, pues tanta obediencia merece aquel bolsillito que te ha apetecido.

— No, señorita; no me dé usted nada. Yo obedezco a la señorita como si fuese mi madre.

— Aunque tú puedes serlo mía,[1] ¿ verdad ?

Angelina se fué a su cuarto, sacó de su pequeño escritorio un bolsillito de piel y vino a entregárselo.

— No, señorita, yo no debo recibir regalos por cumplir con mi obligación.

— Pues tu obligación es obedecerme en todo.

— Señorita, podría usted creer que yo la quiero y la respeto por interés.

— Yo no creo nada. ¿ Obedeces ?

— Está bien, obedezco.

La doncella tomó el bolsillo y la señorita se fué sin pensar más en ella.

A la hora del almuerzo Quirós salió de su despacho. Padre e hija se reunieron en el comedor. Era para aquél una hora angustiosa desde hacía algún tiempo.[2] Angelina cada día comía menos, comía como un pajarito. Su padre, inquieto, tenía los ojos fijos en ella, la instaba cariñosamente. El criado que con pechera almidonada y enguantado servía a la mesa, a un signo del amo le ponía en el plato los manjares. La señorita apenas los tocaba. Como faltaba el apetito, se quejaba del cocinero.

---

[1] **Aunque tú puedes serlo mía.** *Though you could be mine.* With the verb **ser, lo** stands for the predicate of a preceding question or statement even though, as in this case, the predicate (**madre**) be feminine.

[2] **Era para aquél . . . tiempo.** *For some time it had been a distressing hour for the former.*

— ¿ Quieres que lo despida ?

— No, no — se apresuraba ella a decir, haciéndose cargo interiormente de lo injusto de sus quejas.

A las cuatro de la tarde se presentó una oficiala de madame Petit con el famoso vestido. Era rojo y de tul. En la última prueba Angelina había observado que estaba un poco bajo de talle, y había ordenado que se lo subieran un poquito, un poquito nada más. ¿ Cuál sería su sorpresa al ponérselo, viendo que aquel poquito se había convertido en un *muchito?*

— ¿ Qué es esto ? — exclamó poniéndose roja y clavando una mirada colérica en la oficiala.

— No sé lo que quiere decir la señorita.

— ¿ Pero no tiene usted ojos ? ¿ No ve usted que el talle me sube al sobaco ?

— No tanto, señorita.

— ¡ Sí, tanto ! No estoy acostumbrada a que me repliquen cuando se ha cometido una falta.

— Perdone la señorita, pero yo no hice más que lo que madame me ha ordenado.

— No ha podido ordenar a usted semejante horror ... Rufina, llama a Felicidad, llama a María, llama a Mercedes, que vengan todas a ver si esto se puede tolerar.

6. En un instante se pobló la habitación. Todas se agruparon en torno de la señorita con una cara muy larga, sorprendidas y apenadas ante aquella catástrofe, aunque en el fondo no veían tan claro el desperfecto.

— ¿ Pero no lo ve usted, mujer ? ¿ No tiene usted ojos ? — repetía con creciente irritación Angelina —. ¿ No ve usted que parezco una muñeca de bazar con el talle por debajo de los brazos ?

En realidad no era así, pero Angelina, presa de insano

furor exageraba, y nadie se atrevía a llevarle la contraria.

Viéndola tan exaltada y temiendo que se pusiera enferma como otras veces había acaecido, Rufina se deslizó de la estancia y fué a dar noticia del asunto a su padre, que no 5 tardó en presentarse.

— ¿ Qué pasa ? — preguntó con tranquilo acento.

— ¿ No lo ves, papá ? Que todo el mundo se burla de mí — profirió la niña con lágrimas en los ojos.

— ¿ Por qué se han de burlar de ti ? Si el traje no está 10 bien se hace otro y asunto concluído.

— ¡ Claro, otro traje para llevarlo esta noche a la Embajada de Austria !

— ¿ Ah, para esta noche ? Pues que se arregle éste . . . A ver, que enganchen un coche y usted, Rufina, vaya a 15 buscar a madame Petit. Que se presente aquí inmediatamente.

Quirós creía que nada ni nadie podía resistir a su dinero. Estaba acostumbrado a ello.

Angelina se dejó caer, así como se hallaba vestida con el 20 traje de baile, en un diván, y doblando la cabeza sobre el pecho permaneció en un desolado mutismo. Felicidad y las doncellas la contemplaban tristes y compasivas, cual si se hallaran en una visita de pésame. Mientras tanto el papá se paseaba impaciente por los alrededores de la habita- 25 ción.

Al cabo de un cuarto de hora Rufina trajo un recado bastante insolente. Madame Petit hacía saber que no podía dejar su casa; la señorita podía venir a ella y verían si el vestido tenía arreglo, aunque no podía dar palabra de 30 que estuviese listo para la noche. Entonces Angelina, acometida nuevamente de extraño furor, se alzó violenta del diván y principió con manos trémulas a quitarse, mejor dicho, a arrancarse el fementido traje. Y mientras lo hacía vomitaba injurias contra la infame modista. Las doncellas la contemplaban aterradas. Quirós, cruzado de brazos, 5 también la miraba fijamente con ojos que expresaban a la vez indignación, tristeza y desprecio.

Pasado el furor vino el desmayo. Angelina, cubierta con un salto de cama, que apresuradamente le echó encima Rufina, se dejó caer otra vez en el diván y comenzó 10 a llorar perdidamente, repitiendo entre sollozos:

— ¡ Dios mío, qué desgraciada soy !

Transcurrían unos minutos y volvía a exclamar:

— ¡ Dios mío, qué desgraciada soy !

Su padre la miraba ahora con más tristeza que desprecio.

15 — Sí, sí . . . , estos disgustos me están matando.

— Y tú me estás matando a mí, hija mía — murmuró el cuitado padre saliendo de la habitación.

III

7. Don Antonio Quirós era hijo de unos pobres aldeanos del valle de Laviana, en las montañas de Asturias.[1] [p. 255] En el lugar de Villoria nació y vivió hasta los doce años el opulento capitalista. [p. 256] Sus padres, labradores, cultivaban pocas tierras, y ésas no propias, sino arrendadas 5 al marqués de Camposagrado. El niño era despierto, fuerte, valeroso, y, harto de sufrir las palizas del maestro, manifestó empeño en partir para Cuba, como otros compatriotas. Sus padres, seducidos por la esperanza de verle tornar rico como otros y también por librarse de una boca más en la 10 casa cedieron a este deseo, y pidiendo prestado el cortísimo precio del pasaje, le enviaron a Gijón para embarcar. Su madre fué la única persona que le acompañó a despedirle. [p. 256]

Quirós fué derecho a una tienda de comestibles o bodega, 15 como allí las llaman, propiedad de un paisano de Villoria. Mal comido, mal trajeado, durmiendo poco, trabajando mucho, y no pocas veces sufriendo los malos tratos del dueño, pasó algunos años sin dar cuenta de sí a sus padres ni recibir de ellos noticia. Cuando contaba diez y seis logró 20 emanciparse de aquella miserable vida; gracias a otro compatriota tabaquero, que trabajaba en una de las principales fábricas de la capital, aprendió el arte de hacer cigarros, y fué pronto uno de los más hábiles y animosos operarios.

---

[1] **Asturias.** A mountainous province of northern Spain. (See map.) The official name has been Oviedo since 1833.

Con persistente esfuerzo y economía, privándose de todo goce y distracción, cuando llegó a los veinticuatro años había logrado juntar algún dinerillo.

Uno de sus compañeros de taller, como él honrado y trabajador, le dió noticia de que la fabriquita de cigarrillos de don Simón González se vendía, porque éste, viejo y achacoso, partía para España. A ambos se les ocurrió a la vez la misma idea ... ¡ Si nosotros pudiéramos hacernos con ella ! La fabriquita estaba tasada en cuarenta mil pesos. Si a don Simón le abonasen la mitad de esta cantidad de presente, tal vez les aguardaría por la otra mitad. Navarro (que éste era el nombre del compañero) poseía diez mil pesos, Quirós, sólo cuatro mil. Pero acometido de súbita inspiración se presentó un día al marqués de Casa-Torno, opulento asturiano, poseedor de varios ingenios de azúcar.

— Señor marqués, soy un tabaquero asturiano. En los años que llevo trabajando he logrado juntar cuatro mil pesos. Se me presenta ocasión de comprar, asociado a otro compañero como yo, una fábrica de cigarrillos. Me hacen falta seis mil pesos. Si usted me los da le pagaré el interés y se los devolveré lo más pronto que pueda. No tengo garantía en metálico, pero puede usted preguntar por mí en la fábrica donde trabajo y a todos los asturianos que me conocen.

El viejo marqués le miró fija y prolongadamente. Tenía aquel viejo profundo conocimiento de los hombres.

— Me gusta tu cara y tu franqueza. Yo también soy de la tierrina. ¿ De qué parte de Asturias eres tú ?

— Soy del concejo de Laviana.

— Pues yo de Cangas de Onís, pero he tenido amigos en Laviana. No necesito informes. Toma este cheque y ve a la caja por los seis mil pesos.

— Gracias, señor marqués. Si no muero, pronto se los devolveré — pronunció Quirós rojo de placer.

— Vete con Dios.

En efecto, don Simón González se avino a tomar veinte mil pesos y a recibir, en el plazo de cuatro años, los otros 5 veinte mil. Antes de terminar el plazo ya se los habían devuelto. Con un conocimiento eficaz del comercio del tabaco, con esfuerzo infatigable y una tenacidad ni un solo día desmentida, aquellos dos valerosos asturianitos consiguieron levantar la fábrica un poco decaída y colocarla a la 10 altura de las primeras de la Habana. A los treinta y dos años de edad Quirós poseía ya un capital de sesenta mil duros, más la mitad de la fábrica. Entonces se le ocurrió hacer un viaje a España.

8. Sus padres habían muerto, y lo mismo una hermana 15 de más edad que él. El único hermano que le quedaba, a quien había dejado en mantillas cuando salió de España, acababa de casarse, en la parroquia del Condado, con la hija de unos paisanos bien acomodados. Este hermano Juan, que sólo contaba veinte años, vino a verle en la Pola 20 cuando supo de su llegada. Quirós, que no le conocía, le recibió con la mayor cordialidad y le regaló algún dinero.

Tres meses permaneció en España, la mayor parte del tiempo en Gijón. Allí conoció y se enamoró de una hija de los dueños de la fonda donde se alojaba. Al partir quedaron 25 en relaciones, se escribieron algún tiempo, y antes de un año se casaron por representación.[1] La novia fué a la Habana, acompañada por uno de sus parientes. Entonces se inició para Quirós una época de gran prosperidad. Se les ofreció

---

[1] **se casaron por representación** (*or* **por poderes**). *They married by proxy.* The marriage ceremony is performed with a substitute bridegroom.

a él y su socio una magnífica ocasión de vender la fábrica.
Les dieron por ella un precio excepcional. Con este dinero
y el que ya poseían montaron ambos una casa de banca con
la razón social *Navarro y Quirós,* que pronto adquirió
5 clientela y fué la preferida de la colonia asturiana. Los
negocios marcharon viento en popa. Navarro y Quirós
no se limitaron al de la banca, sino que acometieron otros
varios; barcos, construcciones, empréstitos con feliz resultado. La esposa de Quirós falleció, dejándole una niña
10 de diez años, que puso en el mejor colegio de la Habana.
A los cincuenta años era poseedor de un enorme capital.
Determinó retirarse de los negocios y regresó a España para
disfrutarlo. Sacó a su hija, que contaba catorce años, del
colegio y con ella montó en el transatlántico que le trans-
15 portó a la patria.

Su gran riqueza le permitió vivir fastuosamente. Primero
alquiló un hotel en la Castellana, después construyó el que
hemos visto, dotado no sólo de todas las comodidades, sino
de un lujo que pocas casas ostentaban en Madrid en aquella
20 época: el techo del comedor pintado por Plasencia, los
panneaux del salón por Ferrán, los muebles venidos directamente de París, caballos, coches, diez o doce criados, etc.
Sin embargo, aquel millonario no gastaba en su persona más
que cualquier modesto empleado. Sencillo en su traje;
25 sencillo en su alimento; rara vez montaba en sus coches, se
placía en caminar a pie; su único recreo consistía en departir
por las tardes con algunos amigos y conocidos en el *Círculo
Mercantil;* sólo por compromiso asistía a los teatros, y se
dormía en ellos. Como aquella vida de holganza le enervaba
30 y su actividad financiera no se había agotado todavía,
acometió en la península algunas empresas que acrecieron
su capital. [p257.]

Mas aquel hombre, tan feliz en sus empresas, dotado de una salud de hierro, fresco y ágil a los cincuenta y cinco años de edad, era a la hora presente un desgraciado. Toda la atención, todas las fuerzas de su alma se hallaban concentradas en su única hija, en aquella linda y frágil 5 Angelina que acabamos de ver. Para ella había trabajado, para ella vivía y respiraba. El dinero para él no tenía positiva significación, puesto que no lo necesitaba; manejaba los millones como un jugador de tresillo las fichas de marfil; estaba ligado a ellos como un patinador a sus *skys*. 10 En cambio, su entera existencia pendía del hilo bien delgado que sostenía la de Angelina. En ella pensaba a todas las horas del día y de la noche.

Muchos disgustos le proporcionaba aquella criatura, no sólo por su precaria salud, sino también por su carácter 15 caprichoso y fantástico. Desde que saliera [1] del colegio de la Habana y llegara a Madrid se había mostrado a tal punto exigente, que nada parecía contentarla. Sus antojos eran increíbles. En vano el padre, intranquilo siempre a causa de su flaqueza, se esforzaba en complacerla; cuanto más la 20 mimaba, sentía con horror que menos feliz la hacía.[2] Angelina lloraba, se desesperaba sin motivo aparente. Quirós se estremecía cada vez que la encontraba presa de una de estas peligrosas rabietas. Hubiera dado su sangre por verla dichosa. ¿ Para qué le servían, pues, sus millones ? 25

---

[1] **saliera=había salido.** The imperfect subjunctive in **-ra** derives from the Latin pluperfect indicative and frequently has the force of this mood and tense.

[2] **cuanto más . . . que menos feliz la hacía.** *With consternation, he felt that the more he humored her the less happy he made her.*

IV

9. Pasada aquella terrible crisis y calmada su desesperación, Angelina ordenó que enganchasen la berlina-clarens y se fué a dar una vuelta a la Castellana acompañada de la imprescindible Felicidad.

5 Como aún no estaba abierto en aquella época el paseo de coches del Retiro, era la Castellana el único en que diariamente, por las tardes, la alta sociedad madrileña gozaba el singular deleite de contemplarse durante dos horas, esperando disfrutar del mismo atractivo por la noche en el 10 teatro Real.[1] Los coches de caballos se apretaban allí del mismo modo que hoy se aprietan los automóviles en el Retiro. [p. 257]

Angelina, aturdida aún, medio deshecha por la grave aflicción que sobre ella había caído, se entregaba a una 15 desmayada soñolencia, se dejaba mecer dulcemente por los muelles del carruaje, mientras su compañera Felicidad se entregaba a un legítimo y nada equívoco sueño. Apenas miraba por la ventanilla; no le interesaba el sombrero de la niña de Carriquiri, ni la *robe tailleur* de la condesa de Villa-20 gonzalo, ni el *beau crêpe de Chine* de la Medinaceli. En aquellos momentos aciagos el mundo había perdido para ella todo su atractivo.

Sin embargo, en una de sus distraídas ojeadas, acertó a ver cruzando a pie por la acera a Gustavo Manrique. Éste, 25 cuyos ojos chocaron con los de ella, le hizo un profundo

---

[1] **el teatro Real.** Changed under the Republican Government to *El Teatro de la Ópera.*

saludo, despojándose del sombrero de copa hasta tocar con
él en las rodillas. La niña correspondió con una amable y
leve inclinación de cabeza. Mas a la otra vuelta el coche
iba tan pegado al andén de los peatones, que estos peatones
podían hablar con los ocupantes de los coches. Así fué 5
como Gustavo Manrique saludó en voz alta a Angelina.

— Buenas tardes, Angelina.

— Adiós, Gustavo.

Pero con súbita decisión apretó la perita de goma que
ponía en comunicación con el pescante y advirtió al co- 10
chero:

— Para, Marcelo.

El coche se detuvo casi al borde del andén. Gustavo
Manrique se acercó a él y con la cabeza descubierta apretó
la mano que por la ventanilla le tendía la niña. 15

— ¡ Cuánto tiempo ! ¡ Cuánto tiempo ! — exclamó el
joven.

— ¿ Mucho tiempo y el jueves me ha visto usted en casa
de Bauer ? — replicó Angelina riendo.

— Para usted es poco . . . para mí mucho. 20

— Siempre tan galante . . . y tan embustero.

— Ni lo uno, ni lo otro. Cuando usted se ponga frente a
un espejo, Angelina, seguramente verá en él una personita
que le dirá mejores galanterías.

— Esa personita me dirá, por el contrario: « Desconfía 25
siempre, Angelina, de los hombres falsos y engañosos. »
¿ Cómo no pasea usted hoy a caballo ?

— Porque mi *Prety* se encuentra un poco indispuesta en
manos del veterinario.

— Pues también *Rosette*, mi jaca de silla, está enferma. 30

— ¿ Lo ve usted, Angelina ? Hasta nuestros animales se
manifiestan simpatía.

— Yo no creo en la simpatía de su caballo. En cambio, se me figura que a *Camarada* no le soy desagradable.

Gustavo Manrique traía consigo un hermoso perro danés azulado que miraba fijamente a Angelina moviendo el rabo
5 de un modo vertiginoso.

— ¿ Cómo desagradable ? El otro día me dijo al oído: « No hay en Madrid una chica más linda y simpática que Angelina Quirós. ¡ Es una verdadera preciosidad ! »

— ¿ Le dijo a usted eso de verdad ? — exclamó Angelina
10 riendo —. Pues el perro es tan falso como su amo.

— Además, me ha dicho que había oído lo mismo a todos los perros con quienes había hablado.

— Es algo ya tener buena fama entre los perros.

— Los hombres, Angelina, levantan a usted los ojos como
15 a una estrella.

— Soy una estrella filante que el día menos pensado cae sobre la tierra y le rompe a alguno la cabeza por embustero.

— Lo que no me ha dicho *Camarada*, sin duda porque
20 no lo ha oído, es que Angelina Quirós sabe burlarse cruelmente de sus adoradores. ¿ Va usted esta noche a la Embajada de Austria ?

Angelina frunció el entrecejo. El recuerdo del baile de la Embajada le trajo el de su fracasado vestido y recibió
25 un golpe en el corazón. Así, que vacilando un poco, casi balbuciendo respondió:

— Sí . . . creo que sí . . . me parece que iré . . . ¿ Y usted piensa ir ?

— ¡ Cómo no, después de lo que acabo de oír !

30 — Bueno, pues hasta la noche. Estamos estorbando la circulación.

Y apretando con una mano la perilla de goma alargó la

otra a Gustavo, que se retiró haciendo una gran reverencia.

10. — Marcelo, siga usted — pronunció la joven, dejándose caer hacia atrás y dirigiendo una mirada a Felicidad, entregada a un profundo sueño que en aquella ocasión resultaba diplomático. Gustavo Manrique quedó unos 5 instantes inmóvil en la acera viendo alejarse el coche.

Este Gustavo Manrique, uno de los hambrientos abejorros que zumbaban en torno de la miel de los millones de Quirós, no era un jovenzuelo; había alcanzado ya los treinta y cinco años, si no los traspasaba. Gallarda figura; alto, 10 delgado, rubio, correctas facciones. Cuando tenía veinte años fué conocido en la alta sociedad madrileña con el mote de *primer premio de belleza.* A la hora presente ya no era merecedor de tal premio. Aquella su belleza había decaído bastante. No tanto por los años como por una vida disipada 15 y viciosa su rostro ofrecía señales de prematura vejez; había perdido la frescura juvenil y aparecía dura y ajada, aunque la figura nada había perdido de su pristina esbeltez y elegancia. No ostentaba título alguno de nobleza, pero estaba emparentado con una gran parte de la nobleza de 20 Madrid; era aristócrata de pura sangre. Debido a esto se hallaba agasajado por toda la sociedad; era conocido y popular no solamente entre los aristócratas, sino entre los burgueses. [p. 257]

Sus padres le habían dejado una fortuna bastante con- 25 siderable en propiedades territoriales, pero sabido es que la tierra, si vale mucho, produce corto interés. La renta de Gustavo no era muy crecida. Su vida alegre y viciosa la necesitaba mayor. [p. 257] No tenía coche, pero montaba un magnífico caballo inglés de gran precio; tenía constante- 30 mente a la puerta un coche del círculo; jugaba en el Veloz, jugaba en el Casino y sus constantes amoríos extraían de su bolsillo no poco jugo metálico. Como no le bastaba su renta, todos los años pegaba un bocado a sus propiedades. Si tomase la resolución de venderlas de una vez y colocar su capital en valores, podría duplicar y acaso triplicar sus 5 ingresos ... No lo hacía en parte por pereza, en parte también por orgullo. Sus aventuras eran de toda clase, grandes damas, burguesas y aun plebeyas. Decía riendo a sus amigos que las menos costosas eran estas últimas. [p. 258]

Así había llegado a los treinta y cinco años con el capital 10 mermado, la salud también, pero enriquecido con un caudal de experiencia y un profundo conocimiento de la galantería en todas sus fases. Al fin comprendió, lo que indefectiblemente en cierto momento de la vida comprenden los jóvenes calaveras de la aristocracia, que un matrimonio ventajoso 15 salvaría por completo su situación. Había visto a Angelina Quirós en la Castellana arrastrada por un magnífico tronco extranjero, el cochero y lacayo con flamante librea; la conoció después en una reunión del banquero don Nazario Carriquiri, tomó informes, se hizo presentar a ella y comenzó 20 el bloqueo, un sabio y concienzudo bloqueo. Nada de declaraciones prematuras, sino una amistad cada día más familiar, brindándose siempre como un afectuoso camarada con el cual se podrá reír y murmurar sin consecuencia alguna. Sin embargo Angelina, que había recibido ya no 25 pocas declaraciones de amor, esperaba la suya. Mas no acababa de llegar, y esto le causaba sorpresa y después una mijita de despecho. Gustavo logró interesarla. Porque, aparte de su arrogante figura y elegancia, poseía la retórica, las salidas imprevistas, las galanterías de estilo que tanto 30 lisonjean a las mujeres. Aquella su actitud desembarazada, afectuosa y al mismo tiempo un tanto displicente despertaba su curiosidad, y sin darse de ello cuenta la inquietaba.

V

11. — ¿ Estás ya lista, Angelina ?

— Pasa, Felisa.

Felisa Valgranda entró en el saloncito tocador, donde tres doncellas rodeaban a Angelina, dando los últimos retoques a su atavío, delante de un gran espejo. Felisa quedó 5 extasiada un momento en presencia de aquella maravilla.

— ¡ Pero qué remonísima estás, criatura !

Angelina no acogió el piropo con agrado; hizo un mohín de disgusto y en su frentecita apareció una arruga.

— No, Felisa, no; mi vestido rojo de tul, que esperaba 10 esta noche, ha sido una desdicha.

Y con palabra entrecortada y acento plañidero le dió cuenta prolija de aquel gran fracaso.

— ¿ Pero qué importa, si estás monísima ? El color violeta te sienta admirablemente. ¿ Verdad, chicas (di- 15 rigiéndose a las doncellas), que la señorita está preciosa con este traje ?

— ¡ Sí, sí, preciosa ! — murmuran al unísono las doncellas.

— ¡ Pero si lo he estrenado hace un mes en casa de 20 Carriquiri ! — exclamó Angelina gimiendo.

— ¡ Bah ! Eso no tiene importancia. Además, la gente de Carriquiri no es la misma de la Embajada.

Eran las diez de la noche. Don Antonio Quirós entró en la habitación, y saludando a Felisa Valgranda sin gran 25 ceremonia, con su habitual rudeza, se acercó a su hija, la miró atentamente al rostro sin fijarse poco ni mucho en el vestido.

— ¿ Cómo te sientes, hija mía ? ¿ Te ha pasado el dolor de estómago ?

5 — ¿ Usted piensa, don Antonio — profirió Felisa riendo — que a una niña le duele algo en el momento de ir a un baile ?

Quirós permaneció serio, sin despegar los labios, se encogió de hombros y salió de la estancia con la misma
10 gravedad.

Felisa se acercó al oído de Angelina y le dijo confidencial-mente:

— Federico quería venir conmigo ¿ sabes tú ?; pero yo no lo he consentido. ¡ Hijo mío, es preciso guardar las
15 conveniencias !

— ¿ Y por qué quería venir ? — preguntó Angelina distraída.

— ¿ No lo adivinas ? Pues para gozar de tu presencia media hora antes que los otros.

20 — ¡ Bah ! . . . no merecía la pena — repuso con marcada displicencia.

— ¡ Vaya si la merece ! Los que admiran algo hermoso quisieran tenerlo siempre delante.

Angelina permaneció silenciosa frente al espejo, atenta
25 por completo al efecto de su vestido y su peinado.

— Vámonos ya, querida — dijo Felisa —. Ya es tarde y tú estás tan bonita que no es posible estarlo más.

Angelina se dignó sonreír. Dió los últimos toquecitos a su linda cabeza y salió para besar a su papá, que le dijo no
30 sin tristeza en la voz:

— Procura no venir demasiado tarde, hija mía, porque estas noches en claro te hacen mucho daño — y dirigiéndose a Felisa: — Cuide usted de ella, Felisa. No se estén ustedes hasta última hora. Ya sabe usted que esta niña dista de ser robusta.

— Duerma usted tranquilo, don Antonio. Para mí Angelina no es una amiga, sino una hija.   5

Felisa Valgranda era una señorita de cuarenta años, hermana del marqués de Valgranda, un chico de veinti- cuatro. Ambos hermanos huérfanos vivían juntos y solos. Su abuelo, primer marqués de Valgranda, había sido un famoso contratista y abastecedor de indumento para el 10 ejército, que se enriqueció enormemente durante la primera guerra carlista [1] y a quien la reina Cristina otorgó ese título. Pero su hijo y heredero, como no pocas veces acaece, se encargó de disipar aquella gran fortuna, y no sólo la suya, sino también la de su esposa, hija de un opulento propietario 15 de Extremadura. Vivió hasta una edad avanzada, y dejó sus asuntos de tal modo embrollados que se temió quedaran [2] sus dos hijos en la completa miseria. Tardó bastantes años en desenredarse la madeja. Felisa, muchacha enérgica y astuta, luchó denodadamente, pasando gran parte de su vida 20 entre abogados, escribanos y procuradores. Al fin se logró solventar todas las deudas y les quedó lo suficiente para

---

[1] The Salic law (1713, in Spain), by which women were excluded from the throne, was abolished by the *Pragmatic Sanction* (drawn up by Charles IV, 1789), promulgated by Ferdinand VII, 1830, to insure the accession of his daughter Isabella. His brother, Don Carlos, still con- sidered himself the rightful heir and on the death of Ferdinand pro- claimed himself king. The three-year-old Isabella was made queen (Isabel II) with her mother, Christina, as regent. The supporters of each fought for seven years (first Carlist War, 1833–40). Isabella was declared of age in 1843 and reigned until the Revolution of 1868.

[2] **que se temió quedaran.** The conjunction **que** may be omitted after such verbs as **temer, rogar,** and **suplicar.** If used here, it would clash with the preceding conjunction and with **que**– of **quedaran.**

vivir como modestos burgueses, no como marqueses. [p.
258]

Esta gloriosa doncella había servido de madre a su hermano, porque había perdido la suya cuando éste daba los
5 primeros pasos. Tuvo, como todas las mujeres, fantasías
matrimoniales, mas como era pobre y nada bella se vió al
cabo necesitada a renunciar a ellas. Podría casar con un
empleadillo o un viejo mercader que aspirase a realzarse
pasando a ser cuñado de un marqués, pero por nada en el
10 mundo hubiera descendido de su categoría. Para sostenerla
trabajaba con esfuerzo pertinaz, infatigable. No tardó en
comprender que el medio más fácil y seguro para ello era
casar a su hermano con una mujer rica. Por eso apenas se
halló éste en edad de contraer matrimonio tendió la red
15 para atraparla. Sus intentos habían fracasado hasta entonces. Federico, a pesar de su título de marqués, carecía
de los atractivos que seducen a las mujeres. [p. 259]
Sólo a la fuerza consentía en secundar los planes maquiavé-
licos de su hermana. Las ricas herederas que ésta le empu-
20 jaba a conquistar no le gustaban; solían ser feas. Por otra
parte, era tan perezoso que descuidaba los medios indis-
pensables para rendir la plaza.

12. Llegó un día, sin embargo, en que este flojo mancebo
sacudió su apatía. Felisa tropezó casualmente en una
25 reunión con Angelina Quirós, tomó vientos, olfateó la caza
y cayó sobre ella con la velocidad y energía de un águila
caudal. En un instante intimó con la niña, la sedujo con
sus constantes hiperbólicas adulaciones, la aprisionó, la
paralizó, llegó a ser en poco tiempo su ninfa Egeria,[1] el

---

[1] **Egeria.** A fountain nymph, associated with the Italian goddess
Diana. It is said that she gave Numa, second king of Rome, the wis-
dom he displayed in establishing Roman institutions.

árbitro de sus gustos y pensamientos. [p. 259] En cuanto
a Felicidad, era una sirvienta asalariada que sólo la acompañaba en el paseo o cuando iba de tiendas.

Felisa llegó a entrar en aquella casa con tal confianza
cual si fuese cercana deuda. A cualquier hora del día, sin 5
anunciarse, se colaba en el gabinete o dormitorio de Angelina, la arrastraba a las recepciones mundanas, a las iglesias,
a las tómbolas. Quirós, aunque sorprendido de tal repentina
intimidad, la dejaba correr, porque nada censurable encontraba en ello. [p. 259]   10

Felisa Valgranda, con diplomática habilidad, se abstenía
de introducir a su hermano en casa de Quirós. Pero llevaba
a Angelina a todos los sitios donde pudiera encontrarle,
hablaba de él sin cesar, loando unas veces su carácter, otras
su cultura, otras, por fin, su fuerza y agilidad, aparentaba 15
sentir hacia él, no sólo afecto, sino gran respeto; alguna vez
hablando de él solía decir « el marqués » y no Federico.
Éste, que veía con frecuencia a Angelina en teatros y reuniones, hablaba y bailaba con ella. Y sucedió que obligado
hasta entonces a rendir sus obsequios a herederas poco 20
apetitosas, al hallarse con una linda joven se enamoró
sinceramente. Principió apeteciendo los millones y concluyó
pronto apeteciéndola a ella. Esto no le convenía a Felisa,
porque preveía lo que más tarde acaeció. Hubiera deseado
que su hermano conservase su sangre fría, la cabeza firme y 25
marchase hacia aquel negocio con perfecta calma y serenidad.
Mas como no pudo evitarlo, procuró sacar de tal situación
partido.

El coche estaba a la puerta del jardín. Felisa había
venido en uno de punto, que despidió al llegar. Antes de 30
bajar a la calle Angelina fué a besar a su padre que, inquieto
siempre, le recomendó otra vez que viniese lo más pronto

posible, que no se sofocase bailando y no comiese ni bebiese absolutamente nada. Angelina lo prometió todo, y ambas amigas partieron para la Embajada.

En ésta se había celebrado a primera hora un banquete 5 en honor de cierto príncipe austríaco; después venía la recepción y el baile. [p. 259] La reunión estaba compuesta en su mayoría por las familias de los diplomáticos acreditados en Madrid, pero había también bastantes títulos de Castilla y hombres públicos.

10 Cuando entró Angelina pronto se vió rodeada por un enjambre de solícitas abejas ávidas de libar la miel de aquella florecita que guardaba en su corola tantos billetes de Banco. [p. 259]

Inútil es decir que una de las más solícitas abejas era el 15 marqués de Valgranda, a quien su hermana Felisa empujaba hacia Angelina como si le llevase a la escuela. Gustavo Manrique vino igualmente a saludarla y lo hizo muy afectuosamente, pero después ni la sacó a bailar ni se ocupó más de ella en toda la noche. La sorpresa de Angelina fué 20 grande, y a esta sorpresa se añadió luego un vivo despecho observando que Manrique dedicaba todas sus atenciones a Lalita Moro, la hija del célebre orador y hombre público Sixto Moro.[1] Apenas se apartó de ella en toda la noche, la sacó a bailar repetidas veces, se sentaba a su lado, le to-25 maba el abanico, le tomaba los guantes, se inclinaba para hablarla al oído; en fin, parecía entusiasmado.

¡Oh! Gustavo Manrique era un gran estratégico. Por su larga experiencia, por el estudio concienzudo que de él había hecho, el arte de la guerra amorosa no tenía secretos 30 para él. Lalita Moro era una joven preciosa, una verdadera

---

[1] **Sixto Moro.** A fictitious character from the author's novel, *Años de juventud del doctor Angélico* (1918).

belleza, pero no tenía dinero, y dinero, sobre todo, era lo que le hacía falta a aquel elegante y arruinado joven.

Una cólera concentrada, cada vez más viva, se había apoderado de Angelina. Impulsada por ella, y para dar en el rostro a aquel majadero, fingió hallarse interesada por el 5 marqués de Valgranda, le concedió todos los bailes que quiso, le permitió sentarse a su lado, que le tomase los guantes, que le tomase el abanico, en fin, que hiciese con ella lo mismo que Manrique estaba haciendo con Lalita Moro. De reojo, no obstante, echaba miradas fulminantes a esta 10 odiosa pareja.

Felisa asistía embelesada al triunfo de su hermano. Jamás había recibido una más grata sensación de placer. Le veía ya casado con la rica heredera, dueño de una inmensa fortuna.   15

— No pienso que ningún hombre haya sido nunca más feliz que mi hermano Federico esta noche — dijo al montar en el coche con Angelina.

— ¿ Por qué ? — preguntó ésta distraídamente.

— ¿ Y me lo preguntas cuando eres tú la causa de su 20 felicidad ?

— ¡ Ah !

Y al mismo tiempo volvía la cabeza para ver cómo Lalita Moro reía a carcajadas mientras estrechaba la mano de Manrique al montar en el coche.   25

Después se echó hacia atrás y permaneció silenciosa.

— ¡ Cómo te habrás divertido [1] esta noche, Angelina !

— Mucho.

— Lo comprendo, querida.   Eres adorable.   Quisiera

---

[1] ¡ **Cómo te habrás divertido** . . . ! *What a good time you must have had* . . . ! The future and the future perfect are used to denote probability or conjecture.

haber estado en la piel de mi hermano ... Pero seguramente — añadió riendo — quisiera él estar ahora en la
mía.

Y aplicó sobre la mejilla de la niña dos apasionados besos.

Angelina permaneció silenciosa.

— Estás fatigadita, ¿ verdad ? Caerás sobre la almohada
como un tronco ... Un poquito distraída ... Adivino en
qué estás pensando en este momento, picarilla.

— ¡ Ah !

Felisa había pasado el brazo por la espalda de su amiga,
la apretaba efusivamente, la tomaba la mano y se la besaba
como el más apasionado adorador. Angelina estaba tan
distraída, que apenas se daba cuenta de aquellas subidas
caricias. Al apearse del coche le dió la mano apresuradamente y se lanzó a la escalera.

— Hasta mañana, Angelina. Que duermas bien.

— Llevamos a la señorita a su casa, ¿ verdad ? — le
gritó el cochero.

— Sí, sí, a su casa.

Cuando entró en su gabinete se sintió indispuesta. Rufina, que la esperaba en él dormitando, se sobresaltó, corrió
a hacerle una taza de tila. Pero Angelina cada vez se
sentía peor. Hubo que apelar al frasco del éter.

— Voy a llamar al señor — dijo, asustada, la doncella.

— ¡ De ningún modo ! — replicó, irritada, la señorita.

— Entonces voy a mandar que avisen al médico.

— Tampoco.

Al fin fué cediendo la malsana agitación. Mareada, casi
borracha por la acción del éter, se acostó, dejó caer la cabeza
sobre la almohada y quedó traspuesta. [p. 259]

VI

13. Fueron días amargos los que siguieron a esta noche; amargos para Angelina, pero también para los que la rodeaban, sin excluir su mismo padre. Sus caprichos inverosímiles y su mal humor llegaron a hacerla insoportable. Naturalmente, sobre la pobre Rufina descargó con más 5 fuerza la borrasca. Tanto hizo, tanto abusó que Quirós un día, perdiendo la paciencia, la reprendió ásperamente. Entonces hubo desmayo, ataque de nervios, crisis de lágrimas. Fué necesario llamar al médico. El pobre Quirós, arrepentido, aterrado, daba vueltas en torno de ella, la 10 besaba, la pasaba la mano por la frente, le decía al oído mil palabras cariñosas. [p. 260]

Paseando una tarde por la Castellana vió a Gustavo Manrique, pero se hizo la distraída y no le saludó. No obstante, el galán insistió en sus paseos hasta que logró 15 que sus ojos se encontrasen y entonces se despojó ceremoniosamente del sombrero; Angelina contestó con una leve inclinación de cabeza. Otro día, montado en su caballo, siguió el coche toda la tarde. Otra vez, caminando a pie, al cruzar el coche cerca de él hizo ademán de dirigirse a la 20 joven, pero ésta volvió la cabeza y no mandó parar.

Gustavo Manrique era un consumado estratégico, como ya se ha dicho. Todos aquellos movimientos del enemigo estaban previstos. Como Napoleón en Austerlitz,[1] tenía

---

[1] **Austerlitz.** Town in Moravia, Czechoslovakia, where Napoleon defeated the Austrians and the Russians, December 2, 1805. This battle, perhaps his greatest victory, is sometimes called the *Battle of the Three Emperors*.

ordenada la batalla con mucha anticipación. Así que cuando llegó el momento oportuno se plantó en la acera al cruzar el coche y levantando el brazo él mismo lo hizo parar. Acercándose hacia la niña con el sombrero en la mano y la
5 sonrisa en los labios:

— ¿ Qué tiene usted conmigo, Angelina ? Parece que no quiere usted saludarme.

Angelina se puso roja.

— ¿ Qué he de tener con usted, Gustavo ? Soy muy dis-
10 traída. Perdone usted si no he contestado a su saludo.

— Quien debe implorar perdón soy yo si por inadvertencia, nunca voluntariamente, he incurrido en su desagrado.

— Le repito que no tengo de usted queja alguna. Son aprensiones.

15 — Los vasallos de un déspota no pueden evitar estas aprensiones. Cuando ven oscurecerse la faz del tirano se echan a temblar, imaginando que involuntariamente han cometido una falta y que les va a cortar la cabeza.

Angelina contestó riendo:

20 — Ni yo soy un tirano, ni usted un vasallo.

— Eso último no es tan cierto. Hace tiempo que me considero vasallo de su hermosura y su gracia.

— Ésas no son más que galanterías mohosas, Gustavo — replicó la niña poniéndose seria.

25 — ¿ Lo ve usted, Angelina ? Con la mayor inocencia puede uno cometer faltas, incurriendo en el desagrado de su reina.

— Yo no soy su reina — repuso Angelina riendo de nuevo —, ni aunque lo fuere [1] pensaría en cortarle la cabeza.

---

[1] **ni aunque lo fuere,** *nor if I should be* (at some future time). The future subjunctive indicates a future possibility. Its use is now relatively infrequent.

— Pues aquí la tiene usted siempre a su disposición —
profirió el joven inclinándose hasta tocar con la frente en el
borde de la ventanilla del coche —. Córtela usted cuando
le apetezca.

— Que se la corte la que tenga derecho para ello — 5
replicó otra vez seria.

Gustavo alzó la cabeza, la miró sonriendo unos instantes
y encogiéndose de hombros:

— Bueno ... Tenemos mucho que hablar, Angelina.
Ahora estamos estorbando la circulación. ¿ Va usted el 10
jueves a casa de Carriquiri ?

— Me parece que sí.

— Pues hasta el jueves. Pero entretanto sea usted buena
y no me olvide.

— Yo no olvido nunca a los buenos amigos. 15

— ¿ Ni a los pobres vasallos ?

— Ni a los vasallos.

Angelina reía al contestar.

Fué feliz aquella tarde y lo fué en los días siguientes, hasta
llegar el jueves. En el encapotado firmamento, bajo el 20
cual caminaba desde hacía dos semanas, se abría un agujero
azul.

Fueron señalados estos días que precedieron al esperado
jueves por un acontecimiento que no turbó aunque sí
distrajo su atención. Felisa Valgranda seguía visitándola 25
con la misma asiduidad, pero no lograba, como antes,
sacarla a menudo fuera de casa. [p. 260] La encontraba
seria, pensativa; cuando le hablaba de su hermano se ponía
aun más seria. Esto lo interpretó la Valgranda en sentido
favorable a sus proyectos. Angelina estaba enamorada. 30
Aquella su preocupación, la constante seriedad y el inusitado
silencio acusaban un corazón agitado por el amor. ¿ Y de

quién podía estar enamorada, sino de su hermano Federico ?
Por esto se resolvió a dar el golpe de gracia empujando a
éste a un acto decisivo.

Se hallaba Angelina en la cama una mañana, ya bien
5 entrado el día, cuando Rufina le entregó una carta que para
ella habían traído a mano. Miró el sobre distraídamente y
vió sobre el cierre una corona de marqués. Lo rompió,
un poco excitada su curiosidad. Era la carta del marqués
de Valgranda, una fogosa declaración de amor en dos pliegos
10 inspirada, casi dictada por su perspicaz hermana. Falló
aquí, no obstante, su perspicacia. Angelina pasó los ojos
sobre ella sin gran atención, hizo una mueca desdeñosa y
dejándola caer sobre la colcha se levantó y no volvió a ocu-
parse de ella. Fué Rufina quien, después que la hubo
15 bañado y peinado, se la recordó.

— Señorita, ha dejado usted sobre la cama la carta que le
han traído.

— ¡ Ah !, sí . . . Métela en el tirador de la mesa de noche.

Al día siguiente abriendo el cajoncito para buscar una
20 llave vió la famosa cartita y volvió a hacer la misma mueca
de indiferencia desdeñosa. Pero la sacó, la leyó de nuevo
con más atención y comprendió que no había más remedio
que contestarle. Espontánea, caprichosa, irreflexiva, acostumbrada a que todo el mundo la mimase, no se tomó la
25 molestia de fabricar como hacen las coquetas avisadas una
respuesta ambigua, una repulsa dorada, un tarrito de miel,
esto es, unas calabazas confitadas. Se las envió al marqués
enteramente al natural. Apenas guardó con él la cortesía y
la gratitud que le debía.

30 **14.** Con esto su amiga Felisa se abstuvo de poner más
los pies en su casa, y cuando llegó el jueves de la reunión
de Carriquiri, como no tenía con quien ir la llevó su padre,

el cual sólo por absoluta necesidad solía asistir a estas fiestas nocturnas.

Gustavo Manrique ya estaba allí. La saludó muy afectuosamente, la sacó a bailar, después se sentó a su lado. Hablaron de asuntos indiferentes. Angelina esperaba 5 impaciente que reanudase la conversación interrumpida; pero esperó en vano un buen rato. Poco a poco fué quedando seria; el malestar y el despecho se iban reflejando en su rostro. Manrique la observaba de reojo.

— Vamos a ver, Angelina — dijo al cabo —. Venga ese 10 capítulo de agravios.

— Ya le he dicho a usted que ninguno tengo.

— Sí lo tiene usted. Se lo he conocido en esa frentecita fruncida, en esos ojitos tan lindos un poco airados. Sea usted buena, Angelina. No me tenga usted sobresaltado, 15 pensando que puedo haber ofendido a mi reina y señora.

— Yo no soy reina de usted.

— La tengo a usted por tal. El que usted no quiera serlo es cosa distinta.

— Se me figura que debe usted tener muchas reinas y 20 hasta emperatrices.

— ¿ Lo ve usted ? Me considera como un vasallo infiel. Sea usted buena, Angelina, dígame su resentimiento.

La cándida niña, después de permanecer unos instantes silenciosa, descubrió su corazón. 25

— Pues bien, Gustavo, no puedo menos de decir a usted que la noche de la Embajada de Austria no estuvo usted conmigo amable, ni siquiera cortés.

— Agradezco su franqueza, Angelina. Es posible que inadvertidamente no le haya rendido los honores que a una 30 reina se deben; pero esto tiene una explicación. Acaso haya tenido demasiada confianza en la indulgencia de usted.

Yo llevo hace mucho tiempo una afectuosa amistad con Lalita Moro y con su padre. Desde este verano, en Biarritz, donde me prestó un señalado servicio, haciendo que Moro me recomendase al *maire* en un asunto para mí
5 muy enojoso, no había tenido ocasión de hablar con ella. Por eso me creí en el deber de dedicarla esa noche todas mis atenciones, abandonando otras sin duda más sagradas.

Angelina volvió sobre sí.

10 — No tiene usted por qué darme explicaciones. Yo no se las he pedido.

— Pero se las doy, porque se las debo.

— Tampoco es cierto. No tengo derecho alguno a exigírselas.

15 — Pues eso quisiera yo, que tuviera derecho a exigírmelas.
[p. 260]

Angelina le miró fijamente unos instantes con sonrisa picaresca.

— ¿ Habla usted de veras ?
20 — Con toda la sinceridad de mi corazón.

— ¿ Quiere usted de verdad que yo tenga derechos sobre usted ?

— Hasta cortarme la cabeza si la place.

Angelina rió de un modo encantado y permaneció silen-
25 ciosa.

— Está bien — dijo al cabo, alzándose bruscamente de la silla —. Ya veremos . . . Lo pensaré.

Una alegría intensa agitaba su corazón. Por eso, al apartarse de Manrique y tropezar con el marqués de Val-
30 granda, sin acordarse de su declaración ni de las calabazas que le había endilgado, le tendió la mano muy afectuosamente.

— Hola, Federico. ¡ Qué tarde llega usted ! ¿ Cómo está Felisa ? No la he visto hace días.

El marqués se puso rojo y balbució algunas palabras incoherentes. Pero en aquel instante apareció en el salón Lalita Moro, y Angelina ya no le hizo caso. Volvió su 5 rostro adonde se hallaba aún sentado Manrique y le hizo una graciosa mueca. Éste se levantó de la silla y vino hacia ella sonriente, sin mirar a Lalita.

— ¡ Cuidado ! — le dijo Angelina en voz baja —. Ya sabe que puedo cortarle la cabeza. 10

— Aquí la tiene usted — respondió el galán poniendo un dedo en el cuello.

El marqués de Valgranda oyó estas palabras, y de rojo se puso pálido. Sus ojos chocaron con los de Manrique y en ambos brilló un chispazo de odio; pero en los de Manrique 15 había más bien una expresión de indiferencia desdeñosa, mientras en los del marqués relampagueaba una franca aversión.

Fué una noche de triunfo para Angelina. Para Manrique más positiva. No hizo caso de Lalita Moro: todas 20 sus atenciones fueron para la heredera del opulento Quirós. Cuando venía a sentarse a su lado le preguntaba bajito:

— ¿ Quiere usted ese derecho ?

Y ella respondía bajito también y riendo: 25

— Lo pensaré, lo pensaré.

Ya estaba bien pensado. En la primera noche que tuvieron ocasión de hablarse quedaron afirmadas sus relaciones amorosas.

Angelina pareció revivir; estaba alegre como un pajarito, 30 reía, cantaba, no se enfurecía con los criados. Hubo unos días de respiro en aquella casa. No fué muy largo, sin embargo. Gustavo Manrique, desplegando siempre su estrategia napoleónica, había aprendido que en los amores la calma chicha suele engendrar hastío y al cabo ruptura. Por eso procuraba que se produjesen algunas leves borrascas; 5 un día le daba celos con una bella y al día siguiente con otra. De tal modo, que la inocente Angelina comenzó a vivir sobre brasas, y por ello a mostrarse agitada y nerviosa en demasía. Y he aquí el motivo por el cual al cabo de dos meses de relaciones, ella misma, con gracioso disimulo y 10 candorosa habilidad, le insinuó la idea de boda. ¡ Qué más quería aquel bergante ! Hasta quedó entre ellos convenido y señalado el día de la petición de mano. Quedó acordado el ceremonial. El duque de la Pival, tío de Gustavo, fué, después de varios debates, la persona designada 15 para avistarse con Quirós.

Éste se enteró pronto de los amores de su hija... El sujeto no le gustaba poco ni mucho, ni tenía de él buenas referencias, ni su traza de *dandy* aburrido le causaba favorable impresión. Los hijos del trabajo detestan a los hol- 20 gazanes, y los hombres sencillos, que no miran mucho a sus corbatas y sus botas, desprecian a los mequetrefes acicalados... Pero conocía demasiado el temperamento de su hija, sabía que su salud era muy frágil, y temblaba ante la idea de que una abierta oposición por su parte le ocasionase 25 una grave enfermedad. En este conflicto, viéndola cada día más encaprichada, más nerviosa y agitada, ingería el infeliz tragos bien amargos. Hasta imaginó trasladar su residencia al extranjero; mas un día en que, con muchas precauciones y perífrasis lo insinuó a su hija, se puso ésta tan 30 descompuesta y a tal punto nerviosa, que se apresuró a tranquilizarla, renunciando a su proyecto.

15. Así se hallaban las cosas, bien desdichadas para el

Tenga usted la bondad de llamar a su perro.

pobre Quirós, cuando acaeció un suceso que por poco le saca de penas.[1] No lo quiso Dios, sin embargo. [p. 260]

Una mañana del mes de marzo paseaba por la Castellana Manrique, montado en su jaca *Prety*. El hermoso danés
5 *Camarada*, alegre y juguetón, le seguía por la acera, brincando paralelamente al caballo. Quiso la funesta casualidad que por esta acera viniese paseando el marqués de Valgranda. Y el perro, que hasta entonces se había mostrado benévolo o indiferente con los paseantes, como si participase
10 de los rencores de su amo se plantó delante del marqués y comenzó a ladrarle. El marqués se detuvo y dirigió una mirada agresiva a Manrique. Éste gritó al perro.

— ¡ *Camarada* ! ¡ Toma ! ¡ Ven aquí !

Pero el animal, sin atenderle, siguió ladrando cada vez
15 más amenazador. El marqués gritó entonces a Manrique:

— Tenga usted la bondad de llamar a su perro.

Aquél, un poco pálido y sonriendo forzadamente, le contestó:

— Ya ve usted que lo hago.

20 El marqués, pálido también y con la misma sonrisa forzada, replicó:

— Pero no le hace a usted caso.

Manrique, sin dejar de sonreír, pero cada vez más pálido:

— ¿ Y qué culpa tengo yo de que no me haga caso ?

25 — ¿ Y qué culpa tengo yo de que su perro no le obedezca ? [p. 261]

— ¡ *Camarada*, aquí !

El perro, como si oyese campanas.[2]

---

[1] **que por poco le saca de penas,** *that nearly freed him from anxiety.* Use of the present tense makes the statement more vivid.

[2] **como si oyese campanas.** *without paying the slightest heed.* Lit., *as if he were hearing bells.*

— Tenga usted la bondad de apearse y sujetar a su perro — dijo entonces el marqués con acento amenazador.

— Amigo, eso de apearse es un poco fuerte — respondió Manrique riendo sarcásticamente.

— Más fuerte va a ser la bofetada que yo le daré cuando 5 le tenga cerca — vociferó el marqués fuera de sí.

— ¿ Qué decía usted ? — preguntó Manrique muy pálido, avanzando con el caballo hasta meterlo casi por la acera.

— Que se apee usted y verá cómo le rompo las narices. 10

Manrique hizo ademán de apearse, pero conteniéndose, no se sabe por qué, si por prudencia o por miedo, replicó en tono trágico:

— Deme usted su tarjeta.

— Deme usted la suya. 15

Ambos echaron mano a la cartera. El marqués avanzó y le entregó la tarjeta. Manrique le dió la suya. Se conocían desde hacía años, pero con el mismo cómico orgullo afectaban ignorarse.

En aquel momento apenas había en la acera de la Caste- 20 llana transcúntes. Sin embargo, tres o cuatro personas se habían detenido, mostrando la natural curiosidad. Entre ellos se hallaba el cochero de los Ortega, que tenían un hotelito próximo al de Quirós. Al cruzar luego por delante de éste, viendo en el jardín a Clemente, el lacayo, le refirió 25 lo que acababa de presenciar. [p. 261]

Clemente contó el caso a una de las doncellas y ésta se lo encajó inmediatamente a la señorita. La cual, sobresaltada de un modo indecible, imaginando terrible catástrofe, pues no le cupo duda que el contrincante de Manrique era el 30 propio marqués de Valgranda, se aventuró a enviar a aquél una carta urgente:

« Querido Gustavo: Acabo de saber por casualidad la disputa que has tenido en la Castellana con Federico Valgranda. Yo te ruego encarecidamente que le desprecies y no pase la cosa a mayores.[1] Puedes comprender lo horroroso que es para mí el que expongas tu vida sospechando que soy la causa de ello. ¿ Lo harás ?

Te lo suplica con toda su alma tu

Angelina. »

El gallardo Gustavo contestó:

« Mi adorada Angelina. Al llegar a casa, hace un instante, me entregan [2] tu carta. ¡ Cuánto te la agradezco ! Esa prueba de amor me llega al fondo del alma y me llena de orgullo y alegría. Nada temas, nena mía. Esta noche te veré en el Real. Gracias otra vez, preciosa. Hasta luego. Tu fiel vasallo

Gustavo. »

Éste sabía, no obstante, que el asunto era serio, pues no se le ocultaba que el despechado marqués lo llevaría con gusto hasta el más trágico extremo.

En efecto, antes de que Manrique saliese [3] de casa aquella tarde para buscar testigos, ya vinieron a visitarle los de Valgranda. Éstos traían la consigna de no entrar en explicaciones y concertar el encuentro inmediatamente. Manrique salió para buscar los suyos. Entre los unos y los otros se convino que el duelo se efectuase a sable con punta. Nada menos exigieron los testigos del marqués.

---

[1] **y no pase la cosa a mayores.** *and not allow the matter to go any further.*

[2] **entregan.** See note 1 p. 44.

[3] **antes de que Manrique saliese.** *before Manrique left.* Note that the subjunctive is always used after the conjunction **antes de que.**

Aquella noche Gustavo se mostró en el teatro más alegre y locuaz que nunca. La consabida arrogancia que se lee en las novelas románticas. Mas al despedirse y montar en un coche de punto, si en ello no hay indiscreción, diremos que no se sintió tan alentado y airoso. Al pensar en el lance del día siguiente, un poquito de frío descendió a su corazón magnánimo. Sin embargo fué al Club y se mostró igualmente chancero y displicente. Es el ceremonial seguido por los elegantes en este género de situaciones dramáticas.

Efectuóse el duelo a las primeras horas de la mañana en una finca de las cercanías de Madrid. El marqués de Valgranda era diestro en toda clase de deportes, gimnasta y esgrimidor conocido. Manrique lo sabía ... No es singular el frío de la noche anterior. Pero el marqués de Valgranda tenía acumulada demasiada cólera dentro del cuerpo, y ésta, si perjudica mucho en todas las situaciones de la vida, en trances como el presente suele ser fatal. [p. 261] Como su adversario tenía el brazo muy largo, en una de sus acometidas se clavó la punta del sable en el pecho. No penetró mucho, pero de todos modos bastó para que cayese a tierra. El duelo se suspendió. El médico que con ellos venía le hizo la primera cura, le transportaron al coche, y hubo de permanecer en la cama algunos días. Sus mismos testigos no se ocultaban después para decir que Manrique no había mostrado en el lance extraordinaria gallardía. Sin embargo éste, al llegar a casa, escribió a Angelina una carta, que, por lo enfática y declamatoria, era digna de uno de los héroes románticos de las novelas del siglo pasado.

VII

16. Angelina quedó contristada. La herida del marqués, bien analizadas sus causas, podía atribuirse a ella. Sentía tristeza y remordimiento. Pero a estos nobles sentimientos no tardó en unirse otro menos recomendable. El admirado
5 Manrique tomaba a sus ojos proporciones de un héroe, y ella acompañándole en su estela luminosa se consideraba una heroína.

No le acaecía otro tanto al buen Quirós. Un honrado y pacífico trabajador no puede menos de mirar con sorpresa y
10 desprecio esta clase de lances, que a sus ojos tienen su origen en la ociosidad. ¡ Ah, diablo ! Si estos señoritos tuvieran necesidad de ganarse el pan, no tendrían tiempo a representar tales comedias. Por eso, la antipatía que le inspiraba aquel sujeto creció notablemente.

15 Angelina, sobresaltada, envanecida, extremadamente nerviosa en los días que siguieron a aquella aventura romántica, puso en conmoción a todos los habitantes de su casa. Sus caprichos, sus injusticias llegaron a tal punto, que a su mismo amoroso padre le costaba gran trabajo reprimir la
20 cólera. Y con esto, el desgraciado veía que su idolatrada hija decaecía paulatinamente, pesaba cada día menos, su palidez se acentuaba. Los tónicos que incesantemente le recetaban los médicos más afamados de Madrid de nada le servían. Había llegado a perder casi por completo el ape-
25 tito. Se alimentaba de un modo tan deficiente, que al cabo no tendría más remedio que sucumbir. Quirós veía en lontananza la tisis, y para prevenirla se rompía los sesos imaginando diferentes medios. Unos días pensaba

llevarla a Alemania para consultar con alguna celebridad; otros, trasladar su residencia a Andalucía, clima menos peligroso; otros, hacer un viaje largo por el extranjero.

Hallándose en tal amarga tribulación, supo que un famoso clínico francés, Germán Say, había llegado a Madrid para 5 consultar la grave dolencia de un grande de España, y se alojaba sólo por pocos días en la casa del gran tribuno don Emilio Castelar,[1] su amigo. Aprovechando una valiosa recomendación logró que el ilustre doctor viniese a ver a su hija. Angelina, que caprichosamente se había negado 10 siempre a ser reconocida, impresionada, sin duda, por el renombre del médico, consintió en ello. Germán Say lo hizo con todo detenimiento, auscultó, palpó, examinó los ojos, la boca, mandó analizar la sangre, hizo mil preguntas. Al día siguiente fué Quirós a casa de Castelar para conocer la 15 sentencia del oráculo. El doctor tenía ya en su poder el análisis. Hablaba bastante bien nuestro idioma.

— Caballero — le dijo —, para su satisfacción he de manifestarle que su hija no tiene ningún órgano afectado . . . por ahora (y recalcó la frase). Pero su organismo se halla tan 20 fatigado, tan extenuado, que corre peligro de tenerlo pronto. [p. 261] La tuberculosis es un ladrón que ronda la casa y espera siempre que haya una puerta abierta para colarse dentro. No puedo menos de advertir a usted que su hija la tiene ya entreabierta. Mi opinión es que los medica- 25 mentos no han de impedir el asalto. Su hija de usted no se curará con preparados químicos, sino con aire puro y una vida higiénica. Es, pues, necesario, según mi entender, que la lleve usted a uno de los sanatorios suizos situados en las

---

[1] **Emilio Castelar** (1832–99). Spanish orator, statesman, and author. He was president, for a time, of the short-lived Republic (1873–74).

alturas y permanezca allí el tiempo posible, un año, dos
años ... cuanto más tiempo, mejor. [p. 261]

Quirós salió de aquella casa dispuesto a seguir inmediatamente la prescripción del doctor. Así se lo comunicó a
5 Angelina al llegar a la suya. No contaba con la voluntad
ardiente y caprichosa de su hija. Ésta se encrespó al escuchar el proyecto y se atrevió a decir que Germán Say era
otro farsante como los demás, que todo aquello de los sanatorios suizos era una moda inventada por los médicos, que
10 ella no tenía enfermedad alguna y que sólo a rastras saldría
de Madrid.

Bien se le alcanzó al buen Quirós que tan ridícula obstinación tenía origen en sus aborrecibles relaciones. Trató de
vencerla por los ruegos. Nada. Después por las amenazas.
15 Pero Angelina era terca. [p. 262]

Por aquellos días había llegado a Madrid el cardenal
arzobispo de Sevilla, Fray Ceferino González.[1] Éste no
sólo era su compatriota, pues ambos habían nacido en la
aldea de Villoria, concejo de Laviana, sino que fueron veci-
20 nos en su niñez y compañeros de escuela. Contaban, poco
más o menos, los mismos años de edad. Quirós temía que
con sus grandiosas bienandanzas apenas se acordase de él.
Así y todo decidió visitarle. El arzobispo, según se enteró,
sólo venía a Madrid por algunos días y se alojaba en la
25 residencia de los frailes dominicos. [p. 262] Allí se encaminó Quirós un tanto receloso, pero firme y sereno como
siempre lo había sido. Uno de los frailes, antes de pasar

---

[1] Ceferino González y Díaz Tuñón, born in Villoria, 1831. Served as
bishop of Tuy, then of Malaga and Cordova. Later he was induced to
accept the bishopric of Seville. Pope Leo XIII made him a cardinal.
He was appointed archbishop of Toledo, but as the climate did not agree
with him, he was transferred to Seville the following year. Author of
many philosophical works. Died in Madrid, 1894.

recado, se enteró prolijamente de quién era y qué objeto le
traía. Quirós le entregó la tarjeta y el fraile penetró al fin
en la estancia del prelado.

— Que pase — se oyó una brusca voz imperiosa.

Quirós entró. Era un mezquino despacho donde sentado 5
a una mesa y en actitud de escribir se hallaba el cardenal *in
nigris*, esto es, vestido de negro, descubriendo por debajo de
la vestidura talar la blanca cogulla dominicana. Su alta
jerarquía no se vislumbraba más que por la púrpura del
solideo y la cruz arzobispal que pendía de su cuello. Era 10
un hombre de mediana estatura, enjuto, cargado de espalda,
bajo de color, ojos negros pequeños, de mirada penetrante,
fisonomía dura, severa, que infundía no sólo respeto, sino
miedo.

— ¡ Antón ! — exclamó sin alzarse del sillón ni sonreír. 15
El cardenal González pocas veces sonrió durante su
vida.

Quirós avanzó hacia él e inclinándose besó el anillo
episcopal.

— ¿ Cómo sigue Su Eminencia ? 20

— Bien, bien — respondió ásperamente el cardenal.

Y poniéndose en pie, sin decir otra palabra, le agarró por
la muñeca y le condujo a su dormitorio que se hallaba contiguo. Si modesto era el despacho, modestísimo era el
dormitorio. Una cama vieja de madera, una mesilla, dos 25
butaquitas y un gran crucifijo que del muro enjalbegado
pendía sobre la cabecera de la cama. Era la celda de un
fraile más que el dormitorio de un príncipe de la Iglesia.

17. — Siéntate ahí — dijo el prelado, empujándole a
una butaca y sentándose él en la otra —. Aquí ya no hay 30
cardenal ni banquero. Tú eres Antón y yo Ceferino.

— Como tú quieras — dijo sencillamente Quirós.

Fray Ceferino le miró con fijeza unos instantes.

— A pesar de los cambios profundos que la edad trae consigo, creo que te reconocería. No sé si tú me reconocerías a mí.

5 — Pienso que sí. Lo que más nos desfigura a los hombres es la barba o el bigote, y tú no los tienes.

— ¡ Cuánto hemos corrido juntos, Antón ! ¡ Cuántas anguilas hemos pescado debajo de las piedras del río . . . y cuántas hemos dejado escapar ! ¡ Cuántos mirlos hemos
10 cazado, cuántas manzanas verdes hemos hurtado, cuántas castañas hemos asado . . . y cuántas palizas hemos llevado !

— Tu padre, que era el maestro, me las tiene dado soberanas.

— Pues a nosotros sus hijos no nos las propinaba más
15 flojas. Los nuevos sistemas pedagógicos no habían penetrado aún en Villoria.

— ¿ Y qué importa después de todo ? Los niños mimados no son los que hacen más carrera en el mundo. Tú eres un buen ejemplo, y yo en plano mucho más bajo también.

20 Aquellos dos compatriotas se hablaban con extraña gravedad. Tenían ambos un temperamento rudo, una áspera corteza rebelde a toda expansión; la misma brusquedad en sus palabras, pero también el mismo corazón recto y generoso. En el cardenal, este corazón se hallaba
25 coronado por una privilegiada inteligencia.

— ¿ Y cómo va esa salud ? ¿ Te prueba bien Sevilla ?

— No marcho mal por ahora. Pero el trabajo de la diócesis me aniquila. Era más feliz en mi celda con mis libros . . . ¿ A que no sabes lo que más apetezco en este mundo, y que
30 ya no podré jamás conseguir ?

— ¿ Qué es ello ?

— Pues jugar a los bolos. La última vez que jugué fué

en la bolera de Entralgo con mi amigo don Silverio Palacio.[1]
Estaba ya preconizado obispo de Córdoba y aproveché
aquellos meses de respiro.

— Lo creo, Ceferino. En la Habana he jugado bastante
con los paisaninos,[2] pero desde que llegué a Madrid no tiré 5
al alto una bola. ¿ Te marchas pronto a Sevilla ?

— En la semana entrante. Desgraciadamente no estaré allí mucho tiempo. Estoy designado por la Santa
Sede para ocupar la silla arzobispal de Toledo. Es probable
que aquel clima no me venga bien, pero en la Iglesia los 10
cargos no se pueden renunciar. Si enfermo me tendrán que
sacar de allí pronto . . . ¿ Y a ti, Antón, cómo te va con tus
millones ?

— Ya sabes que del dinero y la bondad [3] . . .

— Ya sé, ya sé. Pero en fin, tú has trabajado con fortuna 15
y has podido retirarte relativamente joven a disfrutar de
tu dinero.

— ¡ Disfrutar, disfrutar ! — exclamó en voz baja Quirós.

— ¿ Qué ? ¿ No eres feliz ? ¿ Cuántos hijos tienes ?

— No tengo más que una hija, que cuenta ahora diez y 20
nueve años y ni me hace feliz ni yo puedo hacerla feliz a
ella.

— ¿ Cómo es eso ?

Entonces el indiano abrió su pecho al amigo y al sacerdote.

---

[1] **Entralgo . . . don Silverio Palacio.** Probably a reference to the
author's father, Silverio Palacio Cárcaba, who lived in Entralgo, birth-
place of Palacio Valdés.

[2] **paisaninos.** *fellow countrymen, " boys from home."* The singular
is **paisanín, -ín (-ina)** being an Asturian diminutive and, like diminutives
in general, often impossible to translate. See Ricardo León, *Los caballeros de la cruz*, Madrid, 1919, pp. 191–94.

[3] **del dinero y la bondad . . .** The usual form of the proverb is,
De dineros y bondad, quita siempre la mitad. That is, wealth and virtues
are apt to be exaggerated.

No tenía otro fin ni otro anhelo en este mundo que aquella adorada criatura. Para ella se había hecho rico. Por su parte, apenas necesitaba dinero. Ni tú ni yo vivimos a gusto en el lujo, porque nos hemos criado pobres. A ella no le 5 basta nada. No pienso que en Madrid haya otra niña que gaste más en su persona. Vivimos con un lujo que a mí me avergüenza. Todo me parece poco para ella, criados, coches, caballos, teatros, bailes, paseos, modistas ¡ diablos coronados ! Y sin embargo, no consigo hacerla feliz. Cada 10 día la encuentro más displicente, menos agradecida a mis atenciones y caricias. Su salud es endeble, me da mucho que temer, pero es tan caprichosa y testaruda que se niega a seguir los planes que le trazan los médicos. No hace otra cosa que lo que se le antoja . . . ¡ Oh, las mujeres ! ¡ Qué 15 calamidad ! Es preferible entenderse con cien hombres antes que con una mujer.

—*Anima imperfecta* [1] la llama Platón — murmuró el cardenal.

Ambos guardaron silencio, mirando al suelo. Al fin el 20 cardenal, sin levantar la vista, dijo en voz baja con acento decisivo:

— En mi opinión, tu hija sólo podrá curarse con dos medicamentos: pobreza y trabajo.

Quirós alzó la cabeza sorprendido. Fray Ceferino siguió 25 con ella baja. Hubo otro largo silencio.

— Nuestra vida mortal, Antón — dijo el cardenal — tú lo sabes porque eres cristiano, no es más que la preparación para otra inmortal, que puede ser buena o mala según nuestros merecimientos. Como nuestro fin es espiritual el 30 cuerpo no es más que el medio para realizarlo. Cuando

---

[1] **Anima imperfecta.** A Latin paraphrase of Plato's assertion, *In all things woman is weaker than man.* See *Republic* V, p. 455E, 1–2.

este medio pasa a ser un fin, el orden divino se trastorna y
se produce la caída del hombre. Así, pues, debemos respetar
nuestro cuerpo; pero sólo como templo del espíritu. [p.
262] Tú estás tocando, Antón, las consecuencias de haber
educado a tu hija en medio de satisfacciones puramente 5
materiales. No la has hecho feliz, no la podrás hacer nunca
por ese camino. Estoy persuadido a que si esa niña repentinamente quedase pobre y necesitase ganar el sustento con
su trabajo sanaría de alma y quizá de cuerpo. [p. 262]

Calló el prelado. Hubo otro largo silencio. Quirós, con 10
la cabeza metida entre las manos, parecía entregarse a una
meditación desesperada. Bruscamente se alzó del asiento y
alargando la mano:

— Gracias, Ceferino, Dios te pague esas palabras tan
santas y cariñosas. Ya veremos si llegan a tiempo.   15

Fray Ceferino se alzó también.

— Hasta la vista, Antón, que Dios te bendiga.

Se estrecharon las manos con la misma imperturbable
gravedad y juntos salieron al despacho. El cardenal llamó
a uno de sus familiares y en su presencia Quirós se inclinó 20
reverente ante el prelado y besó el anillo episcopal.

VIII

18. Hondamente pensativo salió Quirós de aquella visita.
Era un domingo. Las calles de la ciudad rebosaban de
gente que marchaba en dirección de los paseos públicos, el
Retiro, Recoletos, la Moncloa. Quirós siguió sin darse de
5 ello apenas cuenta esta última corriente y se encontró pronto
entre los vetustos jardinillos.

Las palabras del cardenal martillaban en sus oídos:
« Pobreza y trabajo, eso es lo que tu hija necesita. » Jamás
había pensado en tan extraño remedio. Como la mayoría
10 de los hombres, toda su vida había imaginado que la felicidad
en este mundo consistía en procurarse comodidades y placeres. Y sin embargo, él mismo era un testimonio de lo
contrario, porque pudiendo gozar de todos los deleites
que la fortuna proporciona apenas probaba ninguno.
15 [p. 262]

Entró en un café de la Puerta del Sol, abarrotado en
aquella hora de gente. Pidió un bock de cerveza y pala-
deándola distraídamente siguió su meditación ansiosa. El
ruido era infernal: toda aquella gente hablaba a un tiempo
20 y no lo hacía en voz baja; pero él nada oía, cual si se hallase solitario en el campo. Su pensamiento trabajaba como
un horno encendido. ¡ Pobreza y trabajo ! Machacaba
sobre estas dos palabras del cardenal, pero sin lograr extraer
de ellas un resultado práctico para su caso, algo que le
25 permitiese resolver el gravísimo problema que la vida le
presentaba en aquel momento.

Por fin un rayo de luz atravesó su cerebro. Sí; creía

tener agarrados los cabos de la madeja.[1] Respiró con un profundo suspiro como quien sale del agua, donde estaba a punto de ahogarse, se pasó la mano por la frente, bebió el último trago de cerveza, se puso el sombrero, llamó al mozo y salió. Sus ojos ya no iban tristes y mortecinos como al entrar; brillaban ahora resueltos y triunfantes, mientras caminaba la vuelta de su casa. Al llegar a ésta, el embrionario plan que le había ocurrido en el café estaba por completo formalizado con todos sus perfiles y detalles.

Con la rapidez y la audacia que habían caracterizado siempre todas las operaciones de su larga carrera de luchador principió a desarrollarlo. Se mostró, desde luego, con su hija más serio y taciturno. Al entrar en casa no preguntaba por ella como antes, sino que se encerraba en su despacho y no salía hasta la hora de comer. Durante la comida apenas salía una palabra de su boca. Angelina, alarmada, le preguntó:

— ¿ Papá, te sientes mal?

— Me siento bien — respondió secamente.

Aquella gravedad fué en aumento. Su preocupación y su silencio eran constantes. Parecía hallarse bajo el peso de una gran desazón. En vano Angelina, angustiada, le instó una y otra vez para que le dijese lo que le ocurría, si estaba enfermo o si había tenido un grave disgusto. Su padre se encerró en un mutismo absoluto, mostrándose con ella tan frío que la pobre niña, asustada y medrosa, lloraba a solas en su cuarto. Al fin, una tarde Quirós le dijo en tono perentorio:

— Mañana, Angelina, debes partir para Oviedo. Es un gravísimo negocio el que allí tengo y que exige tu pre-

---

[1] creía . . . madeja. *He believed that he had the solution.* Lit., *that he held the ends of the skein.*

sencia a mi lado. Yo no puedo acompañarte ahora. Manuel
te acompañará y estará contigo unos días en el hotel hasta
que yo vaya.

Angelina quedó estupefacta y no respondió una palabra.

5 — ¡ Ah ! Lleva poco equipaje, porque sólo tres o cuatro
días permaneceremos en Oviedo.

Entonces Angelina se atrevió a suplicarle le dijese qué
clase de negocio era el que exigía su presencia, y por qué
no se retrasaba el viaje, a fin de que él pudiera acompañarla;
10 pero le respondió de tan mal talante y con tal desprecio rechazó su pretensión que la niña, acortada, no pudo insistir.

Este Manuel Vigil que debía acompañarla era su administrador, su hombre de confianza desde hacía muchos años.
[p. 263] Era un perro fiel que gozaba de la absoluta con-
15 fianza de Quirós, y la merecía.

Angelina, inquieta y asustada, se dispuso a partir como su
padre le ordenaba. Siguiendo igualmente sus instrucciones,
no llevó más que una maleta con escasos enseres. Pero
antes de salir para la estación, todavía tímidamente pre-
20 tendió que su padre le descubriese el misterio de aquel viaje;
pero éste se negó a ello con idéntica sequedad.

No hubo más remedio que partir sin saber lo que ocurría.
Su padre la condujo en coche hasta la estación en compañía
de Vigil. Allí cambió su actitud. Al subir al tren, dando
25 muestras de una emoción desusada, la apretó fuertemente
contra su pecho y la besó repetida y apasionadamente
muchas veces. Con esto Angelina se sintió aún más inquieta y sorprendida.

— ¿ Pero es que no vas a buscarme muy pronto ?

30 — Sí, hija mía, sí — le contestó anudándosele la voz en la
garganta.

IX

19. Cuando se encontró sola en el coche con Vigil le preguntó ansiosamente:

— ¿ Pero qué pasa, Manuel ? Dime lo que pasa. Papá parece hallarse disgustado desde hace días. ¿ Qué significa este viaje repentino ? Me ha despedido como si fuese a ₅ separarse de mí por largo tiempo.

— Yo nada sé, Angelina. He observado también que tu padre ha cambiado mucho de algunos días a esta parte.[1] Parece que se halla bajo el peso de un gran disgusto; pero ya conoces su carácter reservado. Nada me ha dicho hasta ₁₀ ahora.

La niña dejó caer la cabeza sobre el almohadón y algunas lágrimas rodaron por sus mejillas. Mas con la ligereza propia de su edad y temperamento pronto se distrajo. Algunos jóvenes cruzaban repetidas veces el corredor y ₁₅ pasaban por delante de su departamento para verla, se fijaban en ella, se hablaban al oído, parecían admirarla. Angelina, algo coquetilla, se sintió halagada y olvidó por completo su inquietud y tristeza.

— Manuel, baja esa cortinilla — le ordenó, cuando uno ₂₀ de los jóvenes, el más insistente, cruzaba por delante de su compartimento.

Pero al poco tiempo ella misma la levantó y hubo juego de miraditas. Sin embargo, cuando aquel atrevido se plantó delante de la portezuela, bajó bruscamente la cortinilla con ₂₅

---

[1] **de algunos días a esta parte.** *in the last few days.*

fingido enojo. Después, sonriendo en la oscuridad, reclinó la cabeza y quedó dormida.

Cuando se despertó se hallaba ya entre las montañas de Asturias. El paisaje, que no conocía, le llamó mucho la atención. ¡ Qué verdes praderas ! ¡ Qué frondosos bosques !

— Mira, Manuel, mira aquella casita blanca; parece que está colgada. Los que la habitan se dejarán rodar[1] cuando salen. Mira qué prado de terciopelo ... ¡ Oh, cuánta manzana ![2] [p. 263]

Llegaron a Oviedo. Un coche les condujo a la fonda. Eran las once de la mañana. Angelina, cada vez más triste, descansó unos momentos, luego se arregló y pidió que les sirviesen el almuerzo en la habitación.

Cuando hubieron almorzado, Vigil, sacando una carta del bolsillo, le dijo:

— Ahora, Angelina, voy a cumplir el encargo que tu padre me ha dado. Me ordenó que al llegar a Oviedo te entregase esta carta, que viene cerrada.

— ¡ Una carta ! — exclamó en el colmo de la sorpresa.

Y arrancándosela, la abrió con mano trémula. Pasó sus ojos por ella y una palidez intensa se esparció por su rostro. Decía la carta:

« Mi queridísima hija: Necesito tu perdón. Con el corazón desgarrado voy a darte una noticia funesta. Me hallo a la hora presente completamente arruinado. A consecuencia de unas desgraciadas operaciones de Bolsa he perdido todo mi capital, y no sólo el mío, sino algo que no me pertenecía. Dentro de pocos días embarcaré en Cádiz

---

[1] **se dejarán rodar.** *must let themselves roll* (down the hill). See note p. 33.

[2] **cuánta manzana !** *what a lot of apples!*

con rumbo a la Habana. Voy de nuevo a trabajar para pagar mis deudas, que es lo único a que ya puedo aspirar, pues a mis años no es posible volver a hacerse rico. No lo siento por mí, sino por ti, hija de mi alma, que viviendo en la opulencia vas a pasar de golpe a la pobreza. Escribo 5 a mi hermano Juan para que te recoja en Oviedo y te mantenga mientras yo no pueda hacerlo. Confío que lo hará porque es muy bueno. Que lo seas tú para él y para su familia, es lo único que te pido. Procura ayudarles en lo que puedas para no serles tan gravosa. Adiós, hija mía. 10 Perdona a tu desgraciado padre y pide a Dios que le permita abrazarte antes de morir. ¡ Adiós, adiós !

Antonio. »

Angelina quedó anonadada. Fijó en Manuel una mirada extraviada y le alargó el papel sin pronunciar una palabra. 15 Vigil pasó la vista por él y fingió una gran sorpresa.

— ¡ Qué catástrofe ! ¡ Es horrible ! Algo me había olido yo. Tu padre cada día se aventuraba más en la Bolsa. Más de una vez le di la voz de alarma, pero no me hizo caso. Al principio, realizó enormes ganancias y creyó sin 20 duda que aquella vena no se agotaría jamás. La fortuna nos vuelve la espalda cuando menos pensamos. [p. 263]

Observando la palidez de Angelina y su abatimiento, se apresuró a animarla.

— No te apures, niña. Tu padre tiene un gran talento y 25 valiosas relaciones en la Habana. Estoy seguro de que antes de mucho tiempo habrá rehecho su fortuna o por lo menos habrá pagado sus deudas. Cierto que es ya viejo, y da pena que a su edad comience a trabajar de nuevo, pero Dios le protegerá porque ha sido siempre honrado y gene- 30 roso. A ti te corresponde animarle para que el pobre no se

desespere. Si tú no te abates, tampoco él se abatirá, porque
ya sabes que eres tú su única preocupación en este mundo.
Muéstrate valerosa, ten buen ánimo para que él no pierda el
suyo y se muera antes de salir a flote ...

5 El buen Vigil se desbordaba en un mar de palabras, casi
todas convenidas con su amo.

Cuando se hallaba más enfrascado en su discurso,
llamaron a la puerta del cuarto y apareció uno de los criados
de la fonda.

10 — ¿ La señorita se llama doña Ángela Quirós ?

— Así se llama — respondió Vigil.

— Pues ahí abajo hay un aldeano que pregunta por ella.

La palidez de Angelina se tornó en un rojo subido.

— Es mi tío — murmuró.

15 — Que pase — dijo Vigil.

Momentos después se presentó un hombre con traje de
labriego asturiano en día de fiesta: chaqueta de paño
burdo, pantalón de pana, camisa de grueso lienzo sin corbata, botas de piel engrasada de ternera y boina. De la
20 cual se despojó diciendo:

— Buenos días.

Guardaba notable parecido con el padre de Angelina,
aunque mucho más joven y de rostro más agraciado. Sus
ojos, grandes y hermosos, tenían una expresión candorosa,
25 infantil, muy distinta de la firme y perspicaz de aquél.

— ¿ Es usted el tío de la señorita ? — preguntó Vigil.

— Soy hermano de Antonio Quirós — respondió tímidamente.

— Y viene usted a buscarla, ¿ verdad ?

30 — Mi hermano me manda en una carta que venga por
ella.

— Pues nosotros hemos llegado hace pocas horas y hemos

almorzado ya. Si usted no lo ha hecho, mandaremos que le sirvan la comida.

— Muchas gracias; yo he comido ya ahí abajo en una taberna del Campo de la Lana.[1]

— ¿ Sabe usted a qué hora sale el coche ?

— Sí, señor; a las dos.

— Pues no tienen ustedes mucho tiempo que perder si han de tomarlo.

A todo esto, el hermano de Quirós no había dirigido una mirada a su sobrina, fijándola únicamente en Vigil, visiblemente acortado.

En cambio, Angelina, cuyas mejillas seguían teñidas de carmín, no le quitaba ojo.

— ¿ Tienen algún equipaje ?

— Sí, una maleta.

— Yo la llevaré.

— No, usted, no — replicó sonriendo Vigil —. La llevará un criado de la fonda.

— Pues, tío Juan, cuando usted guste — profirió Angelina con fuerte acento de resolución, acercándose a él.

Entonces el aldeano se atrevió a mirarla.

— ¿ Me parezco a mi padre ?

— Sí, mucho.

— Pues usted se parece aún más, y por eso me voy a gusto con usted.

El aldeano se atrevió a sonreír, y con visible emoción pronunció:

— Lo estimo de verdad.

Angelina arregló apresuradamente sus enseres.

— En marcha, pues.

---

[1] **Campo de la Lana.** A public square in the lower section of Oviedo.

Iba con la cabeza descubierta. Vigil la llamó la atención.

— ¿ No te pones el sombrero ?

— No; el sombrero ahí se queda. Puede usted dárselo
5 al trapero.

Vigil la abrazó con efusión.

— ¡ Bien por ti, Angelina ! Eres digna hija de tal padre.
Pierde cuidado; yo no le abandono. Sigo con él hasta
Cuba.

10 Y dirigiéndose a Juan:

— Le entregamos a usted una flor. Cuídela usted bien y
quizá tendrá su recompensa.

El aldeano replicó:

— Para mí la hija de mi hermano es como si fuese mía.

15 Vigil le apretó la mano fuertemente. Ambos se miraron
a la cara y en sus ojos brilló la luz que brota siempre al
contacto de dos corazones leales.

$\mathscr{A}$DAGIO $\mathscr{C}$ANTÁBILE

I

20. Quirós había escrito a su hermano Juan una carta
en parecidos términos a la de su hija. Que estaba arruinado
por consecuencia de ciertas operaciones desgraciadas, que
había quedado con un pasivo de importancia, que necesitaba
volver a la Habana y trabajar para saldarlo, que mientras 5
tanto esperaba de su generosidad que mantuviese a su hija,
guardándola a su lado y la hiciese vivir en la misma forma
que ellos vivían, ni más ni menos.

Juan era un buen hombre y hubiera atendido al requerimiento de su hermano sin motivo alguno; pero lo tenía 10
suficiente para estarle agradecido. Cuando Antonio vino de
Cuba, hacía unos cinco años, quiso visitar a Villoria, lugar
donde se había criado. Su hermano Juan, que le había
esperado en la Pola, le acompañó en esta excursión; luego
juntos fueron al Condado, y allí Antonio conoció a su cuñada 15
Griselda y a sus niños Telesforo y Carmela, y en su compañía
merendó unas truchas y unos vasos de sidra.

— Bueno — dijo Antonio a su hermano cuando estuvieron
solos —. Y tú, ¿ cómo estás de intereses ? [1]

Juan le explicó que vivía como labrador desahogadamente. 20
Disfrutaba de aquella posesión o casería como allí se decía,
la cual, trabajándola, rendía lo suficiente para comer. Mas
la casería sólo por mitad pertenecía a Griselda. La otra
mitad pertenecía a un hermano llamado Joaquín, el cual ya
hacía bastantes años que partiera [2] a Sevilla, y había logrado 25
abrir allí una carnicería. [p. 263]

---

[1] ¿ **cómo estás de intereses ?** *how are you off financially?*
[2] **partiera.** See note 1, p. 21.

— ¿ Cuánto quiere tu cuñado por la mitad ?

— Según me escribió alguna vez, la vendería por cuarenta mil reales.

— ¿ Diez mil pesetas ?

5   — Eso es, diez mil pesetas.

Quirós sacó un cuaderno, apuntó unas palabras, firmó y le entregó un papel, diciendo:

— Toma, veinte mil.

Era un cheque contra un Banco de Oviedo.

10   Juan derramó lágrimas de agradecimiento, y aquella familia no se hartaba de echarle bendiciones.

Juan Quirós compró a su cuñado la mitad que le pertenecía y quedó dueño y señor de toda la casería. Con las diez mil pesetas restantes adquirió una hermosa pieza de tierra 15 en la vega, que producía todos los años una respetable cantidad de maíz, de judías y calabazas. Fué desde entonces lo que por allí se llama un paisano rico.

La casería se componía de una casa habitación, situada en un pequeño rellano de la falda de la montaña, a unos 20 doscientos metros del lugar. Por delante de ella iba un camino que conducía también como la carretera de abajo a los concejos de Sobrescobio y Caso. Debajo de la casa había una pomarada, no muy grande, que llegaba cerca de los primeros edificios del pueblo. A un lado una pequeña 25 huerta destinada a legumbres, berzas, patatas, cebollas, etc.

Por encima de esta casa un prado muy pendiente, cercado de avellanos, de regular extensión. Además de estas dos fincas contaba la casería, bastante lejos del pueblo, con un gran prado llamado de Entrambasriegas. Sobre el 30 prado un vasto castañar. Mas de este prado, uno de los mayores del concejo, sólo la mitad pertenecía a la casería del tío Juan. [p. 264]

Juan criaba cerdos, gallinas y tenía cuatro vacas en el establo. Mataba dos cerdos para el consumo de la casa; solía también sacrificar una novilla para hacerla cecina; tenía leche, manteca y huevos no sólo para su consumo, sino también para vender. Se comía, pues, abundante en la 5 casa. Dinero, poco. Sin embargo, la pomarada cada dos años producía catorce o diez y seis pipas de sidra, que Juan vendía en manzana para exprimirla a un lagarero de la Pola. Cada pipa solía venderse en fruto a ocho o diez duros. Puede concebirse lo que suponía para un paisano esta entrada de 10 seiscientas o setecientas pesetas. También la avellana rendía buen producto; se vendía a los comerciantes de Gijón, que la embarcaban para Inglaterra. Con esto y el dinerillo que Griselda solía obtener en la Pola vendiendo huevos y manteca, en casa de Juan se vivía con holgura, y 15 aun guardaba en el cajón algunas doblillas de oro.

La casa vivienda era pobre, vieja y no muy amplia. Sin embargo, tenía lo que presta a las casas de los labradores asturianos mucho atractivo, una solana cuadrada abierta solamente por uno de los lados. Ésta es siempre una pieza 20 agradable; se toma el sol en ella, se trabaja, se juega; representa lo que el comedor entre los burgueses. A los dos lados de esta pieza había dos buenos cuartos, en uno dormía el matrimonio y en el otro la hija Carmela. En la planta baja una gran cocina con pavimento de losas; a un lado y 25 otro dos dormitorios [1] más chicos que los de arriba: en el uno se acomodaba Telesforo, y el otro un cuarto trastero donde había también un grande y viejo armario que guardaba la ropa blanca y lo mejorcito de vestir que la familia

---

[1] **a un lado . . . dormitorios,** *on each side a bedroom.* A literal translation would be misleading. The usual meaning of **uno y otro** is *both.*

poseía para los días festivos. La casa contaba, además, con vasto desván, que en ciertas épocas del año se hallaba repleto de ristras de maíz y diversos frutos, nueces, avellanas, cebollas, patatas, etc.

5　　La gran cocina tenía un lar que levantaba medio metro del suelo. Encima de él, a bastante altura, había un techo formado por varas de avellano entretejidas llamado sardo, en el cual se colocaban las castañas para secarse y hacerse pilongas. Como el humo no tenía otro escape que el de las rendijas del sardo, a menudo la cocina se llenaba de él y se hacía insoportable para quien no estuviese acostumbrado. [p. 264]

Era pobre la casa de Juan Quirós, pero mejor con todo que las de la mayoría de sus vecinos. Del techo de la cocina colgaban tocinos, jamones y chorizos. Todo indicaba que allí no se comía mal. Aparte del pote de judías y berzas aderezado con lacón, tocino y longaniza, se decía en el lugar, con señales de respeto, que en casa del tío Juan de los Campizos se mataba todos los domingos un pollo o gallina.

La pomarada y la huerta no estaban cercadas por muro de piedra, sino por fuerte barganal; esto es, por estacas de castaño o roble unidas por varas entretejidas de avellano. Muy próximo a la casa el establo, capaz para cuatro vacas y otros tantos terneros; encima el pajar, llamado en el país tenada. Adosado al establo había un cobertizo sostenido por toscas columnas de madera, en el cual se guardaba el carro, la leña, el arado y otros aperos de la labranza. Próximo al establo se alzaba un enorme montón bien alineado de abono. Todo esto se hallaba situado detrás de la casa, en el llamado *pradín de arriba*. Por delante, como ya se ha dicho, el antiguo camino áspero y estrecho, como son casi todos en la aldea, por donde sólo puede pasar un carro tirado por vacas y las caballerías.

II

21. Angelina montó silenciosa en el coche y silenciosa se mantuvo largo rato. Las palabras no querían salir de su garganta. Su tío no osaba dirigirle la palabra, tenía la cabeza baja y sólo alzaba los ojos para dirigirle una rápida y tímida mirada.   5

Cuando se apearon en Noreña se atrevió a decir:

— Ahora debemos tomar el tren que nos lleva hasta Sama.

— ¿ No nos lleva hasta casa ?

— Ah, no. En Sama debemos montar en un coche que llega hasta la Pola. Son dos leguas largas. Allí muere el 10 coche, pero yo lo he contratado para que nos lleve hasta el Condado, que dista una media legua.

— ¿ Y por qué ha hecho usted eso ?

— Porque tú no estás acostumbrada a caminar a pie.

Angelina le miró a la cara y repuso gravemente: 15

— Pues tengo que acostumbrarme. De todos modos, muchas gracias.

Cuando se dirigieron a la taquilla para tomar billete su tío le preguntó:

— ¿ Quieres que tomemos primera ?   20

— ¿ En qué clase acostumbran ustedes viajar ?

El aldeano sonrió.

— Nosotros tomamos siempre tercera . . . porque no hay cuarta.

— Pues tome usted tercera.   25

— Es que si no te gusta tomaré primera o segunda.

— Tome usted tercera — replicó Angelina con mayor firmeza.

71

El coche de tercera en este pequeño tren carbonero iba lleno de trabajadores; había alguna mujer con cestas y sacos. Angelina sintió su corazón cada vez más apretado. Su palidez, su seriedad y sobre todo su traje, pues aunque iba 5 con la cabeza descubierta vestía con elegancia, llamaba poderosamente la atención de aquellos menestrales. Uno de ellos que conocía a Juan le saludó. Angelina observó que le hacía una pregunta al oído. Su tío le contestó en la misma forma y el obrero la contempló largamente con mez- 10 cla de curiosidad y lástima. Angelina se sintió aun más avergonzada y su palidez y seriedad aumentaron.

Al llegar a Sama su tío le dijo:

— Vamos a tomar alguna cosa aquí cerca en la confitería de Joaquín, que es mi amigo.

15 — Tome usted lo que quiera; yo no tomo nada.

— Pues yo quisiera que tomases algunos dulces ... un vaso de vino — requirió su tío en tono humilde.

— No tengo apetito.

— De todos modos iremos allá, porque el coche no sale 20 hasta dentro de media hora.

Angelina se dejó arrastrar a la confitería. Le sirvieron algunos dulces: sólo probó uno y tocó con los labios en un vaso de vino. Pero el tío Juan bebió dos. Lo mismo que el obrero del coche, el confitero Joaquín le hizo una pregunta 25 al oído, y Juan le contestó del mismo modo. Igual mirada de curiosidad y lástima. Angelina sintió de nuevo ver- güenza.

Una vez en el carricoche que les conducía a Laviana, a Juan se le desató la lengua y un poco se disipó su timidez. 30 Le hizo algunas preguntas que Angelina contestaba con sobrada concisión. Hacía esfuerzos por sonreír, pero no lo lograba. Y no obstante aquel hombre la atraía, no sólo porque se parecía mucho a su padre, sino porque su fisonomía respiraba candor y franqueza. Juan Quirós no pasaba mucho de los cuarenta años y aparentaba aun menos. Era, desde luego, más guapo que su hermano, lo que se dice un buen mozo. 5

Viendo que su sobrina no tenía gana de conversación se puso a mirar por la ventanilla. Los campos y vegas que atravesaban le sugerían observaciones que emitía en voz baja y como si hablara para sí mismo. [p. 264]

Angelina escuchaba su monólogo y le miraba con creciente curiosidad y simpatía. Al fin se decidió a preguntarle: 10

— Usted, tío, no tiene más que dos hijos, ¿ verdad ?

— Un rapaz y una rapaza. La rapaza tiene diez y ocho años y es una gordinflona que mete miedo. Ya la verás. El rapaz tiene veinte. 15

— ¡ Ah !

Angelina volvió a su cerrado mutismo. [p. 264]

— Estamos llegando a la Pola. ¿ Quieres bajarte o seguir al Condado ?

— Me gustaría continuar sin detenernos. 20

— Está bien, seguiremos al Condado. [p. 264]

Hermosa aldea toda en un llano, bañada por el río, adornada de frondosa arboleda, suave, coqueta y silenciosa. Cuando Juan y Angelina llegaron a ella era ya cerca del anochecer. A la parada del coche había por allí algunos 25 aldeanos y chiquillos que los miraron con curiosidad. Para librarse de ella, Juan, sin detenerse, comenzó a caminar vivamente, llevando consigo a Angelina. Un aldeano le gritó:

— Tío Juan, es la sobrina, ¿ verdad ? 30

— Sí, sí, es la sobrina — respondió malhumorado sin volver la cabeza.

Angelina comprendió que en aquella aldea se sabía ya la ruina de su padre.

Atravesaron con paso rápido por delante de algunas miserables casas y ascendieron después por la calzada, que 5 conducía a la de Juan. Éste llevaba sin trabajo la maleta de su sobrina. Antes de llegar gritó:

— Griselda, Foro, Carmela, ya estamos aquí.

Los tres salieron corriendo a la puerta. Al ver a Angelina quedaron inmóviles y en los labios de los tres se dibujó 10 una tímida sonrisa. No se atrevieron a saludarla.

— Vamos, aquí la tenéis. A ver si la tratáis bien, como merece.

Griselda se acercó al fin.

— Buenas tardes, Angelina. ¿Cómo ha sido el viaje?

15 — Muy bueno, tía, ninguna novedad hemos tenido.

Griselda se sintió halagada por el nombre que le había dado y preguntó con mayor amabilidad, tuteándola:

— ¿No estás cansada?

— Un poquito.

20 Era una mujer gruesa, excesivamente gruesa, que había sido hermosa y lo sería aún si en la aldea, pasada la juventud, las mujeres cuidasen de su persona como las señoras. Tenía la misma edad que su marido. Vestía la falda de estameña corta, pañolón floreado de percal cruzado sobre el pecho y 25 anudado por detrás a la cintura, zapatos negros de cuero y medias blancas. Tenía los ojos vivos y expresivos, y aquella mujer tan gruesa se movía con pasmosa viveza y agilidad, acusando un temperamento nervioso. Su hija Carmela era gruesa también, aunque no tanto; fisonomía abierta y 30 simpática, que recordaba la de su padre; grandes ojos negros, límpidos, un poco espantados como los de esas terneras o novillas con que alguna vez tropezamos en los es-

trechos caminos de las aldeas. Telesforo, a quien llamaban siempre Foro o Forín, un gran mozo de hercúlea contextura con cara de niño.

22. — Vamos, entra y descansa, que bien lo necesitarás.

Al poner el pie en la cocina, Angelina sintió como un 5 golpe en el pecho.

— ¡ Dios mío, yo voy a vivir en esta pocilga !

Su cara se puso lívida.

— Siéntate hija, siéntate y descansa.

Griselda la tomó por un brazo y con brusco ademán, 10 casi a la fuerza la obligó a sentarse en el escaño.

A Angelina le costaba trabajo sonreír, de modo que su sonrisa más parecía una mueca.

— ¿ Quiere usted que la lleve la maleta arriba ? — preguntó Telesforo. 15

— ¿ Cómo usted ? Soy tu prima — pronunció Angelina.

Las palabras eran dulces, pero el acento amargo.

Al bajar Telesforo, todos en pie la rodearon y comenzaron las preguntas. Cuándo había salido de Madrid, quién la había acompañado hasta Oviedo, cómo había dejado a su 20 padre, si seguía tan grueso, qué le parecía Asturias, si había hallado parecido entre Juan y su padre.

Angelina respondía con monosílabos. No le salían las palabras del cuerpo.[1]

— Ahora vas a cenar ¿ verdad ?, porque ya tendrás 25 flojedad después de tantas horas . . . Telesforo, enciende esa lámpara. Te tengo preparada una magra de jamón añejo.

— No; yo no ceno — respondió Angelina.

— ¿ Cómo que no cenas ? [2] 30

---

[1] **No le salían . . . cuerpo.** *The words wouldn't come out.*

[2] **¿ Cómo que no cenas ?** *What, you're not going to have supper?*

— No tengo apetito.

La consternación más profunda se pintó en el rostro de todos. Permanecieron algunos instantes silenciosos.

— ¿ Pero es posible ? — exclamó Griselda —. Entonces tomarás chocolate. Yo te haré unas tostas de manteca.

— Tampoco, muchas gracias. No puedo tomar nada.

Los semblantes seguían expresando una tristeza profunda.

— Pues hija, tú no puedes irte así a la cama — manifestó con acento resuelto Griselda —. Aunque sea a la fuerza tienes que tomar algo. Mira, tenemos una leche recién ordeñada y Forín ha comprado hoy en la Pola unos bizcochos para ti.

Aunque la tristeza y el despecho inundaban de hiel el corazón de Angelina, no podía menos de reconocer el noble comportamiento de aquella gente, que la agasajaban como una huéspeda distinguida, no como una desvalida parienta a quien recogían de lástima.

— Bien, tomaré un poco de leche — replicó con acento más dulce.

Le presentaron una gran taza de leche, y Carmela en pie sostenía el plato y le ponía en la mano un bizcocho. Comió uno y se bebió la mayor parte de la leche, que le pareció exquisita, bien diferente de la que hasta entonces había bebido.

— Ahora vamos a cenar nosotros. Verás cómo no somos tan remilgaditos para la comida.

Griselda se acercó al lar y separó una cazuela de patatas guisadas, sacó de los cajones de la espetera tres escudillas de barro esmaltado, las alineó delante de sí, y con un cacillo de latón amarillo las fué llenando y aun pudiera decirse colmando. Luego presentó una a su marido, otra a Carmela y otra a Telesforo. Éstos se habían sentado en sendas

Angelina contemplaba la escena estupefacta.

tajuelas, y cada cual tenía en la mano una cuchara de madera. Sobre la mascra yacía una grandiosa borona, de la cual cortó con un viejo cuchillo cuatro grandes zoquetes, que igualmente repartió entre su marido y sus hijos.

5 Ella puso su escudilla y su pedazo de borona sobre el armarito que servía de base a la espetera, y en pie los miró unos instantes como el capitán que contempla los movimientos de su compañía. [p. 265]

Angelina contemplaba la escena estupefacta, como un
10 viajero explorador que cae en una tribu de salvajes.

— ¿ Qué te parece, niña ? — dijo su tía riendo —. Aprende a comer.

Cuando hubieron terminado, el tío Juan sacó dos negros cigarros del estanco, una gran navaja y picó con toda calma
15 en ellos lo suficiente para llenar un cigarrillo. Luego molió aquel tabaco picado entre las callosas palmas de las manos con igual sosiego, teniendo entre los labios la punta de un papel de fumar que previamente había arrancado de un librillo.

20 — ¿ Has avisado, Foro, a toda la gente para mañana ?

— Sí, padre. El tío Pacho de la Ferrera no puede venir, pero manda a Cosme, su hijo.

— Está bien.

Intermedio de silencio.

25 — Paréceme a mí que en dos mañanas el prado puede quedar segado.

Telesforo movió la cabeza dubitativamente.

— Habrá que arrear de firme, padre.

— Todos los años lo hemos segado.

30 — Pero éste faltan algunas guadañas.

Otro intermedio de silencio. El tío Juan enciende el cigarro a la llama de un candil y le da dos fuertes chupetones.

— Como no llovió desde hace una semana, la yerba estará dura.

— Esta mañana pasaron por el Raigoso unos nubarrones muy negros. Tuve miedo que lloviese, pero al fin el viento los barrió. Veremos si mañana tenemos buen día.

— Veremos.

— Dios y la Virgen lo hagan — profirió Griselda.

Pocas palabras más se pronunciaron. Angelina entonces manifestó que estaba muy fatigada y le dolía un poco la cabeza, por lo cual deseaba irse a la cama.

— Yo te llevaré hasta allá — dijo su tía.

Encendió una vela de sebo metida en una tosca palmatoria de hierro.

— En marcha. Despídete de tu tío.

— Buenas noches, tío Juan. Buenas noches, Carmela. Buenas noches, Foro.

— Que descanses bien, que Dios te dé un buen sueño.

— Griselda, déjale un vaso de leche con unos bizcochos a la cabecera de la cama, porque esta niña puede sentir hambre por la noche.

— No necesitas decirme nada, Juan — repuso Griselda con enfado —. Ya la tiene arriba.

El cuarto que le destinaron era el de Carmela. A ésta la bajaron al que estaba vacío frente al de su hermano.

Cuando Angelina entró en el suyo la impresión fué terrible; mayor aún que al entrar en la casa. Un pobre cuarto que le pareció el dormitorio de un mendigo; todo viejo, todo oscuro, todo miserable. Un catre de madera ennegrecida por los años con una grosera colcha de estambre; nada de mesilla de noche, sino una silla de paja a un lado. Una cómoda tan vieja y tan negra como la cama. Un aguamanil de hierro con jofaina de barro esmaltado.

Griselda depositó la palmatoria en la cómoda. Sobre la silla, al lado de la cama, estaba el vaso de leche con los bizcochos.

— Bueno, hija mía, ahora que descanses bien, pues debes
5 de estar muy fatigada.

Cuando su tía salió de la habitación cerrando la puerta, Angelina quedó inmóvil clavada al suelo. Una angustia mortal le oprimía el pecho. Se pasó la mano por la frente y murmuró:

10 « ¡ Dios mío, qué me pasa ! »

Después se sentó sobre la cama y dejando caer las manos y doblando la cabeza permaneció largo rato en un estado de estupor vecino de la inconsciencia. Al fin se levantó y lentamente se fué desnudando, sacó de su maleta un camisón
15 de noche, se lo vistió y levantando el embozo de las sábanas se introdujo dentro de ellas. Le costó trabajo reprimir un grito. Le pareció entrar en un lecho de espinas, tal y tan burdo era el lienzo, por otra parte muy blanco. Tuvo intentos de salir de ella, pero le faltaron las fuerzas. Es-
20 taba aniquilada. Dejó caer la cabeza sobre una almohada tan grosera como las sábanas y así permaneció todavía algún tiempo. Entonces oyó abajo el rumor de las voces de sus tíos y primos rezando el rosario. Cuando advirtió que terminaban se apresuró a soplar la vela, pensando que
25 sus tíos percibirían la luz por debajo de la puerta al subir a su cuarto. Pocos momentos después subieron, en efecto, y sintió que abrieron la puerta y escucharon. Su tío Juan dijo en voz baja:

— Ya está durmiendo la pobrecilla.

30 — Dios haga que duerma bien — respondió muy bajo también Griselda.

¡ Dormir ! ¿ Cómo dormir en aquella cama ? No sólo

las sábanas le rascaban la piel, sino que el jergón de hojas de maíz que había debajo del colchón sonaba a cualquier movimiento que hiciese. Quedó inmóvil, con los ojos muy abiertos en la oscuridad. [p. 265]

Al fin, cuando ya la luz del día penetraba por las rendijas de la ventana, rendida, aniquilada, se quedó dormida.

III

23. Fué un sueño letárgico, doloroso, que semejaba la muerte. Despertó despavorida sin sentir ruido alguno y dijo en voz alta:

— Rufina, tonta, ¿ por qué no vienes ?

5 Pero inmediatamente se dió cuenta de dónde estaba y volvió a sentir un golpe en el pecho.

Se incorporó y puso el oído para escuchar. Ningún ruido se sentía en la casa. Fuera de ella el gorjeo de los pájaros, los mugidos de una vaca, y a lo lejos el chirrido de un carro.

10 Saltó de la cama y bebió con avidez el vaso de leche y comió algunos bizcochos. Estaba desfallecida. Se vistió rápidamente y abrió la ventana. Un torrente de luz entró por ella. El aura matinal hacía susurrar los árboles, cuyas copas casi tocaban con la casa.

15 Era una fresca, espléndida mañana de los primeros días de junio.

Se dirigió al aguamanil, vertió en la jofaina el agua de un jarro y se lavó la cara largo rato. Se secó con una ordinaria toalla que allí colgaba, y en un mal espejillo se arregló el 20 pelo con los peines del estuche de aseo que traía en la maleta. Sacó jabón, se lavó bien las manos, se arregló las uñas y miró el valioso relojito, ornado de brillantes, que también había metido en la maleta. Eran las ocho y media. Se echó sobre los hombros la capita del viaje y salió a la 25 solana. Nadie había en ella. Bajó a la cocina y tampoco. La casa se hallaba solitaria. El fuego estaba encendido en el lar y algunos pucheros arrimados a él.

Entonces salió al camino y distraídamente fué dando

algunos pasos. Pero a poco estos pasos se fueron haciendo
más rápidos y menudos. Bajó la calzada y se encontró
cerca de las casas del pueblo. Una mujer que salió a la
puerta de la suya la miró con gran curiosidad, la estuvo
contemplando hasta que Angelina, molesta, dió vuelta a las 5
casas y se alejó por detrás de ellas. Entonces vió a lo lejos
el campanario de la iglesia, y resueltamente, a paso más vivo,
se dirigió hacia ella. Antes de llegar tropezó con un aldeano
que echó mano a la montera y dijo:

— Buenos días, señorita. 10

« Éste no sabe que ya no lo soy », se dijo con amargura.
Al acercarse a la iglesia nadie había en los alrededores. Era
una pequeña, modesta iglesia de aldea. La puerta estaba
entreabierta. Entró. Una sola y pobre nave enjalbegada.
Pero el silencio y la misma desnuda sencillez instaban al 15
recogimiento. Angelina paseó la mirada por su ámbito y
sus ojos tropezaron a la derecha con un altar humilde, donde
aparecía una imagen de la Virgen del Carmen,[1] que con una
mano sostenía al niño Jesús y en la otra tenía el escapulario.

Angelina había sido siempre devota de la Virgen del Car- 20
men, con la devoción superficial más externa que profunda
de los felices y mundanos. Mas ahora agobiada bajo el peso
de la desgracia, por un impulso irresistible se dejó caer
pesadamente de rodillas y exclamó:

— ¡ Virgen Santísima, amparadme ! 25

Y las lágrimas, que no habían querido salir hasta entonces,
brotaron de sus ojos como un torrente que se desborda.
Lloró largo rato. Y sus labios murmuraban siempre:

---

[1] la **Virgen del Carmen** or **Nuestra Señora del (Monte) Carmelo.**
The Order of Our Lady of Mount Carmel was established on Mount
Carmel, Syria, in the 12th century. It was reformed by Santa Teresa
(1516–82), who founded the order of barefooted Carmelites (*carmelitas
descalzos*). Feast day, July 16.

— ¡ Madre mía, ampárame ! [p. 265]

Una mano la tocó en el hombro. Angelina dió un salto y quedó en pie con los ojos bañados de lágrimas. Era un sacerdote el que estaba frente a ella. Un hombre de me-
5 diana edad, entre cuarenta y cincuenta años, de contextura recia, la tez encarnada, los cabellos ásperos y grises. Vestía una sotana bastante vieja y se cubría con un bonete no más joven.

— ¿ Eres la sobrina del tío Juan de Villoria ?
10 — Sí, señor.

El clérigo bajó la cabeza y murmuró con acento dolorido:
— ¡ Vaya por Dios, vaya por Dios !
— ¿ Es usted el señor cura ?
— Sí, soy el párroco del Condado . . . Cuando termines
15 de rezar vente a la sacristía que quiero hablar contigo.

Angelina volvió a arrodillarse, pero sólo por breves momentos. Se limpió los ojos y se dirigió a la sacristía, cuya puertecita no estaba lejos. Era una pobrísima pieza adecuada a la modestia del templo. [p. 266]
20 — ¿ Cómo te llamas ? — le preguntó el cura así que puso el pie en la sacristía.

— Ángela Quirós, para servir a usted.
— Lo sé todo, hija mía, lo sé todo.
— Conoce usted mi desgracia, ¿ verdad ?
25 — ¡ Alto allá, querida ! Se llama desgracia, ¿ sábestetú ? la pérdida de la salud del cuerpo o la del alma, pero la pérdida del dinero sólo debe llamarse disgusto . . . De todos modos no estamos bien aquí para hablar de ciertas cosas. Mejor será que vengas conmigo a la rectoral, ¿ no te parece ?
30 — Como usted guste, señor cura.

El párroco echó a andar y Angelina le siguió. Al salir de la iglesia el cura cerró la puerta con una enorme llave.

24. La rectoral no estaba lejos. Era una casa vieja con las paredes sucias y descascarilladas. Una gran puerta, vieja y sucia también, se hallaba abierta. Por ella penetraron el cura y Angelina y ascendieron por una estrecha escalera de peldaños desiguales y rotos en varias partes a una 5 salita donde todo era viejo y mezquino. [p. 266]

El párroco tomó a Angelina de la mano y la sacó a un corredor de rejas que en otro tiempo habían estado pintadas. El suelo de tablas carcomidas. Una mesa toscamente labrada y sobre ella un montón de piedras, lo cual llamó desde 10 luego la atención de la joven. El cura sacó dos sillas de la sala y ambos se sentaron. El corredor se abría sobre una huerta no muy grande donde crecían apretándose muchos árboles frutales, ciruelos, cerezos, higueras y perales. [p. 266] 15

— Ante todo, niña — pronunció el cura solemnemente —, te felicito por llamarte Ángela. Estás, hija mía, bajo la protección del santo Ángel de la Guarda.[1] Es necesario, ¿ sábestetú ?, que te hagas acreedora a esta protección siendo buena y piadosa ... Y ahora dime: ¿ cómo te encuentras 20 de salud ?

— No muy bien, señor cura. Hace tiempo que perdí el apetito y me encuentro muy débil — repuso Angelina con triste sonrisa.

— Pues aquí recobrarás el apetito y te fortalecerás. 25 Ahora te encuentras bajo el peso de un grave disgusto, no de una desgracia, repito, pero no tardará en disiparse ese disgusto y gozarás del beneficio de este aire puro que aquí respiramos y de una vida tranquila. Porque, ¿ sábestetú, hija mía ? en todas partes se puede vivir feliz teniendo salud 30

---

[1] **Ángel de la Guarda.** *Guardian angel*, an angel supposed to have special care for a particular individual.

y un pedazo de pan que llevar a la boca. Tú echarás de menos [1] el lujo y la comodidad con que antes vivías; pero dime en conciencia con la mano puesta sobre el corazón: ¿ eras completamente feliz hasta ahora ?

5 Angelina permaneció callada.

— Vamos, habla con toda sinceridad, como si te hablases a ti misma, ¿ eras feliz por completo ?

— Por completo, no, señor cura — balbució Angelina —. Confieso que me disgustaba muchas veces por motivos bien 10 pequeños.

— ¿ Lo ves ? Nadie puede ser enteramente feliz sobre la tierra. Cuando no tenemos una cruz grande que soportar nos la fabricamos con dos palitos y tú por lo visto te fabricabas muchas.

15 — Así es la verdad — pronunció la joven, bajando la cabeza y la voz.

— La mayor parte de tu malestar dependía de la falta de salud. En cuanto la recobres, recobrarás también la alegría y si te encomiendas todos los días a la Santísima 20 Virgen, como te he visto hace un momento . . .

Al llegar aquí el párroco se alzó violentamente de la silla y echando chispas por los ojos [2] se lanzó a la mesa donde descansaba el montón de piedras que tanto le había llamado la atención a Angelina, tomó un puñado de ellas, y una tras 25 otra las arrojó con verdadera furia a los pajaritos que picoteaban la fruta de los árboles.

Cuando dió fin a esta hazaña guerrera vino de nuevo a sentarse tranquilamente.

---

[1] **echarás de menos.** An adaptation of the Portuguese *achar* (hallar) *menos.*

[2] **echando . . . ojos.** *his eyes flashing fire.*

Angelina había recibido un susto enorme por aquel arrebatado ademán que al pronto no comprendió.

— Bien, hija mía, quedamos en que te encomendarás
todos los días a la Virgen Santísima, como madre nuestra que
es. Verás al fin cómo la vida no es aquí tan mala como tú 5
te figurarás y menos cuando has venido a parar a una casa
llena, porque tus tíos, ¿ sábestetú ?, son gente rica y honrada.
El tío Juan es un pedazo de pan, un paisano con poco seso,
pero muy inteligente, ¿ sábestetú ? En tocante a labranza
no hay otro que sepa más en la parroquia, ni acaso en el 10
concejo. La tía Griselda tiene cabeza por los dos: el genio
fuerte y la mano ligera. Hay que tener cuidado con ella,
¿ sábestetú ?, pero como corazón, no hay otro que la iguale.
Un corazón que no le cabe en el pecho.[1] El rapaz y la rapaza
muy formales, muy obedientes; nada han dado que decir 15
hasta ahora. Así, pues, querida, en manos peores pudiste
haber caído ... porque, ¿ sábestetú ?, aquí hay bueno y
malo, como en todas partes. Si eres buena y humilde ...

De nuevo se alzó violentamente el cura y arrojó con mayor
fuerza que antes algunos proyectiles a los pájaros. Otra 20
vez se sentó.

— Digo que si eres buena y humilde Dios te protegerá. Dios baja siempre al corazón de los humildes. Sed
mansos como yo [2] — ha dicho Nuestro Señor Jesucristo ...

— ¡ Maldito pájaro ! Ese mirlo me ha estropeado ya 25
media docena de ciruelas.

— Tiene usted una huerta muy hermosa — dijo Angelina por hablar algo.

---

[1] que no . . . pecho. *too big for her breast.*
[2] Sed mansos como yo. See Matt. XI, 29. *Llevad mi yugo sobre
vosotros, y aprended de mí, que soy manso y humilde de corazón; y halla-
réis descanso para vuestras almas.*

— Es pequeña, pero bien aprovechada. No me han dejado más que esto — añadió con profunda tristeza —. [p. 266] Bueno, pues no quiero molestarte más. Acaso te esperan en casa. Pero quiero que Pepa, el ama, te co-
5 nozca y tú la conozcas a ella.

Y entrando en la sala y acercándose después al hueco de la escalera llamó con altas voces:

— ¡ Pepa ! ¡ Pepa !

No tardó en aparecer el ama y criada a la vez del cura,
10 pues no tenía otra sirvienta. Era una mujer que pasaría de los cuarenta años, morena y endeble de cuerpo, con ojos ribeteados y enrojecidos, que ella achacaba al humo perenne de la cocina.

— Aquí tienes a la sobrina del tío Juan de Villoria de que
15 hablábamos ayer.

— ¡ Ah ! ¿ es ésta ? . . . Por muchos años.[1] Me alegro de conocerla.

— Muchas gracias.

— Y me alegro también de que se encuentre en casa del
20 tío Juan, porque esa casa de los Campizos es de lo bueno que hay, lo mejorcito de la parroquia. No todo es así, ¿ sabe usted ? ¡ Hay por aquí cada cazurro ![2]

— Vaya, vaya, Pepa — interrumpió el cura con aspereza —; deja a los cazurros en paz. Bueno, Angelina, vete
25 con Dios, que Dios te bendiga, hija mía. Dile a tu tío Juan que mañana iré a verle a Entrambasriegas, pues ya sé que está segando el prado.

El cura y su ama bajaron a despedirla hasta la puerta.

---

[1] **Por muchos años.** The complete expression would be, **Que lo sea por muchos años.** *May you be [his niece] for many years.*

[2] **¡ Hay . . . cazurro!** *There are some churlish types around here!*

— Adiós, Angelina.   Sigue devota de la Virgen Santísima,
que ella te protegerá.

— Adiós, señorita, que Dios la bendiga y le dé mucha
salud.

— No me llame usted señorita — replicó Angelina po-   5
niéndose encarnada —, porque ya no lo soy.

— Para mí lo será siempre.   El señorío no lo da el dinero,
sino la crianza.

IV

25. Con pie ligero y corazón más ligero aún se restituyó Angelina a la casa de sus tíos. Al entrar vió a su tía Griselda arrimada al lar, quien al sentir pasos volvió la cabeza.

— Ya sabía que estabas en casa del señor cura. Por eso
5 no me he apurado al no hallarte aquí.

— ¿ Cómo sabía usted que estaba en casa del señor cura ?

— En un lugar como éste se sabe todo pronto ... lo que hay y lo que no hay. Antes de llegar a casa ya me dijeron que estabas en el corredor del señor cura hablando
10 con él.

— Así es la verdad, y encontré un señor muy bueno.

— ¿ Verdad que sí ? Don Tiburcio es un santo varón. Algunos pelagatos hacen burla de él porque tiene ciertas chocheces, pero son los más burros y más holgazanes de la
15 parroquia ... Pero hija, tú debes de estar desfallecida. No has tomado más que un poco de leche. Cuando salimos al trabajo estabas dormida y no quise despertarte. Maté para el caso una gallina y te he puesto un puchero, que vengo a cuidar. Dentro de media hora ya podrás tomar un
20 sopicaldo con un huevo batido y a las doce comerás la pechuga de la gallina y unos huevos pasados por agua, porque sé que estás delicada del estómago.

— Gracias, tía, muchas gracias — replicó Angelina conmovida.

25 Y tomándole una mano la besó.

Griselda se puso roja. Aquel acto tan sencillo le abrió de par en par las puertas de su corazón.

— Eres muy buena, Angelina, y Dios te protegerá — dijo besándola en la frente.

— Ya me ha protegido dándome unos tíos tan buenos.

— Cariño no te faltará aquí y todo lo que puedan nuestros recursos lo tendrás.

— Pues mire usted, tía, voy a pedirle un favor. A mí me da vergüenza salir por el pueblo con este traje que ya no me pertenece. Quiero vestir lo mismo que Carmela.

Griselda quedó pensativa.

— Puede que [1] tengas razón, hija mía. En el pueblo hay gente envidiosa... Ya pensaremos en ello.

— Si usted quisiera comprarme un traje se lo agradecería... Yo tengo todavía aquí algún dinero; tómelo usted.

Griselda se puso de nuevo encarnada.

— No, hija mía, no; guarda ese dinero para ti. A Dios gracias, no nos hace falta. Ya mercaré el jueves en la Pola la tela y entre Conrada la del tío Leoncio, que es muy curiosita y nosotras te haremos una faldita... Aguarda un poco — añadió mirándola —. Es inútil que te pruebe una de Carmela.

— ¡ Ya, ya ! — exclamó Angelina riendo.

— Pero con la que tú traes ahora, que es oscurita, te voy a poner el pañuelo.

Se acercaron al cuarto del armario y Griselda sacó de él un pañuelo floreado que Carmela se ponía los domingos. Angelina se despojó de su vestido dejando sólo la falda, se puso el camisón de dormir que tenía mangas y encima su corsé y se anudó el pañuelo por detrás de la cintura. Griselda tomó un lindo pañuelo de seda y le ciñó con él la cabeza al estilo aldeano. Hecho esto se hizo atrás y riendo exclamó:

---

[1] **Puede que = Puede ser que**

— ¡ Hija mía, qué guapísima estás ! Ve a verte.

Angelina fué a mirarse en el espejillo y se encontró muy bien. Le parecía que se había disfrazado para un baile de trajes.

5 No fué corta la risa de tío Juan, Telesforo y Carmela al verla así ataviada, cuando llegaron del trabajo. Todos convinieron en que estaba más guapa que antes, y Angelina llegó a creerlo.

Se sirvió la comida. A Angelina la sentaron en el escaño,
10 la pusieron delante una pequeña mesa con un mantelillo, y la hicieron comer con plato y tenedor de metal, mientras los demás, sentados en sus tajuelas, comían en la escudilla con cucharas de madera. Esto la avergonzó. Se hallaba molesta; pero comprendía que le era imposible comer como
15 los otros, y se conformó. Comió unos bocados de pechuga de gallina y sorbió los huevos. [p. 266]

— ¿ Quieres venir con nosotros esta tarde, Angelina ? Te divertirás viendo esparcir la yerba.

Angelina tenía otro proyecto en la cabeza. Se disculpó
20 diciendo que se hallaba aún muy fatigada, pero desde luego prometía ir al día siguiente temprano, si es que la desperta- ban [1] para ello.

Poco tiempo después quedó sola en la casa. La frugal comida no le había sentado mal. La gallina, los huevos, la
25 leche, todo era excelente. Se estuvo un rato en la solana contemplando el paisaje, y al fin, entrando en su cuarto y abriendo la maleta sacó de ella el recado de escribir, precioso como todo lo demás, y con él se fué a la mugrienta mesa de la solana, se sentó y comenzó a escribir.

---

[1] si es que la despertasen para ello, *provided they awakened her* (*for it*).

«Querido Gustavo:

No pienso que te sorprenderá esta carta, pues debías esperarla, aunque no del sitio que lo hago. Es mi deber escribirte en este momento y hablarte con entera franqueza. Como seguramente sabrás, ya mi posición ha cambiado por completo. Mi padre se halla totalmente arruinado y se va de nuevo a Cuba, buscando trabajo. Yo no soy más que una pobrecita, recogida en casa de unos tíos labradores. El asunto, pues, de nuestro matrimonio ha cambiado de aspecto. No imagino que tú te casabas conmigo por interés; pero acaso no entre en tus cálculos unirte a una chica enteramente desprovista de fortuna. En este último caso me corresponde devolverte la palabra, dejándote absolutamente libre para romper nuestro compromiso. No. me quejaré si lo haces; mas si a pesar de todo permaneces fiel, puedes estar seguro que no sólo mi amor, sino mi vida entera sería poca cosa para corresponder a tu generoso proceder,

Angelina.»

Debajo puso las señas:

Asturias.

Laviana.

Condado.

Después de leerla quedó satisfecha de su contenido. Si tiene un poco de vergüenza — se dijo — no me abandonará.

Cerró la carta, puso el sobre y la guardó hasta que Carmela viniese y la informase cómo podría ponerla en el correo.

Se alzó de la silla y acercándose a la baranda de la solana puso los codos sobre ella y permaneció extática contemplando el cielo y las copas de los árboles que tenía delante.

Reinaba un silencio adormecedor, el callado sosiego de las aldeas en las primeras horas de la tarde. Empezaba a hacer calor. Los labradores se habían ido a sus prados o sus tierras, los niños a la escuela, los pájaros dormían sobre las
5 ramas.

26. Angelina se sentía mucho más tranquila y resignada, se había apagado su cólera, ya no le roía el despecho y vagamente comenzaba a comprender que el cura tenía razón. [p. 266]
10 Se acordó de que aún no había escrito a su padre y sintió un punzante remordimiento. Volvió a la mesa y le puso algunos renglones, noticiándole que había llegado bien y que su salud no se había alterado. Le suplicaba le dijese cuándo pensaba emprender su viaje y
15 adónde debía escribirle.

Después bajó a la cocina y desde allí se salió al campo. A paso lento, y fijándose bien en lo que la rodeaba y no había tenido ocasión de ver, se fué aproximando al establo. La puerta sólo estaba llegada como siempre durante el día. La
20 abrió y al poner un pie dentro sintió en el rostro el hálito animal que se percibe siempre en esta clase de recintos. Nada veía, había una oscuridad profunda. Sus ojos no obstante se fueron habituando y percibió el bulto de cuatro vacas sujetas a un pesebre. Atados a otro más chico había
25 dos ternerillos. Dió algunos pasos más. Las vacas volvieron la cabeza y dejaron escapar un leve mugido. Angelina no se atrevió a acercarse a ellas; pero se aproximó a los terneritos y trató de ponerles la mano encima. Los jatos brincaron asustados, tratando de huir, aunque im-
30 posibilitados de hacerlo por el collar de madera con que estaban sujetos. Dos vacas, sin duda las madres, mugieron fuertemente.

La atmósfera espesa, húmeda y tibia que allí se respiraba ejerció sobre Angelina una influencia aún más sedante que la del campo. Se encontraba tan bien que permaneció largo rato sentada sobre el borde del pequeño pesebre de los terneros.

Cuando salió la luz le ofuscó y tuvo que llevarse la mano a 5 los ojos. [p. 266] A paso lento y respetuoso cual si entrase en un templo, respirando a plenos pulmones aquel aire embalsamado, sintiendo de vez en cuando en el rostro la ardiente caricia de un rayo de sol, Angelina fué avanzando hasta tocar en las lindes de la pomarada. Próximas estaban las primeras 10 casas de la aldea, pero antes había un espacio destinado a huerta. La contempló un instante sin curiosidad y dirigió su vista al valle que, como un circo inmenso rodeado de altas montañas, se extendía delante de ella. [p. 267]

Largo tiempo estuvo contemplando aquel paisaje. Al fin 15 volvió sobre sus pasos lentamente, internándose en la pomarada y se sentó bajo uno de los más grandes y copudos manzanos.

La brisa soplaba blandamente sobre las copas de los árboles: sólo alguna vez, más viva, lograba penetrar por el 20 follaje y llegaba a refrescarle las mejillas. Angelina se sentía revivir. Aquella frescura deliciosa, aquella dulzura salvaje, el césped, los árboles, el sol le producían una sensación que hasta entonces jamás había sentido. Era otra vida diferente, era una caricia que la adormecía, un sueño que la 25 hacía olvidar lo presente y lo pasado. [p. 267]

No supo cuánto tiempo estuvo así, ni dormida ni despierta. El sol descendía. El azul que se vislumbraba entre las hojas adquiría un matiz más oscuro. Pero allá a lo lejos, mirando por debajo de los árboles el azul se transformaba en 30 oro y las nubes que flotaban en el horizonte se encendían besadas por el sol.

Con las manos caídas y la espalda apoyada en el tronco del corpulento pomar, Angelina dejaba correr el tiempo, dejaba flotar su pensamiento sin dirección como una de esas nubecillas blancas que flotaban en el espacio empujadas por vientos 5 contrarios; tan pronto se creía feliz como desgraciada, sentía a la vez ansia de vivir y de morir: era el deseo que en horas solemnes se alza en el fondo de nuestro ser de unirse para siempre a la inocencia de la creación, de sumergirse en el seno de la naturaleza inmortal, de abandonar lo temporal 10 por lo eterno.

— ¡ Angelina, Angelina ! ¿ Dónde estás, Angelina ?

Oyó las voces y abrió los ojos asustada, sin saber dónde se hallaba.

— ¿ Dónde estás, Angelina ?

15   — ¡ Aquí, aquí !

Griselda y Carmela soltaron a reír viéndola bajo el árbol.

— ¿ Pero te habías dormido ?

— Sí, me he dormido.

20   — ¿ Cuánto tiempo ?

— No lo sé.

— Mucho tiene que ser, porque ya son las seis.

Se levantó entumecida y entró en la casa con ellas. Ya estaban allí el tío Juan y Foro.

25 Todos rieron mucho. Ella sentía gran bienestar físico. Aquel sueño al aire libre la había refrescado.

Antes de cenar Angelina llamó aparte a su prima y le dijo confidencialmente:

— Tengo dos cartas escritas, una para papá y otra para un 30 amigo.

Carmela sonrió y Angelina se puso encarnada.

— ¿ Hay persona de confianza para llevarlas al correo ?

— Todos los días viene el peatón con las cartas y se lleva las nuestras.

— La del amigo quisiera que fuese certificada, ¿ sabes tú ?

— Sí, sí, comprendo — repuso Carmela riendo.

— Bueno, pues si comprendes le darás esta peseta para que la certifique y me traiga el recibo de la estafeta.

Pasado un rato se pusieron a cenar. Griselda no se hartaba de mirar a su sobrina.

— Hija mía, no sabes lo guapa que estás con ese pañolín colorado.

— Para usted, tía, lo estaré siempre.

Griselda le pagó con una mirada cariñosa. [p. 267]

— Oye, Angelina, ¿ quieres venir mañana al prado con nosotras ? — le dijo Carmela.

— ¡ Vaya si quiero !

— Es que tenemos que llamarte temprano.

— Todo lo temprano que se necesite.

— Bueno, pues ahora vete a descansar, porque lo necesitarás — le dijo Griselda, empujándola suavemente hacia la escalera. [p. 267]

La vista de la fementida cama volvió a apretarle el corazón. No, no; era imposible dormir sobre aquel potro de tormento.

Suspirando se metió dentro de ella, y al sentir el áspero contacto de las sábanas no pudo menos de soltar algunas lágrimas.

« Bueno — se dijo al cabo —, ya que no puedo dormir, rezaré. » Con los ojos abiertos en la oscuridad se puso a rezar fervorosamente. Transcurrieron los minutos, transcurrió una hora, y al cabo, rezando, la niña de Quirós se quedó dormida.

V

27. Carmela, la hermosa novilla de los grandes ojos, penetró en su cuarto ya bien entrado el día.

— ¡ Arriba, Angelina ! Los hombres se han marchado hace un rato.

5 Angelina abrió los ojos y sonrió a su prima. El sueño había sido tranquilo, reparador. Se vistió con presteza su traje medio aldeano, hizo las abluciones de costumbre y bajó a la cocina, donde ya estaba su tía Griselda aguardándola. [p. 267]

10 No quiso el chocolate que su tía le tenía preparado. Tomó una gran taza de leche recién ordeñada.

— ¡ Oh, qué leche, qué rica leche ! Como ésta no la he tomado en mi vida.

Carmela y su madre sonrieron satisfechas.

15 Salieron al camino y emprendieron el del prado de Entrambasriegas. Griselda le advirtió que el prado no estaba lejos; pero así y todo, como ella no estaba acostumbrada a caminar, temía que se cansara.

— Estoy segura de no cansarme. Quiero andar — ma-
20 nifestó Angelina con firme resolución.

El prado, en efecto, se hallaba a poco más de un kilómetro del pueblo. Había que seguir un caminito estrecho entre toscas paredillas, guarnecidas de zarzamora y madreselva. Angelina marchaba con vivo y alegre paso.

25 — Ya estamos. Mira — dijo Griselda.

Angelina levantó la cabeza y vió en la falda del monte, con pronunciado declive, un vasto y hermoso prado. Allá, en lo cimero de él, se percibían los bultos de unos cuantos

hombres inclinados a tierra, segando. Penetraron por la
parte de abajo y ascendieron lentamente, Angelina con
fatiga porque no estaba acostumbrada, Griselda y su hija
muy libres y expeditas. [p. 268]

Cuando llegaban cerca de los segadores, éstos volvieron 5
la cabeza, enderezaron el cuerpo y apoyados en la guadaña
las saludaron con amable sonrisa. [p. 268]

Angelina estaba sorprendida, pero no asustada, al ver
aquellos hombres en mangas de camisa, descubierto el pecho
y sudando ya copiosamente, a pesar de que eran las primeras 10
horas de la mañana. Todos llevaban una correa ceñida a la
cintura, y pendiente de ella, sobre el vientre, un pequeño
tanque de madera con agua, dentro del cual guardaban la
piedra para afilar la guadaña.

Allí estaban a más de tío Juan y Telesforo, el tío Pacho de 15
la Ferrrea con su hijo Cosme, el tío Leoncio de la Reguera
de Arriba, Pinón de la Fombermeya, y el tío Atilano de la
Vega.

Terminados los saludos, Griselda les ofreció la parva, una
copita de aguardiente que escanció de una botella que de casa 20
traía. Los segadores bebieron todos por la misma copa el
uno después del otro. Y luego de limpiarse el sudor y dar
unos pases con la piedra de afilar a la guadaña volvieron a
su tarea. Segaban el uno más bajo que el otro formando una
línea oblicua al modo que en el cielo vuelan algunas aves 25
emigrantes. En lo alto estaba el tío Juan, después seguía
el tío Atilano, luego Telesforo y Cosme, Pin de la Fombermeya, y por fin el tío Pacho de la Ferrera y el tío Leoncio de
la Reguera de Arriba.

Estos dos últimos no podían menos de juntarse. Eran dos 30
alegres compadres, dos compinches que se atraían y se
necesitaban. Había secreta afinidad entre ellos. Esta

afinidad o semejanza tenía un fundamento positivo y otro
negativo. El positivo consistía en que ambos sentían con la
misma intensidad una secreta inclinación hacia los toneles de
sidra. Era una atracción magnética la que tales artefactos
5 ejercían sobre los dos cuando no estaban vacíos. El negativo era que ambos gemían bajo el yugo ominoso de sus
respectivas esposas. Porque si feroz y cruel era la tía
Micaela de la Ferrera, no menos fiera y sanguinaria era la
tía Epifania de la Reguera de Arriba. Parece que ambas se
10 habían propuesto combatir con energía las atracciones
magnéticas de sus maridos empleando para ello adecuados
medios coercitivos. Se decía en el pueblo que la tía Epifania
daba al tío Leoncio cada paliza que le deslomaba. Cuando
se presentaba en casa con unos vasos de sidra en el cuerpo,
15 ella se lo ponía como una breva. Del tío Pacho de la Ferrera
no se decía lo mismo, pero consistía seguramente en que vivía
lejos. La Ferrera es un caserío situado en la falda de la
montaña, a dos o tres kilómetros del Condado. [p. 268]

El tío Atilano era un paisanuco menudo, seco, extremada-
20 mente recio. Gastaba unas cortas patillitas que le bajaban
poco de la oreja. A pesar de su exigua figura era un bravo,
incansable trabajador: sus miembros parecían sarmientos.
Pasaba de los cincuenta años. Estaba rico o pasaba por tal,
porque los bienes que cultivaba eran propios y no arrendados
25 como los del tío Pacho de la Ferrera y Leoncio. Pero tenía
fama de avaro en la aldea, donde esta pasión es tan general.
Se decía que mataba de hambre a su mujer y a sus dos hijas.
Acaso esto no fuese verdad, pero sí lo era que las hacía
trabajar como mulas de alquiler. Su primera hija se llamaba
30 Sinforosa y tenía veintitrés años; la otra, Elisita, era una
niña de diez o doce. [p. 268]

28. Angelina contempló unos instantes con curiosidad el

trabajo de aquellos hombres. Las guadañas, al cortar el heno, producían un sonido rítmico de tela que se rasga, los brazos de los segadores se movían a compás de un lado a otro. De vez en cuando uno se enderezaba, sacaba la piedra del tanque y la pasaba por la guadaña. Era el pretexto para 5 descansar un instante. [p. 269]

Algunos minutos después llegaron Conrada, la hija del tío Leoncio, y Sinforosa y Elisita, las del tío Atilano. La primera era una moza ni fea ni hermosa, pero de fisonomía abierta y simpática, iluminada casi siempre por una sonrisa 10 bondadosa. [p. 269]

Sinforosa era menudita como su padre y de rostro agraciado. Tenía unos bonitos ojos picarescos, atrevidos, quizá un poco insolentes. Y como sus ojos era su palabra sobradamente libre y no pocas veces agresiva. Por su lengüecita 15 afilada y sarcástica era temida de las mozas de la aldea.

— ¡ Ea, mozas, a esparcir la yerba ! — les dijo la tía Griselda.

Carmela, Conrada, Sinforosa y Elisita tomaron los rastros o garabatos, como allí los llaman, y comenzaron a esparcir 20 los rimeros de yerba que a surco iban dejando las guadañas. Griselda y Angelina permanecieron en pie contemplándolas. De pronto ésta dijo:

— Yo también quiero hacer algo, tía. Déme usted uno de esos palitroques. 25

Griselda la miró sonriente y sorprendida.

— ¿ Es de veras que quieres esparcir la yerba ?

— Sí, tía, quiero hacer lo que ellas — respondió con acento resuelto.

Griselda tomó uno de los garabatos y se lo entregó 30 riendo.

Angelina, después de mirar con atención cómo hacían las

demás, se puso con ardor a esparcir la yerba. Pronto se encendieron sus pálidas mejillas.

— No te canses, Angelina — le gritó su tía.

Pero ella no la escuchaba. Cada vez con más empeño
5 seguía manejando el instrumento. Sin embargo, al poco tiempo se sintió tan fatigada que lo dejó caer al suelo y se llevó la mano al pecho, jadeante.

— ¿ No te dije yo que no lo tomases con tanto afán ? — le gritó su tía.

10 Conrada la miraba con dulce sonrisa de simpatía. Sinforosa con otra burlona.

Pero Angelina no se dió por vencida. Otra vez empuñó el garabato y con igual ardimiento prosiguió su tarea.

Lo segado el día anterior, seco ya por el esplendoroso
15 sol de la tarde, yacía en pequeños montones, preparado para ser acarreado a la tenada. Pensaban los segadores que aquella mañana, antes de las doce, terminarían con el prado.

Don Tiburcio, el cura párroco, les gritó desde el camino:
20 — ¡ Eh, los segadores ! ¿ Cómo marcha esa siega ?

Los segadores enderezaron el cuerpo y miraron hacia abajo.

— Suba acá, señor cura — le gritó el tío Juan.

El cura aceptó inmediatamente la invitación, saltó
25 al prado y comenzó a ascender con gran agilidad.

— Buena tarea habéis hecho ya.

— A las cuatro de la mañana ya estábamos aquí, señor cura. Antes que suenen las campanas de mediodía quedará listo.

30 — Es una bendición el trabajar por la fresca. Se gana más en una hora que luego en tres.

— ¿ Quiere usted ayudarnos un poco ?

— De buena gana . . . pero hay algunos toribios por el lugar que sacan la lengua cuando ven a un cura trabajar con la guadaña o la fesoria. [p. 269]

Griselda había abierto la cesta donde venía el desayuno de los segadores, tocino fresco, queso y borona. Los 5 segadores dejaron sus guadañas en tierra, y ellos mismos se sentaron, y grave, reposadamente, como mastican los aldeanos y los bueyes, empezaron a engullir la vianda.

El cura les contempló algún tiempo. Pero no pudo resistir la tentación. Con presteza se arrancó del cuerpo la 10 sotana, quedó en mangas de camisa, tomó una de las guadañas y se puso a segar ardorosamente. Los segadores le miraban con benévola sonrisa.

— Eso está bien, señor cura.

— Ninguno de nosotros corta la ycrba más guapamente. 15

El cura, animado con los aplausos, segaba denodadamente. En poco tiempo efectuó una tarea muy cumplida. Al fin, rendido, sudoroso, dejó caer la guadaña al suelo.

— Ea, basta por hoy. Otro día lo haré mejor.

— Mejor no puede ser, señor cura. 20

Se vistió de nuevo la sotana y se despidió, corriendo prado abajo con la misma agilidad que había subido.

Como los segadores habían previsto, el prado quedó listo antes que sonara el *Angelus*. Bajaron todos al camino con la guadaña sobre el hombro, a modo de fusil, y 25 cada cual se fué a comer a su casa, excepto Pinón de la Fombermeya, que vino a la del tío Juan.

VI

29. Angelina comió con apetito una magra de jamón, que le había preparado su tía, y una taza de leche con pan migado. Aunque la familia comía ordinariamente borona, Griselda amasaba de vez en cuando pan de escanda, que era 5 para ellos un verdadero regalo. Angelina miraba la borona con temor y repugnancia.

Mientras comían hablaron de la tarea que les esperaba. Había sobre el prado lo menos veinte carros de yerba, que era necesario traer en el menos tiempo posible. Aquella 10 tarde podrían acarrear unos pocos, pero era necesario dos días para meterlos todos.

— Si es que no llueve — manifestó el tío Juan gravemente.

— ¡ No lo quiera Dios ! — exclamaron todos a un tiempo.

Cuando terminaron de comer, el tío Juan se fué al establo 15 para preparar el carro y la yunta. Angelina le siguió.

— ¿ Quieres ver las vacas ? — le preguntó su tío.

— Ya las he visto.

— ¿ Cuándo ?

— Ayer tarde, mientras ustedes estaban fuera.

20 — ¿ Qué te parecen ?

— Muy hermosas.

— Hay pocas como ellas en la parroquia — manifestó Juan con orgullo —. Mira, ésta se llama *Moruca*, porque es casi negra como ves, muy lechar, pero poco mante-25 quera. El jato que allí está es el de ella.

Angelina no comprendía la diferencia entre lechar y mantequera. Su tío le explicó que hay vacas que dan mucha leche, pero ésta al mazarla rinde escasa manteca, mientras

otras que dan menos son más productoras de aquélla.
[p. 269]

El tío Juan las acariciaba pasándoles la palma de la mano
sobre el lomo. Angelina quiso hacer lo mismo, pero su tío
lo impidió.

— No; ésta no. La *Pinta* es muy torpe. Con las otras
puedes hacer lo que quieras. No se moverán.

Angelina comenzó a pasar su pequeña mano por el lomo y
la cabeza de la *Moruca* y la *Cereza*, que volvían la cabeza
y la miraban con sus grandes ojos tranquilos, y mugían
débilmente cual si quisieran darle las gracias.

Angelina sentía en el establo el mismo bienestar físico
que había experimentado la tarde anterior. La atmósfera
espesa y azoada, el sosiego de aquellos animales eran para
su sistema nervioso un sedante mejor que la tila y el azahar.

Juan sacó fuera la *Moruca* y la *Blanca* y las condujo hasta
el cobertizo donde se hallaba el carro. Telesforo tiró por
éste y ayudó a su padre a uncirlas.

— ¿Angelina, quieres ir en el carro? Te cansarás
menos — le dijo su primo.

— Si va Carmela también, no hay inconveniente.

Pero Carmela no quiso ir; decía que antes de llegar al
prado tendría la comida en los talones. [p. 269]

Mientras los hombres cargaban el carro con el heno ya
seco, las mozas removían con los garabatos el que aún estaba
tierno. Angelina las imitaba con el mismo ardor que por la
mañana. Carmela se inclinó a su oído y le dijo bajito:

— Esta Sinforosa tan pequeñina es la moza con quien
habla mi hermano Foro.

— Pues yo no le he visto hablar con ella ni ahora ni antes.

Carmela soltó a reír.

— Las mozas no hablamos aquí con los mozos más que

los domingos. Los otros días ellos tienen que trabajar y nosotras también.

Cuando se hubo cargado el carro, y después de bajarlo al camino, Telesforo dijo:

5 — Angelina, ahora ya puedes venir en el carro, porque no te incomodará el traqueteo.

— ¿ Pero dónde voy a ir ? — preguntó sorprendida.

— Pues encima de la yerba.

— ¿ Allá arriba ?

10 — Sí, allá arriba.

Lo encontró original y divertido.

— Bueno, pues subidme allá. ¿ No me caeré ?

— No, si te agarras bien a la soga.

En efecto, Telesforo la aupó fácilmente y Angelina se
15 tendió sobre la yerba. El carro se puso en marcha y los hombres y las mozas lo escoltaban. Telesforo iba delante con la aguijada enhiesta. No cesaban de reír viendo a Angelina balancearse allá arriba, apretando la soga con ambas manos para no caer.

20 — ¡ Agárrate bien, Angelina ! — le gritaban.

— Ya lo hago por la cuenta que me tiene.[1] Y eso que la soga pincha que es una maravilla.

— ¡ Claro ! Cuando uno cae se agarra a un clavo ardiendo.

25 Conrada y Sinforosa se quedaron en el pueblo. Cuando llegaron a casa los hombres colocaron el carro a la vera del establo. Carmela se subió por una escalera de mano a la tenada y dió la mano a Angelina, que como se hallaba en lo alto fácilmente pudo trasladarse a ella, dejando su puesto
30 a Telesforo, que con un horcado de tres puntas comenzó a

---

[1] **Ya . . . tiene.** *I'm doing it for my own good.* Lit., *on account of the importance that it holds for me.*

¡ Agárrate bien, Angelina !

alargarles la yerba. Ellas la esparcían y la apretaban, porque era mucha la que era necesario encerrar. Angelina, viendo lo que hacía su prima, la imitaba.

— Ésta para Carmela — gritaba el mancebo alargándole 5 una parva —. Ésta para Angelina.

Y Angelina abrazada al montón se dejaba caer sobre él y aspiraba con delicia el olor del heno. Poco tiempo después sudaba copiosamente.

— No seas burro, Forín — gritaba Carmela —. No 10 mandes tan grande la parva a Angelina.

— ¡ Sí, sí ! — replicaba ésta enardecida, con las mejillas inflamadas —, mándala grande como a Carmela.

Telesforo reía, lo mismo que el tío Juan y Pinón, que se hallaban abajo.

15 Cuando toda la del carro se había metido en la tenada, Angelina se dejó caer sobre la yerba limpiándose el sudor. Su tía Griselda apareció.

— Angelina, estás muy cansada. Vente a casa.

— No, no. Quiero ir otra vez al prado.

20 Y con tenacidad incontrastable, con la misma férrea voluntad que el hombre que la engendrara [1] había desplegado para ganar millones en la Habana, Angelina fué por cuatro veces al prado aquella tarde.

Cuando llegó la noche cayó como un tronco sobre la es-25 pinosa cama y no despertó hasta bien entrada la mañana.

---

[1] **engendrara.** See note 1, p. 21.

VII

30. Cuando bajó a la cocina no halló más que a su tía Griselda.

— ¿ Dónde están los otros ?

— ¡ Anda, pues no hace rato que se marcharon al prado !

— ¿ Y por qué no me han llamado ? — preguntó un poco 5
contrariada.

— Querían hacerlo, pero yo me opuse porque anoche te acostaste muy cansada.

Angelina bajó la cabeza y muy seria se puso a desayunar sin pronunciar una palabra. Griselda la observaba 10
sonriendo.

— ¿ Es que hubieras querido ir con ellos ?

— Ya lo creo que hubiera querido — respondió secamente.

— Pues no te apures, porque no tardarán en venir.

Pero en cuanto hubo desayunado, hurtando las vueltas 15
a su tía,[1] salió de casa y con precipitado paso se dirigió al prado. Antes de llegar a él tropezó con el carro ya cargado.

— ¿ Por qué no me habéis llamado ? — preguntó muy seria.

— Queríamos hacerlo, pero mi madre no lo consintió — 20
respondió Carmela.

— Bueno, pues subidme al carro — manifestó resueltamente.

Todos soltaron a reír.

— Parece que te gusta el colchón — dijo el tío Juan.   25

Telesforo la aupó como si fuese una muñeca.

---

[1] **hurtando las vueltas a su tía,** *evading her aunt.*

— Así Dios me salve — dijo Pinón — si esta señorita de Madrid va a ser la moza más valiente del concejo.

— Como tú eres el mozo más valiente — pronunció Telesforo con sorna.

5　　— ¡ Y que lo digas, rapaz ! [1]

Agarrada a la soga Angelina se dejó mecer metiendo el rostro por la yerba, aspirando con delicia su aroma. Como el día anterior se subió a la tenada y en compañía de Carmela esparció y colocó allí la yerba.

10　　Una y otra vez fué y vino con el carro. Por la mañana se metieron tres carros y por la tarde cinco, sin que Angelina abandonase su puesto. Para cenar no quiso caldo, ni sopa, ni huevos pasados por agua; se comió un gran plato de patatas guisadas y bebió dos tazas de leche. Antes de
15 acostarse rogó encarecidamente que la llamasen temprano. Al día siguiente se metieron por la mañana algunos carros.

Desgraciadamente por la tarde se amontonaron las nubes sobre los montes de Raigoso, y cuando sólo habían metido dos carros, hallándose cargando el tercero comenzó a llover
20 copiosamente. El tío Juan, Pinón y Carmela, poniéndose sendos sacos sobre la cabeza y espalda a modo de impermeable, echaron a correr hacia casa.

— Pierde cuidado, Angelina, tú no te mojarás — dijo Telesforo.

25　　Tomó a su prima en brazos, la tumbó sobre el carro sólo mediado de yerba, la abrigó con su propia chaqueta, echó sobre ella montones de yerba sin dejar descubierta más que la cabeza y vistiéndose otro saco se puso al frente de las vacas, caminando hacia casa con el sosiego de siempre.

30　　— ¿ Vas bien, Angelina ? ¿ Te mojas ? — le gritaba.

— Ni poco ni mucho. ¿ Y tú ?

---

[1] ¡ Y que lo digas, rapaz! *You said it, boy!*

— Yo nada más que las piernas, pero me secaré cuando lleguemos a casa.

En casa estaban ya secándose a la lumbre Juan, Carmela y Pinón. Todos la recibieron con alborozo.

Angelina, brincando por la cocina con la mayor alegría 5 exclamaba:

— ¡ Miradme! Ni una gota de agua me ha caído. Estoy completamente enjuta gracias a Forín que me echó un carro de yerba encima.

Todos se secaban en torno del lar. Al poco rato reinó en 10 la cocina triste silencio.

— Mala suerte hemos tenido — pronunció Juan —. Todavía quedan en el prado algunos carros.

— Por la mañana soplaba el viento gallego. Estaba visto — dijo Pinón. 15

— Con viento gallego hay muchos días que no llueve — apuntó el tío Juan.

— Pero no es lo regular ... Vamos al decir.

Reinó de nuevo el silencio.

— ¡ Lástima de yerba! — exclamó Pinón al cabo —. 20 ¡ Tan curadita y tan rica como estaba !

— ¿ Pero es que se ha perdido la yerba? — preguntó Angelina con vivo interés.

— Mayormente perdida ... como quien dice perdida, no [1] ... pero la come mal el ganado después de mojada. 25

— Tal vez no lloverá mañana — dijo la niña.

— Sea lo que Dios quiera — murmuró con tristeza el tío Juan bajando la cabeza.

— ¡ Eso! Ahora y siempre sea lo que Dios quiera — corroboró con firmeza Griselda. 30

---

[1] **como quien dice perdida, no** . . . *completely ruined, no* . . .

VIII

31. Al día siguiente amaneció lloviendo. Era jueves, día de mercado en la Pola; y Griselda, a pesar de la lluvia, se cubrió con un fuerte capotón, que para estos casos guardaba, y con un paraguas colosal, que semejaba una tienda 5 de campaña, se puso en marcha.

— Pero tía — exclamaba riendo Angelina —, ¿ es que tiene usted fuerza para llevar ese armatoste en la mano hasta la Pola ?

No se cansaba la niña de admirar aquel inmenso artefacto 10 de burda tela encarnada que podía cobijar una familia.

— Con este paraguas espero que ni una gota de agua me caerá encima.

— ¡ Lo creo ! ¿ Quiere usted que la acompañe ? Me parece que nos tapará bien a las dos.

15 Pero la briosa matrona, a pesar de su peso corría ya ligera diciéndoles adiós.

Al mediodía llegó con un gran paquete en un brazo y soportando con el otro el colosal paraguas.

— ¡ Dios mío, qué fuerza se necesita ! — exclamaba Ange-20 lina, cada vez más sorprendida.

— Tú la tendrás también si no comes como un pajarito — manifestó Telesforo.

— Ayer he comido como vosotros — replicó ella con acento triunfal.

25 — Así es la verdad — dijo Carmela —. ¡ Ya veréis ! Angelina se ha de poner tan gorda como yo.

La tía Griselda traía de la Pola lo necesario para vestir a su sobrina, menos los zapatos. Tela de merino y estameña

para las faldas, justillo, un pañolón de percal para los días
de labor, otro de burato para los de fiesta, dos pañolitos de
seda para la cabeza y algunas medias blancas.

Se llamó a Conrada, la hija del tío Leoncio, que como ya
sabemos era costurera, y allá en la solana las cuatro mujeres
se pusieron a pergeñar las faldas de Angelina. Ésta había
cosido muy poco en la vida, pero tenía alguna idea y las
ayudaba.

Sin embargo, de vez en cuando se alzaba de la silla, se
asomaba a la baranda y escrutaba el cielo.

— Sigue lloviendo — decía con tristeza —. Me parece
que la yerba se pierde.

— ¡ Qué le vamos a hacer,[1] hija mía ! Sea lo que Dios
quiera — respondía Griselda con la sosegada resignación de
los aldeanos, tan distante de la nerviosidad de los ricos
ciudadanos. [p. 270]

Llovió al día siguiente y quedaron terminados los trajes
de Angelina. Conrada y ella se hicieron grandes amigas.
Era tan bondadosa esta Conrada, tan sencilla, tan inocente,
que logró apoderarse de su corazón. Angelina reía de sus
preguntas candorosas, algunas veces la engañaba maliciosamente con mentiras estupendas, luego sentía remordimiento
y le decía la verdad.

El sábado amaneció un día espléndido. Por la tarde se
pudo acarrear la yerba que había quedado en el prado, pero
no se introdujo en la tenada, sino que se hizo con ella una
vara cerca del establo. En la semana siguiente segaron el
prado de arriba, el que estaba por cima de la casa y otro
más pequeño, no muy lejos, llamado de la Fontiquina.

Angelina siguió trabajando heroicamente en la recolección
de la yerba, ayudando a secarla y a meterla en la tenada.

---

[1] ¡ Qué le vamos a hacer, . . . ! *What can we do about it, . . . !*

No tuvo necesidad ya de caldo de gallina. Comía como los demás magníficos platos de patatas o habichuelas con morcilla, chorizo, torreznos, grandes tazas de leche.

— Bébete otra, Angelina — le decía Griselda.

5   Y Angelina se bebía dos tazas y a veces tres.

Con lo que no podía era con la borona. Sin embargo afirmaba rotundamente que antes de poco la había de comer.

Uno de los días, al entrar en casa su tía le dijo:

— Angelina, hay aquí una carta para ti.

10   El corazón le dió un vuelco, se puso roja. Fué a buscarla temblando y (cosa triste de decir) experimentó una gran decepción. La carta era de su padre, que le escribía desde Cádiz anunciándole que embarcaba al día siguiente y dándole su dirección en la Habana. Estaba llena de palabras 15 cariñosas, animándola mucho y rogándole que fuese buena y obediente con sus tíos. Angelina no pudo menos de sentir remordimiento por aquella su poco filial decepción.

Todavía esperó durante unos días la carta de Manrique, pero ésta no vino. Al fin desesperanzada exclamó con uno 20 de sus geniales arranques:

— ¡ Bah ! Un sucio como tantos otros.

IX

32. Transcurrido un mes, Angelina pensó con sorpresa que no era tan desgraciada como había creído serlo [1] cuando puso el pie en casa de su tío.

Después de la faena de la yerba vino la del maíz. Había que *arrendarlo*. En Asturias cuando levanta un palmo del suelo se le *salla*, esto es, se remueve la tierra con la azada; cuando levanta algo más se le *arrienda*, esto es, se aisla cada planta arrancando las que estorban y colocando en torno de las que quedan un montoncito de tierra.

Angelina quiso bajar a la vega con ellos: el tío Juan, Telesforo, Carmela y Pinón de la Fombermeya, que acudía como jornalero. Con la voluntad ardiente y obstinada que siempre la había caracterizado, se empeñaba a todo trance en hacer como los demás. Después de verlos trabajar tomó una azada y principió a imitarlos; mas ¡ ay ! la azada era harto pesada para ella y a los pocos momentos se vió obligada a dejarla caer al suelo. Al dirigir una mirada a la tierra colindante donde trabajaban el tío Atilano, su mujer, Sinforosa y un vecino, sus ojos sorprendieron en los de Sinforosa una sonrisa burlona y se echó a llorar. Su tío Juan y Carmela vinieron a consolarla.

— No te apures, Angelina, no te apures, querida. Esta fesoria es muy pesada para ti, pero yo te mercaré una muy ligerita en cuanto vaya a la Pola.

— No haga usted nada, tío Juan — pronunció muy serio Pinón de la Fombermeya —, porque así me arrastre el

---

[1] **serlo.** See note 1, p. 13.

diablo de pico en pico como la neblina, si esta rapaza antes que llegue el tiempo de *llemir* la castaña no maneja la fesoria como nosotros.

Angelina, con los ojos llorosos, no pudo menos de soltar a reír.

— Gracias, Pin. Que Dios te oiga.

Cuando habían transcurrido dos meses, no sólo no se creía desgraciada, sino que se encontraba alegre. Era la alegría que sólo la plenitud de la salud engendra en el organismo humano. Comía con apetito, dormía con profundo sueño, se encontraba más ágil y fuerte, le interesaba lo que en torno tenía, y sobre todo se veía no sólo querida, sino agasajada por aquella bondadosa familia. ¿Qué tiene de sorprendente el cambio de sentimientos?

Un suceso curioso vino a hacerle aún más grata y amena la vida. Hallándose con su prima sentada en la pomarada, cerca del camino, acertó a pasar por él un sujeto muy corto de talla y muy ancho de espalda, hasta un punto que parecía un fenómeno, el rostro de luna llena, barbilampiño y de aplastada nariz.

— Adiós, Faz — le gritó Carmela con placentera sonrisa —. ¿Dónde la llevas armada? Ven a sentarte un poco con nosotras.

— *Non potest esse* [1] — respondió en latín aquel extraño sujeto —. Voy a la escuela corriendo.

Era su voz tan delgada que parecía salir por el ojo de la cerradura. Después añadió:

— Esa *fermosísima puera* [2] es tu prima, ¿verdad?

— La misma. ¿Te parece guapa?

---

[1] *Non potest esse*. *It cannot be.*

[2] *fermosísima puera* (for *formosissima puera*), *most beautiful maiden.*

— Dios la bendiga; es un sol radiante de mediodía.

A Angelina le costaba gran trabajo reprimir la risa. Aquella figura tan grotesca, y sobre todo aquella voz inverosímil, la tenían estupefacta.

— ¿ Has ganado mucho el otro día en Blimea ?   5

— Poca cosa.   El cura me dijo que la fábrica de la iglesia está muy pobre.   Por la tarde, cerca de los Barreros, los mozos que venían borrachos me dieron unos palos.

— ¡ Pues ya te has ganado algo ! — exclamó Carmela soltando a reír —.   Y tú, ¿ qué has hecho ?   10

— Yo, nada, *tanquam agnus Dei*,[1] en cuanto pude eché a correr.

— Así se hace.   Eres hombre prudente.   Pero ahora vienen muchas fiestas y te vas a poner el cuerpo más inflado que lo tienes.   15

— *Orate fratres*[2] — pronunció el enano abriendo los brazos como los sacerdotes en la misa.

— ¿ Qué quieres decir ?

— Que la curatería anda muy mal, Carmela, y apenas si tienen ellos para comer el pote y amasar la borona.   Cuando   20 les pido algo me hablan de la revolución[3] y de las blasfemias que se pronuncian en el Congreso de los Diputados.

— ¿ Qué tienes tú que ver con los diputados, Faz ?

— Naturalmente;   el único diputado que conozco es a

---

[1] *tanquam agnus Dei,* *like the lamb of God.*

[2] *Orate fratres.*   *Pray, brethren.*

[3] The Revolution of 1868 resulted in the exile of Isabella II (See note 1, p. 29).   The Provisional Government declared at an end the reign of the Spanish Bourbons, suppressed the Society of Jesus, and proclaimed universal suffrage, freedom of the press and religious liberty.   It offered the crown to Prince Leopold of Hohenzollern, thus affording Bismarck the opportunity to provoke the Franco-Prussian War of 1870.

don Salustio y cuando fuí a pedirle que me subieran dos reales el sueldo me dió con la puerta en las narices.

— ¡ Como si no las tuvieses ya bastante aplastadas ! — exclamó Carmela sofocada por la risa.

5 Angelina pudo al fin soltar el trapo igualmente. Ambas estuvieron buen rato sin poder articular palabra.

— *Hosanna in excelsis*.[1] Estáis alegres como unas novillas en medio de la pradera.

— Oye, mastuerzo, no nos llames novillas, porque nosotras
10 te llamaremos buey.

— Llamadme como queráis, *sed libera nos a malo*.[2]

— Mira, Faz, esta prima mía quisiera aprender las tonadas de la aldea. ¿ Es que tú puedes venir por las tardes después que sales de la escuela a pasar un rato aquí trayendo
15 la gaita ?

— ¡ Ya lo creo ! Con el mayor gusto.

— Pues a mí me harás un favor, y a esta prima mía tú, que eres muy galán con las mozas, no la dejarás descontenta.

20 — *Dignum et justum est*.[3]

— Bueno, ¿ pero no quieres sentarte un instante con nosotras ?

— *Non potest esse*, ya te lo dije. Me esperan los rapacinos en la escuela.

25 — Déjalos que esperen. ¡ Para lo que han de aprender ! [4]

— Es que hay soplones que van con el cuento al señor cura . . . ¡ y ya sabéis cómo las gasta don Tiburcio !

---

[1] *Hosanna in excelsis*. *Hosanna in the highest.*
[2] *sed libera nos a malo*. *but deliver us from evil.*
[3] *Dignum et justum est*. *It is fitting and just.*
[4] ¡ **Para . . . aprender !** *They're not going to learn much anyway!*

— Entonces hasta luego.   No dejes de venir.

Alejóse a toda la prisa que le concedían sus cortas extremi-
dades aquel rechoncho sujeto, y Angelina sin perderle de
vista preguntó:

— Es el sacristán, ¿ verdad ?   El domingo le he visto 5
ayudar a misa.

— Sí — respondió Carmela —, es el sacristán, pero además es el maestro.

— ¿ El maestro ? — exclamó Angelina sorprendida.

En efecto, Faz, como le llamaba todo el mundo en la 10
aldea, o Bonifaz de la Riega, como él se firmaba en los
documentos oficiales, era maestro de primeras letras en el
Condado.   En aquella época los maestros de aldea eran
pagados tan miserablemente que les sería imposible vivir
con su sueldo, aunque fuese bien estrechamente.   Así que la 15
mayoría eran labriegos al mismo tiempo, y cuando no, como
en el caso de Faz, se veían obligados a buscar el suplemento
necesario por otros caminos.   Faz era sacristán y algo
ganaba alrededor de la iglesia, pero además era gaitero y con
la gaita ganaba mucho más, pues se le llamaba en todas las 20
fiestas del concejo y aun de los limítrofes Sobrescobio y
Caso.   Como maestro, decía el inspector que era un asno,
como sacristán afirmaba el cura que era un zote, mas como
gaitero tan extremado, que ninguno en el valle de Laviana
podía competir con él y muy pocos en el principado de 25
Asturias.

Con todo eso, es decir, con su figura grotesca, con su voz
más ridícula aún y sus bajos empleos, inspiraba en la parroquia cierto respeto, porque hablaba en latín.   Claro está
que tal latín lo sacaba del ayudar a misa y del comercio con 30
los clérigos, pero los aldeanos no se paraban en análisis y lo
encontraban admirable.

— ¿ No sabes, Angelina — dijo Carmela sin dejar de reír —, que Faz quiere casarse conmigo ?

— ¿ Quién, ese cacaseno ? [1] — exclamó sorprendida e indignada aquélla.

5 — Ese mismo. Ya me lo espetó tres veces. Yo le contesté que hablase a mi padre, pero no se atrevió. Hace bien, porque si llega a decírselo, me parece que le abre la cabeza de un palo.

— Y haría muy bien. ¡ Se habrá visto el fenómeno ! [2]

10 Ambas primas rieron todavía a costa del pobre sacristán, el cual muy diligente y palpitándole de gozo el corazón, así que despidió a los chicos de la escuela subió con su gaita a casa del tío Juan.

Sentados delante de ella en un banco rústico, Faz en el 15 medio y a entrambos lados las dos traviesas zagalas se solazaron largo rato. Angelina encontró notable al gaitero y le hizo repetir diferentes tonadas campesinas hasta aprenderlas de memoria. Como había estudiado música y tenía delicado oído no le fué difícil cantarlas, lo cual admiraba mucho a su 20 prima, bastante más torpe de oreja. En las tardes sucesivas aprendió también el baile aldeano sin gran trabajo, pues se reduce en Asturias a una especie de jota aragonesa simplificada.

Hora muy grata era aquella del oscurecer para nuestra 25 madrileña. Algunas veces venían a sentarse con ellas la tía Griselda y Telesforo, que escuchaban embelesados la música. Angelina no se limitó a aprender los cantos astu-

---

[1] **cacaseno,** *simpleton. Cacaseno* is the title of a work by Adriano Banchiere, the inspiration for which was the very popular *Le Sottilissime Astuzie di Bertoldo* and its sequel *Bertoldino* (son of Bertoldo) by Giulio Cesare Croce (1550–1609), a street musician of Bologna. Cacaseno is the son of Bertoldino.

[2] ¡ **Se habrá visto el fenómeno!** *Have you ever seen such a sight!*

Faz en el medio y a entrambos lados las dos traviesas zagalas se
solazaron largo rato.

rianos, sino que se avino a enseñar a Faz las canciones en
boga de las zarzuelas estrenadas hacía poco en Madrid.
Aquello

      « Yo soy un baile de criadas y de horteras
5   A mí me gustan las cocineras. »

y la polka de los patos

       « Tú eres la pata,
       yo soy el pato
       que en los estanques
10   suelen cazar
       los pececitos
       coloraditos. »

Y otras obras maestras del repertorio clásico nacional.

X

33. Pocos días después, hallándose igualmente sentadas ambas primas en la pomarada antes del mediodía, sintieron el trote de un caballo por el camino pedregoso. No tardó en presentarse ante ellas el jinete, que era un gallardo mancebo un poco rústico, entre señorito y aldeano. Vestía chaqueta de pana gris, camisa de cuello aplanchado, chalina de seda, sombrero ancho de fieltro y botas de montar.

— Buenos días, Carmela.

— Buenos días, Román.

Angelina observó que Carmela se había puesto fuertemente encarnada.

— Hace tiempo que no te he visto.

— ¿ Cómo me has de ver si no vienes por aquí ?

— Es que esperaba hallarte el jueves en la Pola.

— Yo no voy al mercado sino cuando me lo mandan.

— ¿ Y tu madre ? — preguntó echando a la casa una mirada inquieta.

— Mi madre ha ido a asistir a la tía Remigia, que está de parto.

El joven apareció más tranquilo con la noticia.

Carmela se había puesto en pie y avanzó algunos pasos aproximándose a la portilla, cerca del caballo.

— ¿ Esa mocita es tu prima ? — preguntó después con acento de caballero conquistador echando una mirada fascinadora a Angelina, que permanecía sentada.

— Sí, es mi prima Angelina.

— Por muchos años.

Angelina no se dignó inclinar siquiera la cabeza para dar las gracias.

Carmela y el joven se pusieron a hablar en voz baja y Angelina nada percibió de su plática, que se prolongó bas-5 tante. Mas he aquí que en una de las escrutadoras miradas al camino, Carmela acierta a ver de lejos a su madre.

— ¡ Mi madre ! — exclama, y rápidamente volvió a su sitio y se sentó de nuevo al lado de Angelina.

El chico picó espuela al caballo y se alejó a todo escape. 10 Griselda entró gritando:

— ¿ Grandísima pícara, no te he dicho mil veces que no quiero que hables con ese gandul ?

Y acercándose furiosa a ella le dió un par de bofetadas.

— ¡ Madre, si se ha parado solamente para conocer a 15 Angelina !

— ¡ Mientes, pícara, con quien hablaba es contigo !... ¿ No sabes, mentecata, que ese mequetrefe es un bribón ? ... [p. 270] ¡ Que no te vuelva a ver hablando con ese malvado, porque mueres a mis manos ! — rugió Griselda en-20 trando en casa.

Carmela se encogió de hombros, con ademán desdeñoso.

Y en verdad que le sobraba razón a la tía Griselda para enfurecerse. Este mancebo, llamado Román, era hijo de don Manuel de Lorio, un pequeño hacendado de esta parro-25 quia, uno de los muchos hidalgos de poco pelo que en aquella época florecían en la provincia de Asturias. Cortísima renta, pocas necesidades y mucho orgullo. [p. 270] Sus dos hijas llevaban camino de ser aldeanas, porque tal pequeño patrimonio repartido entre tres no consentía el 30 señorío. Mas se propuso que el hijo fuese un caballero y perpetuase su prócer categoría. Al efecto, haciendo penoso sacrificio le envió a Oviedo, donde el chico logró a trompi-

cones el título de bachiller. La ciencia no tenía para él
atractivos. Pero al emprender la carrera de Jurisprudencia
se atascó en el primer curso y no fué posible hacerle salir del
atasco. Su padre le hizo venir, le administró una paliza y
le dejó campar por sus respetos, aunque sin suministrarle 5
una peseta. Pero él las hurtaba a sus hermanas o con subidas zalamerías se las sacaba a su madre. Desde aquella
época, montando el rucio de su señor padre, se dedicó eficazmente a sembrar la agitación y el entusiasmo entre las
bellezas agrestes del valle de Laviana. No era mal parecido, 10
aunque su gallardía resultaba ordinaria y rústica.

Angelina advirtió que su prima sentía hacia él inclinación,
y a la vez comprendió que su tía hacía muy bien en contra-
riarla.

Después de comer Griselda bajó de nuevo al pueblo 15
para seguir asistiendo a su amiga Remigia. Angelina y
Carmela se pusieron a coser en la solana y allí estuvieron
largo rato. Al fin, Carmela dejó a su prima sola. Ésta no
fijó en ello la atención. Mas transcurrido algún tiempo, al
darse de ello cuenta, por una especie de presentimiento dejó 20
la labor, bajó a la cocina y no encontrando en ella a Carmela
salió de casa y entró en la pomarada. Bajando a paso lento,
sin saber ella misma por qué lo hacía, acertó a oír leve rumor
de voces, avanzó más y pudo vislumbrar entre el follaje a
su prima y Román, sentados bajo uno de los más frondosos 25
árboles. Carmela, al sentir sus pasos, se alzó vivamente y
vino hacia ella roja como una cereza. El mancebo se alzó
igualmente y sin saludarla brincó al camino que bordaba la
finca por debajo.

— Me has asustado, Angelina. No dirás nada a mi madre, 30
¿ verdad ?

Angelina la miró con ojos severos.

— No diré nada a tu madre, Carmela, pero no está bien lo que haces.

Carmela bajó la cabeza sin replicar. Las dos se metieron en la casa y se pusieron de nuevo a coser, guardando silencio.

5   Angelina estaba pensativa y vivamente preocupada. Traicionar a su prima le parecía muy feo, pero engañar a su tía, lo mismo. En este conflicto imaginó que lo mejor sería consultar el caso con el señor cura, quien pudiera darle un buen consejo o tal vez intervenir él mismo en el asunto.

SCHERZO

34. Pocos minutos antes del mediodía se hallaba en el corredor de la rectoral sentado y haciendo su rezo obligado el párroco don Tiburcio. A su lado estaba la mesa y sobre ella los perniciosos proyectiles destinados a rechazar las alevosas incursiones de los piratas alados. Tenía el breviario, por el cual leía, en la mano y en la cabeza un bonete medianamente grasiento. De vez en cuando se lo quitaba y se santiguaba, según lo iban exigiendo las prescripciones del rezo.

Aunque parecía devotamente enfrascado, con el rabillo del ojo no perdía de vista las idas y venidas de un insolente mirlo, que allá a lo lejos fingía no pensar en él, aunque en realidad estuviese atento a todos los movimientos del cura. Los higos y las cerezas ya no existían, pero quedaba un hermoso ciruelo literalmente cuajado de grandes, olorosas y sabrosísimas claudias. Era necesario velar por su integridad. Don Tiburcio velaba de día y una parte de la noche.

El mirlo, como quien no quiere la cosa, pero queriéndola muy de veras, se iba aproximando al corredor, aunque simulando que la fruta le tenía sin cuidado. El párroco, cada vez más inquieto, levantaba la cabeza y le clavaba una severa mirada. El mirlo, desde lo alto de otro árbol, también le miraba sin tanta severidad. Ambos se entendían. No se le ocultaban a don Tiburcio las intenciones del mirlo por más que las disimulase. El mirlo sabía perfectamente cómo las gastaba el párroco.

— Señor cura, tiene la comida en la mesa — le dijo Pepa desde la sala.

— Mira, hija, tráeme aquí la fuente, el plato y el cubierto — respondió don Tiburcio, que no podía ni debía abandonar la guardia en aquel momento.

Le puso Pepa sobre la mesa, apartando un poco los temerosos proyectiles, una servilleta extendida y sobre ella una fuente, donde despedía exquisito aroma un guisado de liebre. Don Tiburcio sintió el tufillo en la nariz y lo aspiró con voluptuosidad, porque se sentía con buen apetito.

Oyó que le saludaban desde el camino.

— Buenos y santos días tenga usted, señor cura, y buen provecho.

— ¡Hola! ¿Eres tú, Bonifacio? — respondió el cura levantándose y acercándose a la baranda —. ¿Qué viento te trae?

— Pues nada más que vengo a ver si el tío Miguel, el molinero, quiere darme fiado un celemín de maíz.

— ¿Tan mal andas, Bonifacio?

— ¡Ay, señor cura, no sabe lo mal que lo estoy pasando! Estuve doliente más de quince días y en mi casa no había nada. Si no fuese por la tía María Colás que me traía un poco de leche, así Dios me salve muero de hambre.

Hambre tenía pintada en el rostro aquel anciano macilento. El cura se sintió conmovido.

— Mira, entra ahí en la cocina y comerás.

— Dios se lo pague, señor cura. Hace veinticuatro horas que no entró en mi cuerpo más que un poco de borona.

El cura se asomó a la escalera y llamó dando voces a Pepa.

— Oye, Pepa, no me siento hoy bien del estómago. Parece, ¿sábestetú?, que lo tengo cargado hace días y necesito purgarme. Llévate esa fuente y comeros [1] lo que

_____
[1] **comeros = comeos.** The infinitive may be used as an imperative, especially in giving directions.

hay entre tú y el tío Bonifacio, que no debe de andar el
pobre muy bien de alimentación.

Pepa permaneció silenciosamente mirándole fijamente.
El cura se puso colorado.

— ¡ Ay, señor cura, que siempre ha de ser usted el mismo !   5
— Bueno, mujer, haz lo que te mando y no repliques.

Vino de nuevo al corredor y vió con espanto que el mirlo
se estaba comiendo bonitamente las ciruelas claudias. Un
rugido de cólera se escapó de su indignado pecho y precipitándose sobre el montón de piedras lanzó una granizada de 10
ellas al aire, porque el mirlo apenas le vió asomar había
puesto aire por medio.

Don Tiburcio se dejó caer aniquilado en el viejo sillón de
paja, se despojó del bonete, se santiguó y empezó de nuevo a
rezar.   15

Una hora después le sorprendió Angelina comiendo un
pedazo de pan que se apresuró a ocultar. Había entrado
sin que nadie la viese. En casa del cura del Condado se
entraba como en un molino. Pepa cuando salía a un recado
no cerraba jamás la puerta.   20

— Buenas tardes, señor cura.
— Buenas las tengas tú, querida. ¿ Cómo a estas horas
por aquí ?

El cura se había alzado del sillón y al ponerse frente a ella
comenzó a hacerse cruces.   25

— ¡ Ave María Purísima ! Estás desconocida, rapaza.
No parece más que te echan puñados de carne a la cara.
¿ Cómo te sientes ?

— Ya lo ve usted — contestó riendo la joven.
— ¿ Pero estás contenta ?   30
— Contentísima.
— Pues, ¿ sábestetú ?, querida — dijo ahuecando la voz

con acento solemne —, eso es cosa de Dios. Tú eres humilde
y ya te he dicho que Dios baja siempre al corazón de los
humildes. Tus tíos no tienen boca bastante para ponde-
rarte.

5   — Es que mis tíos son muy buenos.

— Todos sois buenos en los Campizos. Es una casa donde
reina Dios.

— Pero en toda casa, señor cura, hay sus dificultades y
yo vengo a que usted me resuelva una o me dé un consejo.

10   — Habla — dijo el cura mostrando sorpresa.

Angelina le expresó brevemente el conflicto moral en
que se hallaba. No quería hacer traición a su pobre prima;
pero al mismo tiempo le dolía que su tía fuese engañada por
ella.

15   Don Tiburcio quedó pensativo unos instantes y al fin
habló de esta manera:

— El caso en que te hallas, ¿ sábestetú, querida ?, no
es fácil de resolver. Sin embargo, según mi leal saber y
entender y temiendo equivocarme, pero encomendándolo
20 todo como es debido a Dios Nuestro Señor, pienso que debes
callarte por ahora. Denunciando a tu prima, darías un
disgusto grave a tu tía sin lograr provecho. En cambio, lo
puedes conseguir grande si la vigilas cuidadosamente. Las
madres, ¿ sábestetú, querida ?, no son a propósito para
25 sorprender los secretos de sus hijas cuando éstas se proponen
ocultarlos; pero las jóvenes de la misma edad, cuando son
amigas o primas como tú, fácilmente los descubren. Por
lo tanto, yo te encargo que no pierdas de vista a Carmela,
que te introduzcas en su confianza, que le des buenos con-
30 sejos, y si ves que a pesar de ellos se resiste y no cumple
como es debido, entonces es el caso de tomar otras medidas
que ya sabemos cómo han de ser.

No hablaron más del asunto. Angelina quedó tranquila y se propuso seguir el consejo del cura, que le pareció excelente. En cambio se entretuvieron largo rato charlando de sus tíos, de las faenas de la labranza, que el cura seguía con gran interés y de la salud de ella misma, que con mayor 5 interés aún inquiría. No se hartaba el cura párroco de mirarla y remirarla.

— ¡ Qué buen color has echado, hija mía! Es cosa de Dios. La Virgen Santísima te ha protegido.

Despidióse Angelina, y silenciosamente como había 10 entrado se salió a la calle. Cuando se había alejado algunos pasos oyó la voz de Pepa que le gritaba:

— Adiós, señorita, que Dios la bendiga.

Angelina contestó riendo:

— Ya le he dicho, Pepa, que no soy señorita. 15

— Y yo le digo que para mí lo será siempre.

Antes de llegar a casa tropezó con Faz, el rechoncho maestro. Se saludaron afectuosamente. Angelina le enteró que venía de casa del cura, con quien había tenido que hablar. 20

— ¿ Piensas ir mañana a la romería de San Roque ? [1]

— ¡ Ya lo creo !

— Pues entonces irás con Carmela y conmigo.

— *Non potest esse* — respondió el enano poniéndose 25 triste como la noche —. El cura me lleva por la mañana a la fiesta de iglesia y ya ves tú, en las fiestas siempre hay un

---

[1] **San Roque.** Son of the Governor of Montpellier (southern France). While working among the victims of the plague, he himself was stricken. It is said that he retired to a lonely spot to die, but was discovered by a dog whose owner took him in and saved his life. He died about 1327. *Fiesta de San Roque,* the 16th of August.

poco de *conquibus* [1] para el gaitero.   No es cosa de perderlo, ¿ me entiendes ?   *Intelligentibus pauca.*[2]

— Bueno, Faz, entonces hasta mañana por la tarde.

Angelina se alejó sin comprender, aunque era inteli-
5 gente.

---

[1] *conquibus = cum quibus wherewithal*, i.e., fees.
[2] *Intelligentibus pauca.   A word to the wise is sufficient.*

II

35. Desde muchos días antes, Angelina y Carmela se preparaban para la romería de San Roque en Villoria. Para Angelina tenía un doble atractivo. No conocía la aldea donde había nacido su padre y habían vivido todos sus antepasados. Sentía curiosidad y a la vez la emoción respe- 5 tuosa que nos inspiran los antiguos lares.

Amaneció un día espléndido de las postrimerías de agosto. Toda la mañana emplearon las dos primas en arreglar su atavío. Angelina vistió la falda de merino negra con delantal de seda verde, el justillo de seda roja, el pañolón 10 de burato anudado por detrás a la cintura, y el pañolito de seda encarnado, atado con gracioso nudo sobre la cabeza al estilo aldeano, doble collar de corales en la garganta, zapato negro descotado y media blanca. Dos pares de zapatos le había hecho Laureano el zapatero de la Pola, unos desco- 15 tados y otros abotinados. La tía Griselda se empeñó en que se colgase de las orejas los pendientes de zafiro que había traído en el viaje. Ella se resistía, pero no hubo más remedio que obedecer. Carmela vestía de un modo igual, salvo los pendientes. 20

Cuando hubieron comido se prepararon a partir.

— ¡ Qué preciosa estás, mi Angelina ! — le dijo Griselda besándola apasionadamente. Parecía hallarse más orgullosa de ella que de su hija.

Y lo merecía realmente. Angelina estaba encantadora. 25 Por la esbeltez, por la gracia, por la elegancia y soltura de sus movimientos llevaba gran ventaja a su prima, aunque ésta era también hermosa. Antes de partir arrancó un ma-

nojito de claveles, que crecían en un tiesto, y se lo plantó en
el pecho. Fueron a buscar a Conrada y Sinforosa a sus
casas. Algunas otras mocitas se les agregaron, y formando
pandilla emprendieron el camino de Villoria. [p. 270]

5   El camino era desigual y pedregoso. Angelina tropezaba
alguna vez, lo cual hacía reír a sus compañeras. Verdad es
que las mozas reían por todo y sin motivo aparente. Era
una risa continua la de aquella fresca y lozana juventud.
Cuando se hallaban a la mitad del camino llegó a sus oídos
10 el repique sordo del tambor y unas a otras se miraron sonriendo.

    — ¿ Piensas bailar mucho, Carmela ?
    — Todo cuanto pueda.
    — ¿ Y tu prima sabe bailar ?
15   — ¡ Anda ! Mejor que nosotras.

Al acercarse a Villoria la cañada se ensanchaba repentinamente. En este rellano se asentaba el lugar, que era más
grande y poblado que el Condado. Mezquinas casas de
labriegos lo componían. Y la cañada parecía tropezar allí
20 y estrellarse contra la gran Peña Mea, cuya severa crestería
se alzaba ingente sobre la aldea.

La alegre pandilla penetró por ésta con su risa inextinguible. En las primeras casas, una vieja asomada a la ventana exclamó:

25   — ¡ Vaya una mocedad lucida que nos mandan hoy
Entralgo y el Condado !

    — Gracias, mujerina — respondieron muchas a un
tiempo.

Avanzaron algunos pasos. Vibraba ya el tambor con
30 ruido estridente y sonaban las agudas notas de la gaita.
Cuando desembocaron en la plazoleta donde se celebraba
la romería, entre la iglesia y el gran caserón de los marqueses

de Camposagrado, los mozos del Condado y Entralgo, que
ya estaban allí, las recibieron con gritos de júbilo.

La gente se apretaba en aquella plazoleta, no muy grande.
A los lados, puestos de vino y mesas de confites. En el
centro bailaba la juventud, veinte o treinta parejas, al son 5
de la gaita y el tambor. Las mozas de Entralgo y Condado
se mezclaron en seguida con las otras. Sólo permanecieron
unidas Carmela, Sinforosa y Angelina antes de resolverse a
bailar. [p. 271]

Pasearon unos momentos por la romería, detenién- 10
dose a contemplar los grupos que, diseminados, se recreaban
delante de las tabernas y confiterías ambulantes. Angelina
quiso después conocer el pueblo, y Carmela y Sinforosa lo
recorrieron con ella en pocos minutos. La hija de Quirós
abrigaba, sin manifestarlo, el deseo de ver la casa donde 15
había nacido su padre y habían vivido sus abuelos. Al fin,
habiendo tropezado con un viejo paisano, se aventuró a
preguntarle:

— Oiga usted, amigo, ¿ podría usted decirme dónde han
vivido los padres del tío Juan de los Campizos, que ahora está 20
en el Condado ?

Carmela se enfadó.

— ¿ Por qué lo preguntas a ése ? Yo lo sé. Ven conmigo.

— ¡ Ah, sí !, el tío Ramiro de la Pontona. Un poco más 25
abajo — se apresuró a decir, solícito, el viejo paisano.

Carmela la llevó delante de una miserable vivienda, casi
una choza.

— Aquí vivieron nuestros abuelos y aquí nacieron tu
padre y el mío. 30

Angelina quedó aterrada de tanta pobreza, con el corazón
apretado. Pero al fin, alzando los hombros, se dijo:

« ¡ Bah ! Don Tiburcio tiene razón; en todas partes se puede ser feliz o desgraciado. »

Cuando volvieron a la romería tropezaron con Faz, y las tres, a un tiempo, le saludaron con la mayor efusión.

5 — ¿ Dónde has dejado la gaita, Faz ?

— Ahí, en casa del señor cura descansa.

— Pues ve a buscarla, quiero cantar contigo — le dijo imperiosamente Angelina.

— *Orate fratres* — respondió el chaparro, abriendo los 10 brazos —. Ya he tocado bastante.

— Vamos, hombre, no seas cerril — le dijo Sinforosa.

— *Non potest esse*, querida. He tocado toda la mañana.

— ¿ Y si te lo pide Carmela ? — preguntó Sinforosa con picaresca sonrisa.

15 El enano bajó los ojos avergonzado.

— Vamos, Carmela, pídeselo tú.

Carmela le clavó una mirada seductora, y con dulzura y sonrisa halagüeña le dijo:

— Vamos, Faz, te lo pido yo. ¿ Me dejarás mal ? [1]

20 El gaitero la miró con ojos de carnero a medio degollar y exhaló con su voz de ronco trompetín:

— Está bien. *Fiat secundum verbum tuum*.[2]

Marchó por la gaita, que había dejado en casa del cura de Villoria. Éste habitaba en el viejo caserón de los mar-25 queses de Camposagrado. Las chicas le esperaron a la puerta.

Unidos los cuatro se entraron en la plazoleta y se situaron en un rincón. Conrada, que se hallaba con unas amigas, al verlas acudió a unirse a ellos. Angelina se puso a cantar, 30 acompañada por la gaita, las tonadas asturianas que Faz le

---

[1] ¿ **Me dejarás mal?** *Will you disappoint me?*

[2] *Fiat secundum verbum tuum. Let it be done according to thy word.*

había enseñado. No tardó en verse rodeada de un tropel de gente que acudió a escucharla. Formóse en torno de ellos un grupo apretado de romeros. Aldeanos y aldeanas se preguntaban unos a otros:

— ¿ Quién es, quién es la mocita ?

Un viejo comenzó a satisfacer su curiosidad.

— Pues esta mocita es nieta del tío Ramiro de la Pontona, que todos los viejos hemos conocido. El tío Ramiro tuvo un hijo llamado Antón, que se hizo rico allá en la Habana, pero después sin saber cómo, dicen que por malas jugadas, perdió todo su dinero, y esta moza, que era una señorita, es ahora una aldeana que vive en casa de su tío Juan en el Condado. Esto me acaba de decir el peatón que lleva allá las cartas.

— Pues no parece muy triste por haber perdido el señorío. Está bien cantarina [1] — dijo una mujeruca.

— ¿ Cómo estar triste con esa cara de clavel y esa sandunga ? — exclamó un mozo.

— Verdad que es una flor de mayo la rapaza — apuntó otra vieja.

36. Angelina, después de cantar las tonadas asturianas, empezó con las zarzuelas madrileñas. Los aldeanos la escuchaban con la boca abierta.

Cuando se cansó vióse rodeada por un grupo de mozos que querían contemplarla más de cerca.

— ¿ Cómo se llama ? — preguntaban.

— Se llama Angelina y es mi prima — respondía con orgullo Carmela.

— ¿ Angelina, quieres bailar conmigo ? — preguntaba uno.

---

[1] **Está bien cantarina.** *She is very songful*, i.e., she seems very happy for one who has lost her social position.

— ¿ Y conmigo ? — otro.

— ¿ Y conmigo ? — otro todavía.

— Sí, sí, bailaré con todos — respondía la niña riendo.

La llevaron casi en volandas al centro de la plaza.

5 — Bueno — dijo resueltamente, afectando seriedad —, bailaré con todos, pero ha de ser a mi gusto y cuando yo lo mande. Estaos todos quietos.

Y señalando a un chiquillo de quince o diez y seis años que la miraba con ojos apasionados:

10 — Tú, el primero.

Bailó con él unos instantes y tomando después uno de los claveles que llevaba sobre el pecho se lo prendió en la chaqueta.

— ¿ Estás contento ? — le preguntó.

15 — Más que si me pusieran un doblón en la mano — contestó rojo de placer el chiquillo.

— Ahora te toca a ti — dijo señalando a otro.

Y bailó con él igualmente unos minutos, prendiéndole después un clavel en la chaqueta como antes había hecho.

20 — ¿ Estás contento ?

— Como unas pascuas, Angelina.

— Bueno, ahora te toca a ti — señalando a otro.

Y después de bailar le prendió el clavel como a los demás.

— ¿ Estás contento ?

25 — No; quisiera estar bailando contigo hasta el amanecer.

— Pues por agonioso no mereces el clavel.

Y se lo arrancó.

Los mozos y las mozas lanzaron un grito de entusiasmo.

— ¡ Ajajá ! . . . Eso te está bien empleado. No hay que

30 ser orgulloso, Perico.

Perico dijo bajando la cabeza:

— Perdona, Angelina.

Ésta, riendo, contestó:

— Estás perdonado, por humilde.

Y le prendió otro clavel.

Bailó con el cuarto, pero ya le fué imposible continuar.

— ¡ Estoy deshecha ! No puedo más. Perdonadme, pero 5
tengo miedo de no poder llegar a casa.

— Pierde cuidado — dijo un mozo —. Nosotros te llevaremos en brazos.

— Vais a volveros tísicos con tanto peso.

Rió la gente a carcajadas. Angelina, Carmela, Conrada 10
y Sinforosa pasearon otra vez por la romería. Los mozos a
porfía las ofrecían confites, avellanas y nueces.

— Vais a conseguir que enfermemos.

— Nosotros te pagaremos el médico, Angelina.

— Mejor será que echéis el dinero a San Antonio para 15
que os proporcione una buena moza.

— Nunca será tan guapa como tú.

— Yo no valgo una castaña pilonga.

Los mozos protestaron ruidosamente.

Pero la tarde declinaba. El sol se había ocultado ya 20
detrás de las altas montañas. Las sombras descendían
lentamente por su falda. Era necesario prepararse a
partir.

— Estamos muy lejos. Vamos a llegar de noche a casa.

— Pierde cuidado. No te comerán los lobos. Irás bien 25
guardada.

Se empeñaron en acompañarlas.

— Sólo hasta Entralgo — ordenó Angelina.

— Sólo hasta Entralgo — respondieron.

Formóse de nuevo la numerosa pandilla, todas las mozas 30
y mozos de Entralgo y Condado y muchos de Villoria. En el
centro del grupo marchaba Faz con la gaita, cuyos sones

alegraban la campiña. Angelina cantaba y los mozos lanzaban *¡ ijujus !* para aplaudirla.

Al llegar a Entralgo se quedaron las mozas y los mozos de este lugar. Los de Villoria se empeñaron en seguir con ellas.

5 — ¿ No os dije que hasta Entralgo solamente?

— Sí, pero nos dejaréis siquiera llegar hasta Puente de Arco.

— Bueno, que sea hasta Puente de Arco — consintió Angelina.

10 En Entralgo hubo graciosas despedidas. Las mozas, hechizadas por el donaire de Angelina, la preguntaban:

— ¿ Vendrás el domingo al Carmen, Angelina ?

— Contad conmigo.

Todas a la vez querían besarla.

15 Siguió la pandilla, ya mermada, por el estrecho camino de Sobeyana, donde se espesaban las sombras. Pero la luna se alzaba radiante por encima de la crestería de la montaña, y sus rayos de plata bañaban la campiña. Sólo la gaita, los cantos y las risas rompían el silencio augusto de 20 la noche.

Al llegar a Puente de Arco, todavía los mozos de Villoria querían seguir con ellas, pero Angelina severamente les ordenó quedarse y obedecieron.

— Adiós, guapas . . . , adiós, luceros. No dejéis de venir 25 a la romería del Carmen.

— Adiós, rapaces, hasta el domingo.

Los mozos lanzaban nuevos *¡ ijujus !*, que repetían los ecos de las montañas.

— No te olvides, Angelina, que eres de Villoria — gritó 30 un mozo.

— ¡ Viva Villoria ! — gritó la niña desde lo alto del puente. [p. 271]

Angelina se hallaba tan cansada y tan harta de confites y avellanas, que no hizo más que beber una taza de leche y se fué corriendo a la cama, donde un dulce y profundo sueño se apoderó de ella en seguida.

Por la mañana la despertó la voz alegre de Carmela. 5

— Angelina, levántate y mira por la ventana.

Angelina saltó de la cama descalza y abrió la ventana. Próximo a ella había plantado un árbol muy delgado y muy alto con un penacho de hojas.

— Es el ramo que te han puesto esta noche los mozos de 10 Villoria.

— ¿ Y por qué no a ti ? — preguntó la niña, roja de placer.

— ¿ Pero no has oído nada ? — replicó Carmela sorprendida. 15

— Absolutamente nada.

— Pues han estado ahí cantando y llamándote.

— Pues nada he oído.

— ¡ Qué sueño !

— ¡ Dios te lo conserve, hija mía ! — exclamó Griselda 20 que había llegado detrás de Carmela.

III

37. Entraba el otoño. Los paisanos cortaban el maíz y colocaban el narvaso con sus mazorcas en pequeños haces piramidales que llamaban *cucas*, para que se secase. Carmela y Angelina ayudaban con placer a esta suave tarea.

5 En esta época del año es cuando los paisanos hacen algún dinero vendiendo los frutos que no consumen, las crías de sus ganados y cochinos. El tío Pacho de la Ferrera debía vender dos cerditos, y su compinche, el tío Leoncio de la Reguera de Arriba, un jato de pocos meses. Ambos se 10 concertaron para ir juntos un jueves a la Pola. [p. 272]

El mercado del ganado sólo se formalizaba por la tarde. Llevaba el tío Leoncio amarrado el jato por sus pequeños cuernos; llevaba el tío Pacho dos gorrinos metidos en un saco y cargados a la espalda. Alegremente y departiendo 15 marchaban ambos compadres por la carretera bajo un cielo plomizo, sin que les estorbasen en su conferencia ni los tirones del jato ni los gruñidos discordantes de los cerditos, que protestaban furiosamente de hallarse encerrados de tan incómoda manera. Cuando llegaron a la Pola el tío Leoncio 20 se situó en el paraje destinado al ganado vacuno, y el tío Pacho fué a colocarse en el lugar señalado para los cerdos, aunque sin perderse de vista, porque el espacio no era muy dilatado entre uno y otro sitio.

El tío Leoncio no tardó mucho en vender el jato. Entró 25 pidiendo siete duros, pero como nadie le ofrecía, después de palparlo y repalparlo y declarar que estaba flaco, más de cinco duros, concluyó por soltarlo a las cuatro de la tarde en cinco duros y medio.

Llevaba el tío Leoncio amarrado el jato por sus pequeños cuernos;
llevaba el tío Pacho dos gorrinos.

Pero el tío Pacho era mucho más terco, no tanto quizá por su propio temperamento como por el miedo que le inspiraba su feroz consorte, la tía Micaela. Ésta le había prevenido que de ningún modo soltase los gorrinos menos de cuarenta
5 reales cada uno. Así que entró pidiendo por ellos cincuenta. Los paisanos que cruzaban por delante de él sonreían, escupían y marchaban diciéndose unos a otros que aquel paisano de la Ferrera estaba loco o quería burlarse de la gente. El tío Pacho, al cabo de dos horas de espera, bajó de golpe
10 el precio a cuarenta y uno. Pero ni por ésas.[1] Los cerditos mamones abundaban en el mercado y se vendían a más bajo precio. Al fin tuvo que bajarlos a cuarenta, el precio mínimo que le había señalado la tía Micaela. Pues aun así tardó en presentarse un comprador. Llegó al fin uno que le
15 ofreció treinta y ocho reales. El tío Pacho se plantó en los cuarenta. Después de mucho regatear, el comprador llegó a ofrecer treinta y nueve. El tío Pacho siguió plantado en los cuarenta. Cerca de una hora estuvieron discutiendo por cuestión de un real. El tío Leoncio, que con las manos
20 en los bolsillos daba vueltas en torno de los paisanos y los cochinos, se estaba aburriendo. Pensaba en los vasos de sidra que le aguardaban y la nostalgia alargaba su cara y entristecía sus ojos.

— Vamos, Pacho — dijo acercándose — que se parta la
25 mitad y hemos concluído.

Después de haberse resistido algún tiempo, el tío Pacho cedió a que se partiera la diferencia y soltó los gorrinos en treinta y nueve reales y medio cada uno.

Ambos compadres se dirigieron resueltamente a la taberna
30 de Engracia, que hervía de parroquianos en aquel momento.

---

[1] **Pero ni por ésas.** *But even so.* Also, **ni por ésas ni por esotras,** *in no manner.*

Esta Engracia, prima hermana de la tía Griselda del Condado, era una mujercita menuda, de poco más de cuarenta años, viva de color y de genio, alegre, resuelta y de una energía que todo el mundo admiraba. Acostumbrada a tratar con borrachos sabía imponerse de tal modo que ninguno 5 osaba desobedecerla. Recibió a nuestros compadres, antiguos clientes, con semblante risueño.

— ¿ Qué hay por el Condado ? — les preguntó mientras escanciaba un vaso de sidra a cada uno —. ¿ Cómo va mi prima Griselda ? ¿ Y qué tal la sobrina madrileña ? 10

Los paisanos la enteraron del entusiasmo que despertaba con sus cantos y su gracia en todas las romerías.

— Ya oí algo de eso. La mocita ha quedado pobre, pero otra vez será rica, porque poco hemos de poder [1] o la hemos de casar con un ricachón. 15

Vino a saludarles Pinón de la Fombermeya, antiguo y asiduo parroquiano del establecimiento. Los tres departieron largamente acerca de la labranza. Es cosa averiguada que, aun recreándose en las tabernas, los trabajadores hablan siempre de sus oficios: los labradores, de la labranza; los 20 pescadores, de la pesca; un albañil, de las casas en construcción.

Pero allá fuera, hacia la plaza, se oyó fuerte griterío, cuando la tarde tocaba a su fin.

— ¿ Qué pasa ? — preguntó Engracia a un chico que entraba en aquel instante. 25

— Que se están matando los mozos de la Pola y de Blimea.

— ¡ Bah !, todos unos burros — expresó tranquilamente la tabernera mientras lavaba unos vasos.

El hábito de pelear con los borrachos y presenciar reyertas 30

---

[1] **poco hemos de poder.** *we aren't worth much.* Lit., *we shall have little power.*

había hecho a Engracia imperturbable y serena como una diosa del Olimpo.[1]

Mas el tío Pacho y Leoncio, que no eran tan olímpicos y temían por sus espaldas y aun más por los cuartos que llevaban en el bolsillo, se apresuraron a despedirse. [p. 272]

---

[1] **Olimpo.** *Olympus*, a mountain in Thessaly believed by the ancient Greeks to be the abode of the Olympian gods.

IV

38. El tío Pacho de la Ferrera y el tío Leoncio de la
Reguera de Arriba habían salido, como se ha dicho, en
cuanto se inició la bulla. Una vez en la carretera empezaron
a caminar despacio, tranquilamente, como hombres a
quienes importaba poco llegar más tarde o más temprano [1] 5
a sus casas.

El tío Pacho sacó un cigarro del estanco, negro como un
tizón, y lo picó con toda calma. Con el mismo sosiego
molió la picadura entre las callosas palmas de la mano, sacó
un librillo, tomó un papel y lió un cigarrillo, o para hablar 10
con más propiedad, un gordo cigarro, pues los cigarrillos de
los paisanos no se parecen a los egipcios que fuman nuestras
señoritas. Lo puso en la boca e inmediatamente sacó el
pedernal, el eslabón y la yesca y se puso a martillear para
encenderla.   15

Esta tarea de sacar lumbre con el eslabón y la piedra
es una operación delicada, y para los paisanos casi tan grata
como el fumar. El tío Pacho daba un golpe con el eslabón
y se paraba mirando a su compadre.

—Así Dios me salve, si no es por ti que me apurabas, 20
Xuan [2] de la Ortigosa suelta los cuarenta reales por cada
cochino.

—¡ Qué había de soltar ! Tú no conoces a Xuan. Es
capaz de ahorcarse por un real.

---

[1] **más tarde o más temprano.** *sooner or later.* Note that the Spanish
word order is reversed in English.

[2] **Xuan = Juan,** pronounced *Shuan.*

El tío Pacho se paró en firme, dió tres golpes consecutivos a la piedra.

— Pero aquí sólo había medio real de por medio.

— Hombre, no diré yo que por medio real se ahorcase, pero vamos al caso, es un decir.

— Se entiende, hombre, se entiende.

Silencio. Seguían caminando y el tío Pacho daba algunos 5 golpes al pedernal sin resultado y volvía a detenerse.

— Pero tú tuviste suerte, Leoncio, porque el jato, en conciencia, no valía cinco duros y medio.

El tío Leoncio se encrespó.

— ¿ Quién dice eso ? 10

— Yo lo digo.

— Pues eres un burro. El jato si estuviera un poco más gordo valía [1] bien ciento sesenta reales, lo mismo que me tengo de morir. [2]

— ¡ Ah, si estuviera más gordo ! ¿ Y quién tiene la culpa 15 de que no estuviera más gordo ?

El tío Leoncio bajó la cabeza y dió unos pasos precipitados. El tío Pacho se detuvo y dió otros dos golpes al pedernal. El tío Leoncio volvió hacia él.

— ¿ Quieres saber, borrico, quién tiene la culpa ? Pues 20 ve a preguntarlo a las mujerucas que tengo en casa. Esas condenadas no dejaban al jato mamar más que unas gotas, porque todo su empeño es hacer manteca, ¿ sabes tú ? ¿ Y para qué quieren hacer manteca ? Para comprar medias de a peseta. Vamos a ver, Pacho, ¿ para qué quieren esas 25 pendangas tapar las piernas ? ¿ Es que se les van a constipar ?

— Se entiende, hombre, se entiende — murmuró filo-

---

[1] **valía.** The imperfect indicative may replace either the conditional or the imperfect subjunctive.

[2] **lo mismo ... morir.** *as sure as death.*

sóficamente, dando otros dos golpes al pedernal —. En mi casa se cuecen las mismas habas.[1]

— Hace ya más de tres meses que no pruebo una escudilla de leche caliente.

5 — ¿ Siempre leche fría ?

— Siempre fría.

— Pues, Leoncio, estamos iguales. La tía Micaela no me deja catarla.

Se detuvo, dió otro golpe con el eslabón y sonriendo
10 socarronamente, añadió:

— ¡ Pero anda, que cuando ella no viene al establo menudas buchadas nos pegamos Cosme y yo !

— Eso es lo que yo no puedo hacer. O la mujer o la rapaza siempre se plantan allí a la hora de ordeñar. Me
15 tienen miedo.[2]

— Se entiende, hombre, se entiende.

En Laviana los paisanos llaman leche fría al suero que queda después de extraída de la leche la manteca, y caliente a la que aún no se ha mazado.

20 Así, murmurando de sus caras esposas que los tenían vergonzosamente subyugados, llegaron nuestros compadres hasta Puente de Arco, cuando ya las sombras descendían por la falda de las montañas. [p. 273] El tío Pacho daba siempre golpes a la piedra con el eslabón, pero la yesca no
25 encendía. Mas según las apariencias esto no debía interesarle, porque no mostraba impaciencia alguna. Se paraba a cada instante y no cesaba de charlar.

---

[1] **En mi casa ... habas.** *Same story in my house.* Lit., *In my house they cook the same beans.* The usual form of the proverb is, **En cada casa cuecen habas, y en la nuestra a calderadas.** Sancho Panza says: **en otras casas cuecen habas, y en la mía, a calderadas** (*Don Quijote* II, 13).

[2] **Me tienen miedo.** *They don't trust me.*

Pues para decirte que la Micaela dice que sí.

Ya se hallaban cerca del Condado cuando el tío Leoncio, más sobrio de palabras que su compinche, se detuvo repentinamente y dijo:

— ¿ Sabes lo que estoy pensando, Pacho ? Pues estoy
5 pensando que bien podíamos casar a tu Cosme con mi Conrada.

El tío Pacho se paró en firme, dió tres golpes consecutivos a la piedra, con el mismo negativo resultado, bajó la cabeza y no respondió palabra. Luego avanzó otros cuantos pasos
10 en silencio, se paró de nuevo, machacó el pedernal y dijo:

— Hombre, Leoncio, eso que tú piensas me parece a mí que no está mal pensado, y es un caso, vamos al decir, que está muy regular . . . Pero ya sabes tú que en estas cosas hay que hablar con las mujeres, porque en estas cosas, ¿ me
15 entiendes tú ?, las mujeres son las que disponen.

Mentía el tío Pacho, porque sus dignas mujeres disponían en estas cosas y en todas las demás.

— Se entiende, hombre, se entiende — manifestó el tío Leoncio.

20 Ambos siguieron caminando en silencio. Al cabo el tío Pacho se plantó:

— ¿ Entonces te parece, Leoncio, que hable con la Micaela ?

— Hombre, me parece que está en lo regular. Yo hablaré
25 con la Epifania.

Al llegar al Condado el tío Pacho aún no había logrado encender la yesca. A la puerta de Leoncio se despidieron.

— Hasta mañana, Pacho.

— Hasta mañana, Leoncio.

30 Cuando se hubieron apartado un poco, Leoncio le gritó:

— Oye, Pacho, si vas a la Pola el jueves, no dejes de comprar otros dos cuartos de yesca como la que llevas.

— ¡ Mala, esle bien mala ! [1] — murmuró el tío Pacho alejándose.

Serían las once de la noche cuando el tío Pacho bajó de la Ferrera y llamó a la puerta del tío Leoncio.   Todos estaban ya en la cama y dormidos.   Al cabo de mucho golpear, 5 éste se levantó despavorido y asomó su cabeza por la ventana.

— ¿ Quién va ?

— Soy yo, Leoncio.

— ¿ Y qué quieres, Pacho ?   10

— Pues para decirte que la Micaela dice que sí.

— Pues la Epifania también dice que sí.

— Pues hasta mañana, Leoncio.

— Hasta mañana, Pacho.

---

[1] **esle bien mala!** *certainly is bad!* **le** (of **esle**), *for you,* is the dative of interest and, in this case, redundant.   Cf. **Démele una buena paliza.** *Give him a good beating* for me.

V

39. Al domingo siguiente el cura del Condado leyó durante la misa las primeras amonestaciones. Tanto Carmela como Angelina quedaron sorprendidas, porque nada sabían. Al salir de la iglesia se emparejaron con Conrada.

5 — ¿ Cómo lo tenías tan callado, Conrada ? — le preguntó Angelina.

— Tampoco yo lo supe hasta hace tres días — contestó sonriendo la moza.

— ¿ Pero vas a casarte con ese feo ?

10 Conrada se encogió de hombros, hizo una mueca de resignación y respondió sencillamente:

— Cosme es un buen rapaz . . . Tampoco yo soy guapa.

— Pero tú vales cien veces más que él — exclamó impetuosamente Angelina.

15 — Eso te parece a ti, porque me quieres — dijo la moza con dulce sonrisa.

— ¡ Ya lo creo que te quiero ! Mira, Conrada, aunque me gustaría que te casaras con otro mozo más guapo, me ofrezco a ser tu madrina.

20 — ¿ De veras ?

— Muy de veras.

Conrada, conmovida, la abrazó y la besó tiernamente.

La boda concertada se fijó para los primeros días de noviembre, a los tres de las últimas amonestaciones. El 25 *trousseaux* no se encargó a París, ni los *Ecos de Sociedad* [1] dieron de ella cuenta al mundo elegante.

---

[1] *Ecos de Sociedad,* i.e., The society columns.

Una mañana salieron de casa del tío Leoncio los novios y
sus padres, acompañados de los padrinos. Madrina, Angelina; padrino, un paisano de la Ferrera, primo del tío
Pacho. En el pórtico de la iglesia les esperaban casi todas
las mozas del lugar, bastantes viejas y algunos hombres. La 5
novia iba sencillamente vestida de merino negro, con una
mantilla de encaje que le prestó doña Celedonia la *Costalera.*
[p. 275] El mozo con la clásica y abrumadora capa que los
mozos que se casan en la aldea se echan sobre los hombros,
aunque sea en lo más riguroso del verano. Y, ciertamente, 10
aquellas capas aldeanas no son como las de la ciudad. Fa-
bricadas con paño grueso y alto cuello, serían imposibles de
soportar a un novio de la ciudad hasta en el mes de enero.
El pobre Cosme sudaba como un caballo de carrera cuando
llegó a la iglesia.   15

La ceremonia no fué imponente. No hubo marcha de
Lohengrin, ni *bebés* que llevasen la cola de la desposada, ni
testigos con bandas de Isabel la Católica,[2] ni fotógrafos para
tomar instantáneas.

El cura preguntó: 20

— ¿ Conrada Fernández y García, queréis por esposo a
Cosme Martínez de la Prida ?

La novia respondió con voz apagada:

— Sí, quiero.

— ¡ Eso es ! — vociferó don Tiburcio montando en 25
cólera —. Las mozas estáis rabiando por casaros, y cuando
llega la ocasión de decir que sí no os oye el cuello de la camisa.

La pobre Conrada, ruborizada, no tuvo más remedio que
pronunciar el sí en alta voz.   30

---

[1] **bandas de Isabel la Católica.**   A white ribbon trimmed with
yellow, badge of the *Orden de Isabel la Católica.*

Tampoco hubo elegantes apretones de manos, ni almi-
baradas, conceptuosas enhorabuenas, ni *lunch* servido en
los salones del convento, ni banquete en el Ritz, ni los
novios cambiaron de traje y huyeron solos en automóvil,
5 ni los gacetilleros les desearon una eterna luna de miel.

— Que Dios te dé buena suerte, querida — le decían las
mozas, besándola.

— Que sea para bien, tía Epifania, y usted vea mozos a
los nietos — decían las viejas.

10 El maestro y sacristán Faz, que había asistido al cura en
la ceremonia, les dijo con voz aflautada:

— *Pax domini sit semper vobiscum.*[1]

— ¿ Qué es eso, Faz ? — preguntó Conrada.

— Que viváis siempre en paz y gracia de Dios.

15 — Muchas gracias.

Pero hubo comida pantagruélica[2] en el huerto del tío
Leoncio.   La inevitable *fabada* con morcillas, chorizos,
tocino y lacón.   Después un cordero distribuído en diferentes guisos.   Por último unas cuantas fuentes de arroz con
20 leche.   Los comensales no eran más de quince o veinte
personas.   Un pellejo henchido de vino yacía tendido esperando la autopsia en una de las toscas mesas improvi-
sadas.

Es un caso digno de llamar la atención.   Los paisanos,
25 tan sobrios durante su vida, que se alimentan, por regla
general, con un plato de alubias o patatas guisadas y una
escudilla de leche, cuando llega una boda están comiendo

---

[1] *Pax domini sit semper vobiscum.*   *May the peace of God be with you
always.*

[2] **comida pantagruélica.**   Pantagruel, principal character and title
of Rabelais' satirical romance.   He and his father, Gargantua, personify
with their insatiable appetite the greed of monarchies.

unas cuantas horas seguidas y no les hace daño. La explicación de esto debe consistir en que tienen los jugos gástricos vírgenes, mientras nosotros, los burgueses, los tenemos harto desflorados.

Se comió bárbaramente en el huerto del tío Leoncio y se bebió aun más brutalmente. Angelina se guardó bien de participar de tanta barbarie, pero tuvo la picardía de atracar a Faz. Cuando le veía terminar un plato, le ofrecía otro.

— Otro poquito, Faz.

— ¡ Venga ! *Benedicamus Dominum.*[1]

— ¿ Pero niña, no ves que le vas a hacer reventar ? — le decía Carmela, que en medio de todo agradecía su pasión.

— ¿ No tendrías gusto en verle reventar ?

— ¡ No, no !

— Yo creía que sí.

Después se aplicó a emborracharle.

— Este vaso por Carmela.

— *¡ Aleluya ! ¡ Gloria in excelsis !* [2]

Y se lo bebía.

— Éste por mí.

— ¡ Aleluya !

— Éste por Carmela otra vez.

— ¡ Aleluya !

Tantas aleluyas repitió que al fin cayó al suelo y quedó debajo de la mesa dormido como un cerdo, aunque sea odiosa la comparación. Trataron de levantarle y llevarle a casa, pero tan enorme era el peso de aquel fenómeno que renunciaron a ello. Entonces el tío Atilano, en cuya casa vivía alojado, pensó otro medio.

---

[1] *Benedicamus Dominum.* *Let us bless the Lord.*
[2] *¡ Aleluya ! ¡ Gloria in excelsis !* *Hallelujah! Glory in the highest!*

— Oye, Leoncio, ¿ no podrías uncir las vacas al carro?
En un credo lo llevaríamos a casa.

El tío Leoncio se avino a ello y el fenomenal enano fué
transportado como un fardo a su alojamiento.

5 **40.** Hubo que renunciar a la gaita, pero de todos modos
se bailó en el huerto del tío Leoncio al repique del tambor,
que un chico de la Ferrera manejaba hábilmente.

Sin embargo, Angelina observó que Carmela había desaparecido.   Sorprendida y un poco desconfiada salió del
10 huerto y se disponía a subir a los Campizos por ver si se
había ido a casa indispuesta, cuando una moza que venía
le dijo:

— ¿ Buscas a Carmela?

— ¿ Se ha ido a casa?

15 — No.   Acabo de verla que marchaba orilla de la presa
hacia el molino del tío Miguel.

Aquella escapatoria sobresaltó a Angelina y velozmente
se puso a caminar en la misma dirección.

La presa del molino, que desembocaba en el río, tenía
20 a su vera un senderito tortuoso sombreado por avellanos.
Angelina corrió por él sin conseguir divisar a su prima, lo
cual le inquietaba cada vez más.   Sabía que aquel molino
pertenecía a don Manuel de Lorio, padre del famoso Román,
que su prima amaba y su tía aborrecía.   Lo beneficiaba en
25 arrendamiento el tío Miguel, un viejecito de ochenta años,
casado con la tía Cefera, que no contaba muchos menos.
Aquella circunstancia era adecuada para inspirar recelo a
Angelina, que desde su conversación con el cura se creía
obligada a vigilar a su prima.

30 Apretó más el paso y llegó a divisarla en el instante en
que se acercaba al molino.   Y en aquel punto mismo salía
por la puerta Román a recibirla tendiéndole ambas manos.

Angelina corrió desalada, y cuando ya estaba cerca gritó:

— ¡ Carmela !

Oír este grito, ver a Angelina y meterse de nuevo en el molino, fué cosa de un instante para el seductor Román. Carmela quedó clavada al suelo, petrificada y pálida.

Angelina se acercó a ella y con la misma autoridad de una madre la sacudió por el brazo.

— ¡ Oye, pícara ! ¿ No te da vergüenza correr detrás de los hombres ? ¿ Así cumples la promesa que me has hecho ? ¿ Así respetas la voluntad de tu madre ? . . . Ven conmigo ahora mismo.

Y tomándola de la mano la arrastró por el sendero de la presa hacia el lugar. Carmela, temblorosa y pálida, se dejaba llevar. Al fin la pobre chica estalló en sollozos y dejándose caer de rodillas delante de su prima:

— ¡ No me pierdas, Angelina ! Por lo que más quieras en este mundo no se lo digas a mi madre.

— Levántate, zarramplina. No se lo diré, aunque creo que con ello cometo un pecado mortal. Pero me inspiras mucha lástima y te quiero demasiado . . . ¡ Levántate !

La pobre chica no se levantó sin besarle antes las manos. Llegaron a casa y no pudieron imaginar que la tía Griselda pudiera enterarse de aquella escapatoria.

Pero se enteró. En la aldea se sabe todo, como ya se ha dicho. No faltó un alma caritativa que le sopló al oído el cuento. Carmela y Angelina habían estado en el molino de don Manuel de Lorio y allí suponían, aunque no lo habían visto, que estuviera Román, el hijo del propietario.

A la mañana siguiente, antes de mediodía, estaban nuestras jóvenes muy descuidadas en la solana, cuando apareció Griselda con el rostro encendido y los ojos llameantes. Se abalanzó sobre su hija y descargó sobre ella furiosos golpes.

— ¡ Pícara, malvada ! ¿ Te empeñas en avergonzarnos a mí y a tu padre ? ¿ Conque te citas con ese granuja en su molino ? ¡ Toma, desvergonzada, toma, toma !

Y volviéndose repentinamente a Angelina le aplicó un sonoro bofetón.

— ¡ Toma tú también, por servirle de tapadera !

Hecho lo cual, rugiendo de cólera bajó la escalera.

Carmela, sollozando, dijo a su prima:

— Yo merezco los golpes, pero haberte pegado a ti es una injusticia. Ahora mismo voy a decirle lo que tú has hecho por mí.

Trató de bajar, pero Angelina la retuvo.

— No bajes tú. Soy yo la que he de arreglar el asunto.

Cuando Angelina bajó a la cocina, Griselda estaba sentada en el escaño con la cabeza entre las manos y llorando. Angelina se sentó silenciosamente a su lado.

— Tía — le dijo suavemente —, me ha pegado usted sin razón. Yo fuí la que impedí que Carmela se viese con ese chico en el molino.

Griselda volvió el rostro sorprendida.

— ¿ Qué dices ?

— Sí; yo noté su desaparición del huerto del tío Leoncio, la busqué, corrí tras ella y pude alcanzarla antes que entrase en el molino. Después a la fuerza la traje a casa y entonces es cuando me vieron con ella.

— ¿ Es verdad lo que dices ?

— Puede usted preguntárselo a la misma Carmela.

— ¡ Ay por Dios, me perdones, Angelina ! — exclamó sofocada.

— No sólo la perdono, sino que le doy las gracias, porque me ha tratado usted como a una hija.

— ¡ Hija de mi alma — exclamó abrazándola estrechamente —, qué buena eres ! Angelina te llamas y angelina eres.

Después se secó las lágrimas. Angelina le contó por menudo los incidentes de la jornada y charlaron unos instantes.

— Voy a arreglar la comida, porque no tardarán los hombres en venir — dijo levantándose.

Se puso a trajinar. Angelina seguía con la mirada sus movimientos. Al cabo de unos momentos le dijo:

— Tía, tengo que pedir a usted un favor.

Griselda, que estaba frotando las escudillas con un paño, permaneció inmóvil.

— Di lo que quieras.

— Es lo siguiente: Puesto que usted me pega como si fuese su hija, deseo que me permita llamarla madre en vez de tía.

Griselda dejó la escudilla sobre la masera y vino a ella resplandeciente de alegría.

— Pero ese no es un favor que yo te hago. Me lo haces tú a mí.

— ¿ Pero me permite usted que la llame madre ?

— ¿ Pues no he de permitir ? [1] ¡ Con todo mi corazón ! Y al mismo tiempo cubrió de besos sus mejillas.

— Pues está convenido. Ya verá usted cómo no me equivoco jamás.

Llegaron poco después los hombres. Bajó Carmela y se pusieron a comer todos sentados en las tajuelas, incluso Angelina, que se había empeñado en comer como ellos. Griselda, como siempre, permanecía en pie.

---

[1] ¿ Pues no he de permitir ? *Why shouldn't I permit it?*

En un momento de silencio Angelina dijo:

— Madre, hágame el favor de cortarme un pedazo de pan.

Telesforo y Carmela levantaron la cabeza sorprendidos. Griselda se encaró con ellos impetuosamente.

— ¡ Sí, madre ! Me llama madre. ¿ Qué hay ? Yo quiero que me llame madre.

— Pero, madre — respondió Telesforo riendo —, si nosotros estamos muy contentos de que la llame madre.

— Y si no lo estuvieseis, para mí sería lo mismo, ¿ sabéis ?

ALLEGRO MA NON TROPPO

I

41. Si como afirman los psicólogos nuestro ser espiritual contiene multitud de dobleces, en cada uno de los cuales se esconde uno de nuestros antepasados, no ofrece duda que en el alma de Angelina Quirós se escondían veinte generaciones de aldeanos. Sólo así puede explicarse la rápida 5 adaptación a la vida campesina de aquella niña, nacida y criada en medio de todos los refinamientos y esplendores de la ciudad. Porque fué pronto más aldeana que sus mismos primos Telesforo y Carmela. Éstos cumplían con las tareas de la labranza y pastoreo por deber o necesidad, pero 10 Angelina presto empezó a cumplirlos por vocación. El cultivo del maíz, la yerba de los prados, las manzanas, las avellanas, las castañas, todo logró interesarle vivamente. Si no llovía escrutaba con ojos ansiosos el cielo, temblando por la cosecha del maíz o las alubias. Si llovía demasiado 15 lanzaba resoplidos de cólera. Y si su tío Juan contemplaba con ojos codiciosos la mitad del prado de Entrambasriegas que le faltaba, con no menor apetito lo miraba Angelina cada vez que iba por allí.

Pero sobre todas las cosas le interesaba el ganado. Fué 20 su pasión a los pocos meses de residir en el Condado. Se pasaba horas enteras en el establo contemplando aquellas pacíficas bestias, escuchando el sordo rumiar de sus dientes, acariciándolas, sirviéndolas ella misma el pienso de maíz, subiendo a la tenada para llenar de yerba el pesebre. Se 25 empeñó en aprender a mazar la leche; le costó esfuerzos increíbles, se fatigaba, dejaba caer el odre rabiosa contra sí

misma, saltándole alguna vez las lágrimas.   Pero al fin lo
consiguió.   [p. 276]

Un jueves por la tarde en que tío Juan había ido a la
Pola en compañía de Foro para pagar la contribución, se
5 hallaban en la solana Griselda, Angelina y Carmela muy
afanadas recosiendo las camisas de los hombres.   De
pronto Griselda levantó la cabeza.

— ¿ Sabes, Carmela, que el ganado está en el prado ?
Hay que ir a buscarlo en seguida.

10   — ¡ Vaya por Dios ! — exclamó Carmela haciendo un
gesto de disgusto.

— Madre, si usted quiere iré yo a traer las vacas — dijo
Angelina.

Griselda y Carmela soltaron a reír.

15   — Eso, niña, no puede ser.

— ¿ Por qué no puede ser ? — preguntó entriste-
cida.

— Porque tú no estás acostumbrada a hacerlo.

— Algún día me he de acostumbrar.

20   — Vamos, madre, déjela ir si se empeña — dijo Carmela
riendo.

— Déjeme, madre — suplicó Angelina como un niño que
pide una golosina.

Al fin la dejaron marchar sola al prado de Entrambas-
25 riegas que no estaba cerquita.   Trajo perfectamente las
vacas al establo y no sólo las encerró, sino que las puso sus
collares y las amarró al pesebre.   La tía Griselda no se
cansaba de reír y celebrar la hazaña cuando llegaron su
marido y su hijo.

30   Otra mañana vino Carmela a despertarla.

— Una buena noticia, Angelina : la *Cereza* ha parido esta
noche.

Trajo perfectamente las vacas al establo.

Angelina se incorporó en la cama vivamente.

— ¿ Y qué ha parido ?

— Una jatina hermosa. Nosotros estuvimos allí presentes.

5 — ¿ Estuvisteis allí ? — exclamó con acento indignado —. ¿ Y por qué no me habéis llamado ?

— Madre no quiso que te despertáramos.

— ¿ Y qué importaba que me despertasen ? Habéis hecho muy mal . . . ¡ pero muy mal !

10 Estaba tan contrariada, que Carmela se apresuró a decirle:

— Anda, vístete de prisa, y verás la jatina.

A medio vestir bajó al establo. La *Cereza* tenía acostada a su lado la ternerita y la lamía amorosamente sin cesar. 15 Aquel espectáculo la enterneció, y lo estuvo contemplando largo rato.

Pero Angelina tenía un capricho, y hasta que lo satisficiese no podía hallar sosiego. Se le había metido en la cabeza el aprender a ordeñar. Su tío Juan, y lo mismo Griselda, se 20 opusieron resueltamente a ello. Era peligroso, era una tarea áspera y recia. La misma Carmela lo hacía pocas veces; estaba encomendada a Telesforo. Aun con las mismas vacas nobles se corría peligro, pues sin querer, por un movimiento repentino, podían pisarla y hacerle mucho daño.

25 Angelina no se dió por vencida. Empezó a catequizar a su primo.

— Vamos, Forín, déjame un momento siquiera.

— No puede ser, Angelina. Si te pasa algo es capaz mi padre de abrirme la cabeza.

30 — No tengas miedo, hombre. Estáte tú al cuidado y no me pasará nada.

— No puede ser, no puede ser.

Sin embargo, tanto machacó, que al fin el pobre muchacho concluyó por ceder, aunque tomando grandes precauciones. Escogieron a la *Moruca*, que era la más pacífica. Telesforo la acariciaba para que no se moviera. Angelina pudo extraer la primera vez unas gotas de leche y quedó muy ufana. Al otro día extrajo un poco más, y así sucesivamente, ordeñando más y más llegó a conseguirlo perfectamente. Antes de un mes ordeñaba a maravilla, casi tan bien como Telesforo. Sin embargo, éste se mostró muy inquieto cuando su prima le dijo que iba a descubrir a su tía la proeza.

— No se lo digas, Angelina. Mira que lo va a tomar muy a mal. Es capaz de darme en la cabeza con la sartén.

— No tengas miedo, tonto. Ya verás cómo yo se lo digo de modo que no se enfade.

Una tarde, poco antes de cenar, se hallaba la familia reunida en la cocina. Faltaba Angelina. Ésta se presentó al cabo con un jarro de leche en la mano.

— Beban ustedes de esta leche que ha sido ordeñada por la mocita que llaman aquí la Marquesita.

— ¿Por ti? — exclamaron a un tiempo Juan, Griselda y Carmela.

— Por mis propias manos.

— ¡Foro, eres un burro! — exclamó Griselda encarándose con él.

— ¡Foro, eres un mulo! — exclamó el tío Juan lanzándole una mirada furibunda.

— ¡Foro, eres un pollino! — corroboró Carmela mirándole también airadamente.

El pobre mozo, transformado en cuadrúpedo, bajó la cabeza como si buscase ya con la boca el pesebre.

— No le riñan ustedes; toda la culpa ha sido mía. Tenía

tal empeño en aprender, que si no lo consigo me parece
que caigo [1] mala.

El joven cuadrúpedo levantó su cabeza asnal y se atrevió
a decir tímidamente:

5 — Padre, Angelina es capaz de ordeñar hoy tan guapamente como usted mismo.

---

[1] **consigo . . . caigo.** See note 1, p. 44.

II

42. « He aquí el invierno que entorpece los brazos de los labradores. Durante los fríos del invierno gozan el fruto de sus trabajos y se convidan los unos a los otros a comidas alegres. El invierno les invita a la alegría: el invierno aleja de sus corazones los cuidados. »[1]

Así cantaba hace dos mil años Virgilio en su inmortal poema *Las Geórgicas.*

Recogida la castaña, en cuya faena apenas hay año en que no suceda una desgracia, pues los mozos se encaraman en lo alto de los árboles y se caen, los paisanos se retraen a sus casas. Comienza el invierno. Durante un mes o más se comen las castañas cocidas a guisa de pan o borona, y estos dos artículos economizan.

Angelina comía de buen grado las castañas, que le gustaban muchísimo, pero además, las asaba al farol, un curioso artefacto de hoja de lata con agujeros, semejante a los tostaderos de café, que se colgaba de una cadena sobre el fuego. Era para ella un deleite dar vueltas al farol, escuchar los estallidos de las castañas y sacarlas luego asadas y humeantes.

Venían después las famosas esfoyazas resonantes de cánticos y risas. Cada noche se reunían buen golpe de mozos y mozas en casa de un vecino. Y mientras se desho-

---

[1] . . . hiems ignava colono.
Frigoribus parto agricolae plerumque fruuntur,
Mutuaque inter se laeti convivia curant;
Invitat genialis hiems curasque resolvit:
                    Virgil, *Georgics*, Book I

jaban y enristraban las panojas, más de una relación amorosa
se enristraba también, que pocos meses después terminaba en la iglesia. Angelina fué este invierno el alma de
todas ellas. Con sus cantos madrileños, sus bromas y do-
5 naires, tenía pasmados y divertidos a aquellos inocentes
aldeanos. Es tal vez la época más feliz del año en la aldea.
Más tarde, en las largas noches invernales, casi siempre llu-
viosas, solían también reunirse en las más principales casas
algunos vecinos, la mayor parte viejas mujerucas para hilar.
10 Esta reunión tomaba el nombre de *fila*. Las viviendas del
tío Juan de los Campizos y del tío Atilano de la Vega, como
los paisanos mejor acomodados, eran las más concurridas.
Estas *filas* siempre se celebraban en la cocina, por ser la
pieza más espaciosa y caliente de la casa. Mientras se
15 escuchaba el gotear de la lluvia o el sordo rumor del viento
en las ramas secas de los árboles, se narraban cuentos, se
comentaban sucesos antiguos, se hacían profecías, las
mujerucas se comunicaban sus achaques y los hombres se
lamentaban de la escasez de la cosecha.
20   Angelina ideó el entretener a la reunión leyéndoles alguna
novela. Había en la Pola un viejo comerciante muy aficionado a ellas, que poseía una abundante colección. Allí fué
a demandar lo que necesitaba. Recordando que le había
impresionado agradablemente una de Alejandro Dumas
25 titulada *Memorias de un médico*,[1] determinó leerla. No
obtuvo con ella feliz éxito. Ni las viejas ni las mozas gustaron de tales narraciones históricas, que no entendían.
Era para ellas la Francia del siglo XVIII un mundo ignorado, tan diferente del suyo que de ningún modo podían
30 representárselo con la imaginación. Entonces Angelina

---

[1] *Les mémoires d'un médecin.* This is the subtitle of a novel called
Joseph Balsamo by Alexandre Dumas, père (1803–1870).

se resolvió a traer alguna de las famosas novelas sentimentales de Pérez Escrich.[1] *La esposa mártir* y *El cura de aldea* interesaron enormemente a las mujeres. Pero lo que más les admiraba era lo bien que leía la sobrina del tío Juan. Ni el señor cura, ni mucho menos el rechoncho maestro, leían 5 con tal facilidad y sentido.

Un suceso extraño y doloroso distrajo durante algunas noches su atención y sirvió de tema para comentarios infinitos. Una de aquellas mañanas se encontró no muy lejos de allí, en los límites de Sobrescobio y Caso el cadáver 10 del joven Román, hijo de don Manuel de Lorio, tendido sobre las piedras que guarnecen el río. Se había caído por la noche desde el camino y se había fracturado el cráneo. [p. 277] El mundo nada perdió con la desaparición de aquel don Juan [2] aldeano, su familia poco y Griselda ganó la 15 tranquilidad que el difunto le había hecho perder. [p. 277]

[1] **Enrique Pérez Escrich** (1829–1897). A popular writer of the *novela por entregas* (installment novel).

[2] **don Juan.** A legendary character symbolizing the dissolute young nobleman, proud, fearless, blasphemous, and especially a seducer. The legend was first dramatized by Gabriel Téllez (Tirso de Molina) in his *Burlador de Sevilla y convidado de piedra* (1st ed. 1630). No Spanish fictional type, save Don Quijote, has become so universal.

III

Llega la primavera. La nieve comienza a derretirse en lo alto de las montañas, corre por sus faldas y baña los prados y las vegas. Los labradores sacan de sus cobertizos o debajo de los hórreos los arados y se disponen a abrir las
5 entrañas de la madre tierra y fecundarla.

Angelina se sentía enervada por la vida sedentaria a que la obligaban las lluvias del invierno. Amaba el aire libre y sobre todo amaba los ejercicios corporales. Era para ella pesada y aburrida tarea la del coser o planchar cuando su
10 tía Griselda se lo ordenaba. En cambio, cuando el tío Juan reclamaba su ayuda para cualquier faena campestre se alegraba como un pajarito a quien le abren la jaula. Por eso cuando aquél se dispuso a labrar las tierras de la vega le rogó encarecidamente que la llevase consigo en vez de Car-
15 mela. No hubo en ello inconveniente, porque ésta, menos activa, se avenía muy bien a quedarse en casa.

Era de ver a aquella linda mocita caminar detrás del arado, con su mandil doblado por la punta, lleno de maíz, que lentamente iba depositando en los surcos abiertos por
20 el tío Juan. Éste empuñaba el arado. Telesforo marchaba delante de las vacas con la aguijada en la mano. Angelina cerraba la marcha.

—Tío, apriete usted más con la reja, porque el grano queda muy a flor de tierra.

25 —Ya lo veo, querida, pero el ganado está muy cansado y no se le puede apurar.

—Verdad; la tierra está dura porque no ha llovido hace bastantes días. Vamos a dejarle descansar un poco.

El tío Juan cedió en seguida, porque Angelina había tomado sobre él tal ascendiente que casi le gobernaba.

Clavó Telesforo su aguijada en tierra y se puso a desuncir las vacas, separándolas del pértigo del arado, aunque sin quitarles el yugo. Angelina se acercó a ellas y les pasó la 5 mano amorosamente por el lomo.

— ¡ Pobrecitas, pobrecitas ! ¡ Cuánto trabajáis para darnos a nosotros de comer !

Y volviéndose a Juan:

— Cuando recuerdo, tío, que yo he asistido muchas 10 veces a las corridas de toros y vi martirizar a estos pobres animales para divertirnos, me enfado contra mí misma.

— En verdad, querida, que no te falta la razón. Todo el mundo debía respetar el ganado, porque sin él los paisanos moriríamos. 15

— ¡ Y los señores también ! — exclamó impetuosamente Angelina —. ¿ A qué conduce convertir en fieras unos animales que han nacido mansos ? Divertíos con los leones y los tigres, pero dejad tranquilos a los hijos de estas pobres vacas, que nos alimentan con su leche y nos ayudan a tra- 20 bajar la tierra . . . ¿ Verdad, *Moruca* ?, ¿ verdad, *Cereza* ?

Y les pasaba la mano por la cabeza y les espantaba las moscas de los ojos.

— ¿ Angelina, te parece que volvamos al trabajo ?

— Cuando usted quiera, tío. 25

43. Así transcurrían los días de aquella primavera. En casa del tío Juan reinaba la alegría. La pomarada se había cuajado de tal manera de flor, que aparecía blanca cual si hubiese caído sobre ella una nevada. Pero Juan estaba inquieto, temía que una helada secase la flor y defraudase 30 sus esperanzas. Comunicó estos temores a Angelina y ésta, que era asaz más nerviosa, no sosegaba pensando en ello,

escrutaba el cielo, preguntaba a todo el mundo por el aire
que soplaba, se levantaba dos y tres veces por la noche,
abría la ventana para cerciorarse de que no helaba. Y por
la mañana, mientras se desayunaba con su gran tazón de
5 leche y pan migado, gritaba alegremente:

— No tenga usted cuidado, tío, ¡ está lloviendo !

El tío Juan vivía encantado con aquella sobrina. En
los primeros tiempos de su llegada se la designaba burlonamente en la aldea con el nombre de *la marquesita*. Esto fué
10 concluyendo poco a poco. Angelina era tan amable con todo
el mundo, tan graciosa y desenvuelta, que se apoderó
pronto del corazón de aquellos paisanos. Cantaba en las
fiestas de la iglesia, bailaba en las romerías, lavaba en el
río, trabajaba en el campo con el mismo brío que si allí
15 hubiera nacido. Pero sobre todo, se mostraba tan afectuosa
y solícita con los desgraciados, que llegó a ser la figura más
popular del Condado, la más querida y admirada de viejos
y jóvenes. Visitaba a los enfermos, socorría a los pobres,
asistía a los entierros, alegraba las bodas con sus donaires,
20 tenía una sonrisa y una palabra dulce para todos. [p. 279]

Cada quince días, o por lo menos cada mes, escribía a
su padre y recibía carta de él. Generalmente eran breves
las misivas de uno y otra. Angelina se limitaba a decirle
que estaba bien, que no se preocupase por ella, que atendiese
25 a su salud y sus negocios, que sus tíos no podían ser más
cariñosos con ella y que no echaba de menos la vida fastuosa
de Madrid. Quirós la escribía animándola, aconsejándola
que fuese siempre trabajadora en la casa y humilde con sus
tíos.

30 Pero un día en aquella primavera le decía: « Escríbeme
largo, quiero que me cuentes con todos sus pormenores la
vida que haces, cómo empleas el día, cómo trabajas, qué

es lo que comes, cómo duermes y si aumentas de peso.»
Angelina le respondió:

« Queridísimo papá: Me preguntas cuál es mi vida de
todos los días, me pides pormenores de mis trabajos y
descansos. Allá van: 5
Me levanto, ahora que amanece más temprano, a las
seis. Lo primero que hago es ir a ordeñar a mi vaca la
Moruca, que desgraciadamente pronto quedará escosa. Es
la única que me consiente tío Juan por ser la más suave o
amorosa, como aquí se dice. Mi primo Foro ordeña la otra. 10
Cuando el tiempo no está demasiado malo, es decir, cuando
no hay demasiado lodo en el camino, voy a oír misa, que la
dice siempre don Tiburcio a las siete y media. Echo después
un párrafo con este señor cura, que es un infeliz, un sujeto
tan bonachón, tan inocente que da gusto, y a veces risa 15
hablar con él. Vengo a casa y me desayuno con un gran
tazón de leche (a veces dos) y pan migado. Con la borona
no puedo. Hice los imposibles por comerla, pero sin resultado. Después, como es el tiempo de la sementera, vamos a
la vega tío Juan, Foro y yo y aramos la tierra. Yo soy la 20
encargada de sembrar el grano y sin modestia creo que lo
hago bastante bien. Los días que llueve, claro que no bajamos y los aprovechamos para amasar y cocer el pan
(¡ qué rico pan el de escanda !) o para *echar* la borona, como
aquí se dice. Cada quince días hacemos la colada entre 25
Carmela y yo. Un día jabonamos toda la ropa en la presa
del molino; otro la metemos en lejía, y otro, por fin, la
aclaramos en el río. Los días que por la lluvia no bajo a la
vega, suelo hacer mis visitas a los vecinos. No sé si me
quieren, pero puedo decirte que me reciben con la mayor 30
alegría y que se esfuerzan en agasajarme como si fuese una

señorita y no una pobrecita desvalida recogida de limosna en casa de unos tíos.

Comemos a las doce en punto, cuando suena el *Angelus*. Si el tiempo está bueno suelo entrar en la pomarada y 5 sentarme debajo de un árbol, o por mejor decir, tumbarme, y cuando menos lo pienso quedo dormida. Tía Griselda, temiendo que la humedad me hiciese daño, me lo prohibió; pero advirtiendo mi tristeza, como es una mujer que no puede ver a nadie triste, ella misma viene detrás de mí con 10 una manta y la extiende sobre la yerba para que me siente sin peligro.

Por la tarde, si no bajamos a la vega nos quedamos en la solana desgranando maíz o habas, o devanando las madejas hiladas o haciendo cualquiera otra tarea. Antes del oscu- 15 recer solemos ir Carmela y yo a buscar al prado las vacas. A veces voy yo sola, querido papá, ¿qué te parece? Y vuelta a ordeñar. Los domingos nunca nos quedamos en casa: bajamos al pueblo, y allí, con otras mocitas como nosotras, bailamos al son de un pandero. Cenamos en se- 20 guida y rezamos el rosario. Cuando hemos concluído suelen venir de *fila* algunas mujeres y paisanos amigos de tío Juan. Yo les he leído durante este invierno algunas novelas. Las que más les gustan son algunos novelones de bandidos escritos por don Manuel Fernández y González,[1] o esos 25 otros lacrimosos de don Enrique Pérez Escrich.

A las nueve o nueve y media estamos todos en la cama.

---

[1] **Manuel Fernández y González** (1821–1888). Author of nearly 300 romantic novels with an historical background, few of which have real merit. Pitollet (*V. Blasco Ibáñez*, Paris, 1921), says that some of the later novels reveal the hand of Blasco Ibáñez, who, at sixteen, was Don Manuel's secretary. The half-blind author's dictation, always late at night, was frequently interrupted by little naps during which Blasco would continue to write.

Duermo como un lirón hasta el amanecer, sin despertar una vez siquiera. Hasta que llegué al Condado no supe lo que era comer ni lo que era dormir. ¿ Recuerdas, papá, que la última vez que me pesé en Madrid no pesaba más que cuarenta y cuatro kilos ? Pues bien; el jueves último 5 me pesé en un comercio de la Pola y pesé sesenta y seis. ¡ Veintidós kilos en un año ! Además, tío Juan afirma que tengo más fuerza que Carmela, que pesa ochenta.

Pronto llegará el tiempo de la siega, que es para mí el más gustoso. ¡ Cuánto gozo en los días de yerba ! Después 10 vienen las romerías. ¡ Qué gusto ! Este año, si Dios quiere, bailaré más que el pasado.

¿ Qué he de decirte de esta familia tuya ? No pueden ser mejores para mí. A tío Juan le quiero mucho, es el hombre más bueno del mundo; pero a tía Griselda la adoro. Parece 15 que me ha dado hechizos esta tía mía. Tiene un genio tan vivo, tan impetuoso que a todos nos hace reír a veces. Yo la llamo madre en vez de tía: ella está muy contenta y yo también; pero si a ti no te acomoda suprimiré el trata- miento. Cuando la impaciento me da un sopapo. ¿ Que- 20 rrás creer que desde que me pega la quiero más ? Es cosa de risa, ¿ verdad ?

En fin, papá del alma, lo único que me falta en este mundo eres tú. Vente en cuanto pagues tus deudas; tú necesitas poco y tu hija nada necesita porque sabe trabajar. Un 25 millón de besos, otro millón de abrazos.

Angelina.

Puede suponerse lo que sentiría el buen Quirós al recibir esta carta. Decidió restituirse inmediatamente a la penín- sula, pero antes quiso inquirir lo que pensaba su consejero 30 el cardenal González; le comunicó su decisión y le incluyó

en su carta la de Angelina.   La contestación del cardenal
fué breve y fulminante, como acostumbraba a darlas este
gran prelado: « Sigue todavía en la Habana y salvarás a
tu hija y te salvarás a ti mismo. »

5   Quirós obedeció.

IV

44. Llegó el tiempo de la siega, que para Angelina constituía una verdadera fiesta. Pasar todo el día en los prados esparciendo la yerba, aspirando su delicioso aroma, reír, cantar, dar vaya a los segadores y volver a casa montada sobre el carro, ¡ qué gran placer ! Pero este año no necesi 5 taba que la aupasen. Ponía el pie en la rueda y de un brinco se montaba sobre él. Ni tampoco se agarraba fuertemente a la soga; por el contrario, se complacía en hacer volatines, mostrando su agilidad y firmeza. Cuando atravesaba por el pueblo se ponía repentinamente en pie y desde lo alto 10 gritaba:

— ¡ Hurra, viva el Condado !

— ¡ Angelina, no hagas eso, que te puedes caer ! — le gritaba su tío Juan.

La gente del pueblo reía. Angelina era cada día más 15 popular.

Llegó después la época de sallar el maíz. Angelina trabajaba con un brío y arranque que dejaba pasmada a la gente.

— ¿ Qué os decía yo el año pasado, mal rayo ? — excla 20 maba Pin de la Fombermeya. [p. 280] ¡ Hay que ver la rapaza ! Es una paja la fesoria en sus maninas de cera.

Vinieron después las romerías. Angelina era incansable bailando y cantando. Una nube de mozos la asediaban, pero muy particularmente uno de Tolibia llamado Facundo 25 que no la dejaba a sol ni a sombra.

Cierto jueves por la noche, a la hora de cenar, el tío Juan dijo sonriendo:

— Tengo que darte una noticia, Angelina.

— ¿ Qué es ello ?

— Pues que Facundo, el hijo del tío Bernardo de Tolibia,
se me acercó esta tarde en la Pola y al cabo de muchas
5 vueltas me dijo que quería casarse contigo.

Angelina soltó una carcajada.

— ¿ Y qué le dijo usted, tío ?

— Pues, naturalmente, le dije que a mí no era a quien
debía pedirla, que tenías padre, a Dios gracias, y que a él
10 es a quien hay que escribir. Pero antes de escribir a tu
padre había que saber si tú estabas conforme, porque mi
hermano Antonio es incapaz de casar a su hija a la fuerza . . .
Vamos a ver, ¿ tú qué dices ? Te advierto que el tío Bernardo de Tolibia es el paisano más rico de la parroquia de
15 Villoria.

Los rostros de la familia se volvieron sonrientes hacia
Angelina. Ésta soltó otra carcajada.

— Pues yo, tío, digo y repito que no tengo ninguna gana
de casarme, que me encuentro con ustedes en esta casa como
20 en el cielo y que sólo en el caso de que ustedes me echasen
de ella me casaría.

— ¡ Echarte de casa, palomina ! — exclamó impetuosamente Griselda —. Antes iríamos todos a pedir limosna.

— Lo sé, madre, lo sé — repuso Angelina con emoción
25 besándole una mano.

En esto pararon las pretensiones matrimoniales de
Facundo, el hijo del tío Bernardo de Tolibia. [p. 280]

[p. 282] Pocos días después el tío Juan medio en broma, medio en serio, [p. 282] dijo:

— Oye, Angelina; tú que tantas cosas sabes de cuentas, de gramática, de historia, ¿ no podrías meter algo en la mollera de Foro ?

Angelina contestó riendo:

— ¡ Ya lo creo que lo haría! Pero, la cuestión es que él se preste a ello.

— Es que si no se prestase le rompería yo las costillas.

— No es para tanto, tío Juan.

En efecto, cuando se le dijo a Telesforo que Angelina le iba a dar lecciones como a un niño, se mostró avergonzado y reacio, pero viendo la cara ceñuda de su padre, no tuvo más remedio que avenirse a ello.

Angelina compró en la Pola unos libritos de enseñanza elemental y comenzó a doctrinarle en la solana por la mañana, una hora antes de la comida. Le señalaba con lápiz un parrafito de la Gramática o de la Historia de España, para que al día siguiente lo dijese de memoria. Después, le obligaba a sumar, restar y multiplicar cantidades de pocas cifras, que iba haciendo mayores cada día. Una vez que Telesforo decía de carretilla los párrafos señalados, Angelina se los explicaba y le obligaba a él a explicarlos después. ¡ Aquí estaba lo arduo! Telesforo era un hábil e inteligente labrador, pero se le resistían las letras, mejor dicho, las tenía miedo como si fuesen cartuchos de dinamita. Aprender la lección de memoria, bien está, pero darse de ella clara cuenta y explicar satisfactoriamente su sentido,

esto era lo que no se podía acabar con él.[1]   La pobre Angelina
hacía esfuerzos titánicos por introducir alguna luz en aquel
oscuro cerebro, se agotaba en explicaciones repitiéndolas una
y otra vez, pero con escaso resultado.   Era nerviosa y como
5 sus esfuerzos se estrellaban siempre contra la fortaleza inexpugnable del *intelectu* de su primo, concluía por impa-
cientarse y tirar los libros y marcharse.

Un día en que éste se mostró particularmente asno,
Angelina, exasperada, no pudiendo sufrir más, alzó la mano
10 y le aplicó un sonoro bofetón.   Hecho lo cual, salió como un
huracán de casa y se fué a la pomarada.   Allí se dió cuenta
de la atrocidad que había hecho, y temblorosa y encarnada
se dejó caer debajo de un árbol.   El juicio se le extraviaba
pensando en las consecuencias que el suceso traería consigo.
15 ¿ Qué iban a decir sus tíos ?   Se estremecía pensando en su
justo enojo.   Telesforo no era un niño.   ¿ Cómo explicar
aquel acto tan ridículo como atrevido ?

Al cabo de un rato, Carmela le gritó desde la solana:

— Angelina, ven a comer; ya estamos todos en la cocina.
20 Más muerta que viva y encarnada como una amapola,
Angelina se acercó a la casa.   Al poner el pie en la cocina fué
saludada con una salva de carcajadas.   Todos reían estrepitosamente, sus tíos, Carmela y hasta el mismo abofeteado
Telesforo.   Quedó clavada en el suelo, sin comprender lo
25 que aquello significaba.

— ¡ Bien por ti, Angelina ! — dijo su tío, sofocado por la
risa —.   Has hecho muy guapamente.   Lo mismo tu tía
que yo . . .

— Tu madre — rectificó Griselda.
30 — Bien; pues lo mismo tu madre que yo, te agrade-

---

[1] **esto . . . con él.** *this was what could not be accomplished with him.*

cemos mucho ese sopapo..., y estoy en fe que Foro, si
tiene un poco de vergüenza, también te lo agradecerá.

Angelina respiró con alegría. Nunca pudo imaginar que
lo tomasen de aquel modo. Y riendo y bromeando, comió
aquel día con más apetito que otras veces.   5

Cuando terminaron, su tío Juan se acercó a ella y le dijo
confidencialmente:

— Mira tú, Angelina, te pido que no dejes de calcarle
algunos buenos coscorrones en la calabaza a ver si le entra
mayormente algo de lo que tú sabes.   10

VI

45. A pesar de esta autorización y aun puede añadirse este aplauso, no quiso pegarle más. Por el contrario, se mostró con su ineptitud más tolerante, más suave en las lecciones, con mucha mayor paciencia. Parecía que la misma facultad que se le había concedido le ataba las manos. Sin embargo, un día que le llamó desde la solana repetidas veces sin que le hiciese caso, cuando al fin subió le sacudió otro bofetón. Es decir, que por las lecciones no le pegaba, aunque sí por la desobediencia.

Pero es el caso que a medida que le iba enseñando un poco de Gramática, de Aritmética y Geografía, Angelina iba sintiendo hacia aquel muchacho una ternura cada vez más viva. Era algo como amor maternal, el sentimiento más hondo y permanente del alma femenina. Le proporcionaba en la casa todas las comodidades que podía, se preocupaba de su ropa, disimulaba sus faltas y le defendía siempre que el padre o la madre le cogían en alguna. Por eso un día en que el majadero se olvidó nada menos que de llevar las vacas al agua y su padre le administró una paliza, Angelina lloraba a lágrima viva.

— ¿ Por qué lloras, tonta ? — le decía Carmela —. ¿ No le pegas tú también ?

— Sí, pero yo no le hago daño — gemía Angelina entre sollozos.

— ¡ Ya lo creo que no le haces daño ! — exclamaba Carmela riendo a carcajadas.

Telesforo también se iba ligando sensiblemente a su prima, pero hay que decirlo con franqueza, no era precisamente

cariño filial lo que sentía. Cada día se mostraba con ella
más tímido y respetuoso, buscaba siempre los medios de
estar siempre a su lado y hacerle servicios, adivinando sus
deseos. Apenas Angelina emprendía cualquier trabajo ya
estaba allí Telesforo para ayudarla. Cuando ella no le 5
miraba, los ojos de Telesforo no se apartaban del rostro de
la primita.

Primero que ésta, lo observó su hermana Carmela, la
cual se mordía los labios sonriendo maliciosamente, pero
sin pronunciar palabra alguna. 10

Una tarde, como de costumbre, se hallaba Angelina bajo
un pomar, cuya frondosa copa velaba el azul del cielo,
dejando, sin embargo, pasar la catarata del sol, que como
lluvia de fuego se filtraba por el follaje. Era siempre para
ella una hora deliciosa. Al través de la manta, que la soli- 15
citud maternal de su tía Griselda le ponía debajo, sentía
la frescura del césped, gozaba del aire puro, embalsamado
por el aroma del heno. En los primeros tiempos, recordaba,
soñaba algunas veces; ahora no pensaba absolutamente en
nada. Era el suyo un deleite físico sin mezcla alguna de 20
inquietud espiritual. Dejaba que la vida corriese exuberante
por sus venas como la savia por los árboles; su pequeño
corazón palpitaba firme, tranquilo, como la máquina de un
reloj, marcando solamente las horas del sueño, de las
comidas, del trabajo, enviando torrentes de rica sangre a 25
su precioso rostro. Y así, plácidamente gozando de la
plenitud de la salud y de la fuerza se quedaba más de una
vez dulcemente dormida.

Aquella tarde su prima Carmela vino silenciosamente a
sentarse a su lado. 30

— ¿ Angelina, duermes ?

— ¡ Qué he de dormir ! ¿ No me ves con los ojos abiertos ?

— Es que algunas veces duermes como las liebres.

— Pues ahora no soy liebre ni conejo.

— Tengo que decirte una cosa.

— Di lo que quieras.

5 — Pues tengo que decirte que mi hermano Foro te quiere.

— ¡ Noticia fresca ! Ya sé que me quiere. También yo le quiero a él y muchísimo.

— No me entiendes, Angelina. Debo decirte que Foro te quiere no como prima ni como hermana, sino como 10 otra cosa.

— ¿ Qué otra cosa ?

— Pues como novia.

Angelina, que seguía tumbada, se incorporó vivamente.

— ¿ Qué estás diciendo ? ¿ Cómo sabes tú eso ?

15 — Pues porque él mismo me lo acaba de decir.

— ¿ Te lo acaba de decir ? ¿ Y con qué motivo te lo ha dicho ?

— Para que interceda contigo a fin de que tú le correspondas. Me lo ha suplicado con lágrimas en los ojos.

20 Angelina quedó pensativa y silenciosa largo rato bajo la mirada inquieta de su prima.

— ¡ Ave María Purísima ! — exclamó al fin —. ¿ Y qué mosca le ha picado ahora a ese memo ?

— Yo pienso — repuso Carmela riendo — que la mosca 25 han sido tus bofetones.

— Pues hija, si lo hubiera sabido no se los hubiese dado.

— ¿ Y por qué no ? Después de todo creo que mi hermano no podría encontrar una moza más buena ni más guapa.

30 — Ni más pobre. ¿ Cómo se le ha ocurrido eso a tu hermano, teniendo una moza rica y guapa ?

— Ya no la tiene. Hace más de un mes que no habla con

ella. Me dijo que Sinforosa le iba cansando, que cada día
la encontraba más atrevida . . . Otra palabra dijo peor.

— Dila.

— Pues más desvergonzada . . . Pero estoy en fe que si
tú no le hubieras dado esas bofetadas no la hallaría tan 5
desvergonzada — añadió riendo a carcajadas.

— ¡ Anda ! — exclamó Angelina riendo también —.
¿ Habrá mayor desvergüenza que darle una bofetada ?

— Él no lo estima así, al parecer.

Volvió a quedar pensativa Angelina, y al cabo dijo: 10

— El asunto es más serio de lo que a Foro y a ti os parece.
Lo mismo tus padres que los de Sinforosa estaban conformes
con ese noviazgo, y cuando unos y otros averigüen el cambio
se enfadarán . . . Ya puedes comprender en qué postura
quedo yo. 15

Carmela permaneció a su vez pensativa.

— Tienes razón. Es menester que todo esto quede guardado . . . Pero lo principal es que tú digas si le quieres o no.

Tardó en contestar Angelina.

— Ya te he dicho, y no necesitaba decirlo, que quiero a 20
Foro muchísimo . . . Pero, a la verdad, nunca se me ocurrió
que pudiera ser para mí más que un hermano. Por ahora no
puedo decir nada . . . Ya veremos.

— Es que el pobre chico está ahora esperando lo que digas
como la sentencia del juez. 25

— ¿ Dónde está ?

— En el pradín de arriba.

— Vamos allá — replicó la prima con enérgica resolución
poniéndose en pie —. Yo misma quiero hablarle.

Dejaron la pomarada, dieron la vuelta a la casa y entraron 30
en el prado. Telesforo, que se hallaba próximo a la sebe, al
verlas echó a correr hacia arriba.

— ¡ Foro, Foro ! — le gritó su hermana.

Telesforo no contestó, siguiendo prado arriba.

— ¡ Foro, Foro, ven acá !

— No puedo, tengo mucho que hacer — respondió a
5 gritos también el muchacho.

— ¡ Ven acá, Foro, no seas burro !

El zagalón se detuvo y esperó a que su hermana y su
prima se acercasen.   Le hallaron en tal estado de incandescencia que daba miedo verle.

10 — Oye, borrico — le dijo su hermana con aspereza —,
¿ para qué escapas ?   Aquí está Angelina, que te va a dar
la contestación sobre lo que quieres saber.

El pobre chico no abrió la boca.   Se puso a temblar como
si le llevasen a la horca.

15 — ¿ Es verdad lo que acaba de decirme Carmela ? — le
preguntó Angelina sonriendo y tan serena cuanto el otro se
hallaba confuso.

Telesforo hizo con la cabeza un signo afirmativo.

— Pues bien, Forín, yo no puedo decirte nada por ahora,
20 porque estoy demasiado sorprendida.   Es menester que lo
piense.   Tú tenías una novia: tus padres estaban conformes
con ella: esto que ahora quieres puede ser un capricho
pasajero.   Por lo tanto, te repito que es menester que lo
piense.   Según se presenten las cosas, y según vea tu com-
25 portamiento, así llegaré a tomar una u otra resolución . . .
Pero lo más importante en este caso es que no trascienda
nada de lo que aquí hablamos; que nada perciban tus padres.   Ten presente que yo estoy viviendo en su casa, que
no soy más que una pobrecita . . .

30 — ¡ Tú eres la mayor riqueza de la casa, Angelina ! —
exclamó impetuosamente Telesforo.

— Seré para ti, Forín — dijo ella riendo.

— ¿ Dónde está ?

— En el pradín de arriba.

— ¡ Para todos ! ¿ Verdad, Carmela ?

— Sí, sí, para todos — respondió Carmela riendo.

— Bueno, pues no se hable más del asunto. A ser bueno, a callar y disimular. Toma esa mano que alguna vez te ha
5 sopapeado, y bésala, porque si algo se descubre por tu causa no van a ser pocos los mojicones que te va a dar.

Telesforo la besó llorando.

46. Nada se traslució en la casa, efectivamente. El tío Juan y Griselda nada pudieron sospechar, porque la con-
10 ducta de Telesforo fué la misma que antes, y aun pudiera decirse más reservada aun con respecto a Angelina.

Pero lo que no trascendió en la casa del tío Juan fué pronto olido en la del tío Atilano. El rompimiento de Telesforo y Sinforosa fué para aquella familia una gran
15 contrariedad. El matrimonio les parecía de perlas, no solamente porque el tío Juan era un paisano rico, sino porque Telesforo era mozo formal y trabajador. Así, que poniéndose a imaginar cuál sería la causa de aquel desvío del mozo, no tardaron en sospechar que se hallaba en su
20 prima Angelina. Sinforosa fué la que dió la voz de alerta. La mujer más rústica es clarividente en asuntos de amor. Ya había advertido desde hacía poco tiempo la afición que su novio mostraba a Angelina, con cuánto entusiasmo hablaba de ella, de sus gracias y habilidades. Dando inmediata-
25 mente por cierto lo que sospechaban en aquella casa, se pusieron a odiarla de muerte; y no sólo Sinforosa, la principal agraviada, sino sus padres y su hermanita.

Como los campesinos no saben disimular tan perfectamente como los señores, el odio salió pronto a la cara. Ange-
30 lina quedó sorprendida cuando el tío Atilano, al darle ella los buenos días, volvió el rostro y siguió su camino sin contestar. Lo mismo le pasó con Sinforosa. Otra vez,

yendo sola a llevar el ganado a beber, sintió en la espalda el
golpe de una piedra, y al volverse rápidamente acertó a
ver a la hermanita de Sinforosa que se ocultaba en una
revuelta del camino. Por fin, un día en que fué con su prima
Carmela a lavar la ropa a la presa del molino, estaban allí 5
varias mozas y entre ellas Sinforosa. Ésta se mostró a
tal punto procaz y sarcástica dirigiéndole unas indirectas
tan groseras, que Angelina, exasperada, se hubiera lanzado
sobre ella a no haberla contenido su prima.

Así estaban las cosas. La atmósfera se hallaba cargada 10
de electricidad positiva y negativa; no faltaba más que un
leve contacto para que saltase la chispa.

Saltó una tarde en que Angelina, como otras veces, fué
a llevar el ganado a beber al río. Su tío y Telesforo estaban
en la vega, Griselda y Carmela en casa. Angelina se hallaba 15
siempre más propicia que su prima a salir con el ganado y
arreglarlo. Carmela era lo que en términos familiares lla-
mamos en España *costillona*, esto es, perezosa y un poquito
holgazana. Cuando podía echar sobre su prima una tarea no
dejaba de hacerlo. En vano su madre la reprendía. An- 20
gelina salía a su defensa y proclamaba que era ella quien,
por su gusto, se había prestado a efectuar el trabajo.

Esta tarde, después que el ganado había bebido, regre-
saba Angelina llevándolo por delante cuando en el camino,
solitario, tropezó con Sinforosa que venía con un cestillo 25
de avellanas en la mano. Al aproximarse, Sinforosa comenzó
a soltar carcajadas sardónicas, luego a decir en voz alta:

— ¡Ahí viene! ¡Miradla! Ahí viene la marquesita
pobre, la marquesita hambrienta que ha venido al Condado
a llenarse la barriga y descomponer las casas.   30

Angelina enrojeció de ira.

— Cállate, desvergonzada, o te arranco la lengua.

— ¿ Tú a mí, puerca chupona ?   Mira que no te la arranque yo a ti — respondió Sinforosa con la mayor insolencia, haciéndole frente.

— ¡ Ahora lo verás, miserable !

5 Saltó sobre ella como una fiera.   El choque fué terrible, pero Angelina, más corpulenta y centuplicadas sus fuerzas por la cólera, no tardó en derribarla.   Una vez en el suelo se montó sobre ella y comenzó a abofetearla furiosamente.

— ¡ Pide perdón, malvada !

10 — ¡ No !

— ¡ Pues toma, toma, toma !

Tantas bofetadas le dió, que al fin la pobre chica dijo:

— ¡ Perdón !

— ¿ Volverás a insultarme ?

15 — No.

— Pide perdón otra vez.

— ¡ Perdón !

— Ahora puedes levantarte.

Se levantó en efecto la pobre Sinforosa llorando, y llo-
20 rando recogió el cestito de las avellanas, pero no las avellanas, que quedaron esparcidas por el suelo, y llorando siguió su camino.   Angelina siguió el suyo riendo.   No rió mucho tiempo.

Cuando llegó al establo las vacas ya estaban delante de
25 él esperando que les abriese la puerta.   Angelina abrió, las puso a cada una su collar y las amarró al pesebre.   Hecho esto, no quiso entrar en casa y gritó a Griselda y Carmela, que estaban en la solana:

— Madre, voy a la vega a buscar a tío Juan y a Foro.

30 — Ya no estarán en la vega, porque pronto va a os-
curecer.   Tu tío tiene que ir a casa del cura, pero Forín estará para llegar.

— Voy a su encuentro.

A paso lento emprendió el camino. Desgraciadamente no fué a Telesforo a quien encontró, sino a la figura espantable del tío Atilano, que seguido de Sinforosa venía vociferando, soltando blasfemias y amenazas.

Angelina quedó yerta. Sus mejillas, sonrosadas, perdieron enteramente el color. Se juzgó perdida. El tío Atilano, al divisarla arreció con sus voces y amenazas.

— ¡ Ah, pícara ! ¡ Ahora verás cómo te arreglo yo, grandísima pendanga !

En aquel momento supremo en que ya se vió entre las garras de aquel bruto, Telesforo, como una aparición celeste, se presentó en el camino.

— ¡ Corre, Foro, corre, corre ! — gritó angustiosamente Angelina.

El chico, que escuchó aquellos gritos de agonía y vió la actitud del tío Atilano, corrió como una flecha y llegó a punto cuando aquél echaba mano a la pobre Angelina. Con arrebatado ademán le agarró por el cuello de la chaqueta y le arrojó a un lado. El tío Atilano se tambaleó sin caer.

— ¿ Qué iba usted a hacer, cobardón ? Si usted llega a poner la mano en mi prima, juro a Dios que le retuerzo el pescuezo como a una gallina.

— ¿ Tú no sabes que esta pícara acaba de pegar a mi Sinforosa ?

— ¿ Y su Sinforosa no tiene manos para defenderse ? ¿ Es que un hombre que tiene vergüenza pega a una mocita ?

El tío Atilano le echó una mirada de odio y de ira, y volviendo la cabeza dijo:

— Tan cochino eres tú como ella.

El mozo se puso pálido.

— Siga usted su camino, tío Atilano, porque si no mirase quc es usted un viejo le hacía escupir todas las muelas que le quedan en la boca.

El viejo se marchó vociferando, seguido de su hija, y 5 Angelina, con Foro, se volvieron a casa comentando el lance.

VII

47. La ira de aquel duro y menudo paisanuco fué creciendo: la enemiga entre ambas familias se hizo ostensible. Ninguno de la casa del tío Atilano saludaba a los de los Campizos. Juan y Griselda quedaron sorprendidos de tan repentina hostilidad; les parecía que no era motivo suficiente el rompimiento de las relaciones amorosas entre Telesforo y Sinforosa. Ellos también las veían con agrado y no hallaron plausible la conducta de su hijo; pero jamás se les ocurrió que estuviesen obligados a forzar su inclinación. Y cuando éste les hizo saber las razones que le movían a desistir de su noviazgo, los inocentes padres las creyeron y hasta las juzgaron bien fundadas. Estaban lejos de sospechar la verdadera causa.

Una tarde, después de comer, fué Angelina a llevar las vacas al prado de la Fontinica, donde aún quedaba bastante pación. Al salir de casa se le unió Telesforo.

— ¿ Dónde vas ? — preguntó Angelina con aspereza.

— Voy contigo a la Fontinica.

— Pues yo no quiero que vengas conmigo, ¿ sabes ?

— Es que mi padre me manda ver si han cortado un pie de fresno de la sebe como le han dicho.

— Puedes ir después que yo haya venido. No me gusta que me vean sola contigo.

— Pues antes contigo iba bastantes veces.

— Pues ahora ha cambiado el viento. Andan sueltas por ahí unas lengüecitas que cortan un pelo por el aire.[1]

---

[1] **Andan . . . el aire.** *There are some very sharp tongues wagging around here.* **Cortar un pelo por (en) el aire,** *to be very acute.*

— Si quieres yo te traeré una de esas lenguas, la que tú me mandes cortar.

Angelina soltó una carcajada.

— ¡ Qué burro eres Foro ! Anda, ven conmigo y que sea
5 la última vez.

Cuando llegaron al prado y metieron las vacas, Telesforo se puso a reconocer la sebe y exclamó furioso:

— ¡ No es un pie de fresno sino tres de castaño, los más guapos que teníamos ! Aquí anduvo la mano de ese perro.
10 — ¿ Qué perro ?

— El tío Atilano.

Descompuesto y colérico se puso a recorrer el prado. Al llegar a lo cimero de él dejó escapar una fea interjección.

— ¡ Mira, Angelina, mira lo que ha hecho ese ladrón !
15 Angelina se acercó corriendo, miró, pero nada vió de particular.

— ¿ Qué es ello ?

— ¿ Pero no ves que ese cochino ha cortado la zanja del regato y entra el agua a su prado, el agua que me per-
20 tenece ?

Angelina no comprendía. Telesforo le explicó que del monte venía un arroyuelo y que desde tiempo inmemorial esa agua pertenecía al prado de la Fontinica. En el verano el arroyo se secaba, pero en el invierno traía en ocasiones
25 demasiada agua. Cuando esto sucedía tapaban el agujero de la sebe y el tío Juan permitía que se regase un prado del tío Atilano, colindante con el suyo. Ahora que el agua venía escasa el tío Atilano se la había apropiado.

— Pero eso es de rabia y por venganza. Ahora lo que tú
30 debes hacer es echar a un lado ese montón de tierra, abrir de nuevo el agujero de nuestro prado y cerrar el suyo.

— ¡ Claro está ! — pronunció el mozo contemplando

inmóvil con los brazos caídos la obra del vengativo viejo —.
Pero es el caso que no he traído ni pala ni fesoria.

— Aguarda un poco. Voy yo a buscarte la fesoria en dos
saltos.

Y sin esperar contestación echó a correr prado abajo, 5
abrió la portilla y se lanzó por el camino hacia su casa.

Pocos minutos le faltaban para llegar a ella y pocos igualmente para venir con la fesoria. Mas antes de llegar al
prado oyó voces descompasadas; corrió y pudo ver allá en
lo alto a su primo disputando furiosamente con el tío 10
Atilano. Éste tenía en la mano una hoz. Telesforo nada
tenía en la suya.

Al tiempo de abrir la portilla vió con espanto que el tío
Atilano alzaba la hoz sobre su primo. Dió un grito pen-
sándole muerto. No fué así felizmente, porque el mozo se 15
lanzó sobre el viejo y éste en vez de herirle con el hierro de
la hoz, que le hubiera tal vez ocasionado la muerte, sólo le
tocó con el mango. Telesforo no cayó y revolviéndose
como un león arrancó de las manos del viejo la hoz y le dió
con el palo tan gran golpe que éste vino al suelo. Cuando 20
jadeante llegó Angelina, se hallaba tendido sin conocimiento.

— ¡ Dios mío, qué desgracia ! — exclamó juntando las
manos —. ¿ Le habrás matado, Foro ?

— No lo creo. Pero ese cochino me hubiera matado
a mí si no ando listo [1] — profirió con rabioso acento el mozo 25
mientras se limpiaba la sangre que le corría por la cara —.
Grítales a Joaco y a Telva que están ahí cerca, para que
vengan.

Angelina corrió otra vez abajo y llamó a grandes voces a
aquellos vecinos que trabajaban en un prado no muy lejano. 30

---

[1] **si no ando listo.** See note 1, p. 44. The condition contrary
to fact would regularly call for **hubiera (hubiese) andado.**

Acudieron éstos y socorrieron al tío Atilano, echándole
agua a la cara y limpiándole la sangre, que también le
corría por ella. A los pocos instantes recobró el conocimiento. Al abrir los ojos, todavía echó una mirada de
5 concentrado odio a Telesforo y murmuró una blasfemia.
Éste se alejó alzando los hombros y profiriendo otra pare-
cida.

Entre Joaco, Telva y Angelina alzaron al viejo que no
podía tenerse en pie o por lo menos lo aparentaba; Joaco
10 dijo:

— Tengo el carro en el prado. Vamos a llevarle hasta el
camino y lo pondremos en él.

Casi en volandas lo bajaron hasta el camino. Joaco
trajo el carro, le echaron en él y se encaminaron al pueblo.
15 Angelina se apartó antes de llegar. Sólo el matrimonio de
Joaco y Telva le acompañaron y le dejaron en su casa.

Angelina y Telesforo se fueron a la suya. Griselda se
asustó al ver la sangre de su hijo, pero no tardó en tran-
quilizarse al cerciorarse de que la herida no tenía impor-
20 tancia y le hicieron saber de qué peligro había escapado.
Angelina subió por el frasco del árnica, que siempre tenía
a prevención, le lavó la herida, le puso una compresa y le
vendó la cabeza. Mientras estas operaciones se ejecutaban
las lenguas no estaban quietas. Sólo el tío Juan permanecía
25 grave y silencioso ocultando su indignación.

— Les digo en verdad — exclamaba Angelina — que
cuando vi al tío Atilano alzar la hoz, creí muerto a Foro y
di un grito muy grande.

— ¡ Ya lo creo que me hubiera matado si no me echo
30 a tiempo sobre él !

— ¡ Que asesino ! — exclamaba Carmela —. ¡ Nada menos que con la hoz !

— Es que si yo llego a tener la fesoria en la mano no le doy tiempo a levantar la hoz, porque se la encajo antes sobre la cabeza.

— Dios no lo ha querido, hijo mío — dijo Griselda —. ¿ Qué hubiéramos adelantado con que hubiese una des- 5 gracia ?

— ¡ Qué paisanuco villano ! — rugía todavía encolerizado Telesforo, mientras su prima le curaba —. ¡ Qué puerco, qué traidor ! Siempre dije yo que ese piesco invernizo era más malo que un dolor de costado a media noche. 10

— Pues tú bien le querías para suegro — dijo Griselda riendo.

— Y ustedes, madre, también le querían para consuegro.

— Tienes razón, hijo. No estaba de Dios y debemos alegrarnos. 15

48. Cenaron, comentando prolijamente el lance, rezaron después el rosario, y ya se disponían todos para ir a la cama, cuando llamaron a la puerta con fuertes golpes. Carmela corrió asustada a abrir y entre la sombra vieron brillar los tricornios charolados de los guardias civiles. 20

— ¿ Es esta la casa de Juan Quirós ? — preguntó uno de ellos.

— Servidor — dijo Juan adelantándose.

— Hola, tío Juan, ¿ cómo va esa salud ? — preguntó uno de ellos con acento cordial. 25

— Muy bien, y ¿ usted, cabo ? — respondió Juan —. ¿ Qué le trae a usted por aquí ?

Ambos se conocían de antiguo. El tío Juan era un paisano estimado en todo el concejo.

El cabo, bajando la voz y en tono misterioso: 30

— ¡ Nada entre dos platos ! [1] . . . Un chascarrillo que no

---

[1] ¡ **Nada entre dos platos** ! *Much ado about nothing!*

tiene importancia. Creo que su hijo ha pegado un palo a
un paisano de aquí del Condado. Al parecer ha dado parte
y el señor juez me ordenó que le llevase detenido ... Pero
no se asuste usted, porque según me han dicho la herida del
5 paisano no vale un ochavo.

— ¡ Y él vale menos todavía ! — pronunció sordamente
Juan —. Pero pasen ustedes.

Griselda, Carmela y Angelina muy sobresaltadas y
pálidas. Telesforo permaneció impávido y sonriente.

10 Los guardias entraron y se mostraron afectuosos y cordiales en grado sumo, procurando de todas maneras tranquilizar a las mujeres. Aquello no valía nada. Suponían
que al día siguiente en cuanto se tomase declaración al chico
volvería a casa.

15 Pero Griselda y Carmela lloraban. Angelina seguía pálida, pero no lloraba. El tío Juan ofreció a los guardias un
vaso de vino, que no aceptaron.

— ¿ Es que yo puedo acompañarle ? — preguntó.

— ¿ Por qué no ? Nada hay que lo impida.

20 — Madre, déme el capote — profirió Angelina —. Yo
le acompaño también.

Griselda y Carmela levantaron la cabeza sorprendidas.

— ¿ Tú le acompañas ?

— Sí; yo le acompaño, déme el capote.

25 — ¡ Bien por la mocita madrileña ! — exclamó el
cabo.

Carmela fué por el capote. Griselda se lo echó encima
de los hombros, llorando y besándola.

— Dios te lo pague, hija mía, vales más que nosotras.

30 — En marcha cuando usted guste, cabo — pronunció
en alta voz Angelina —. No te asustes Forín; esto no será
nada.

— ¿ Cómo me he de asustar viéndote a ti ? — dijo el
mozo riendo.

— ¿ Pero es que estás herido tú ? — le preguntó el cabo
reparando en la venda que traía.

— Sí; está herido y tanto quizá como ese ruin paisano 5
que quiso matarle — profirió Angelina con rabioso acento.

— Entonces no tengan ustedes cuidado alguno. Hasta
mañana, tía Griselda. En marcha.

Los guardias, con Juan, Telesforo y Angelina salieron al
camino. Griselda se abrazó a su hijo y le besó sollozando. 10

— ¡ Ánimo, madre, no hay cuidado ! — le gritó Angelina.

La noche estaba húmeda, el cielo encapotado, llovía a
ratos esa agua menuda que en Asturias llaman *orbayo*.
Marchaban delante los guardias con Juan, relatándoles
éste lo sucedido. Detrás caminaban Angelina y Telesforo. 15
De vez en cuando Juan se volvía.

— ¿ Verdad, Angelina, que fué así ?

Y Angelina confirmaba y daba detalles. El cabo opinaba
que todo aquello era una treta del tío Atilano, quien se había
metido en la cama fingiéndose mal herido para encarcelar a 20
Telesforo. Porque ese paisanuco me parece que es un zorro
de primera, ¿ sabe usted, tío Juan ?

— ¡ Ya lo creo que es un zorro ! — corroboraba Juan.

— ¡ El zorro más fino de todo el concejo ! — exclamaba
Telesforo, que había oído al cabo.   25

— Calla tú, déjalos hablar a ellos — le ordenó Angelina
imperiosamente en voz baja.

Así llegaron hasta la Pola. Se dirigieron a la cárcel. Allí
el cabo hizo entrega del preso al alcaide, el cual, amigo también de Juan, les recibió bromeando sin dar importancia al 30
asunto. Los guardias se retiraron. Juan habló todavía
unos instantes con el alcaide recomendándole a su hijo,

mientras éste y Angelina se despedían. Ella estaba muy pálida, pero fingiendo gran serenidad.

— Bueno, hasta mañana. No tengas cuidado, Forín. Mañana vendremos a verte y a declarar la verdad delante del juez — decía Angelina con acento afectadamente tranquilo.

Pero cuando salieron a la calle se arrimó a un árbol y estalló en sollozos. El tío Juan quedó asombrado.

— ¿ Qué te pasa, Angelina ?

Tardó mucho en contestar. Al fin dijo que le había costado esfuerzos increíbles el retener las lágrimas delante de Telesforo y que este esfuerzo le había hecho mucho daño. Se sentía mal. Juan la llevó a la taberna de su prima Engracia y allí la sirvieron una taza de tila. Engracia estuvo con ella cariñosísima. Sentía gran predilección y simpatía por aquella chica, que la llamaba su tía sin serlo, pues no era prima de Juan, sino de Griselda. Se mostraba tan halagada con este nuevo parentesco, que cuando se refería a ella decía siempre: « Mi sobrina Angelina.» Ahora, después de hacerle beber la tila, se empeñaba en darle y se llevase [1] cuanto tenía a mano, confites, una botellita de anisete, un frasco de colonia. Angelina no se llevó más que unos dulces.

Una vez que se hubo serenado, tío y sobrina emprendieron la vuelta del Condado. Al entrar en casa hallaron a Griselda llorando todavía. Carmela se había ido a la cama.

Al día siguiente por la mañana se presentó en la casa el alguacil del Juzgado citando a Angelina como testigo. Debía presentarse en el Juzgado a las dos de la tarde. También fueron citados Telva y Joaco, aquellos vecinos que llevaron al tío Atilano en su carro.

---

[1] Supply **que.** **y (que) se llevase,** *and that she take along*

Fué a la Pola acompañada de su tío Juan y Carmela. Antes que a ella se tomó declaración a Telesforo, el cual relató la escena y exhibió su herida en la cabeza. Angelina, único testigo del lance, declaró lo que había pasado con tal claridad y tan concertadas palabras, que el juez, un andaluz 5 recién llegado a la Pola, le dijo sorprendido:

— ¡ Niña, qué bien te explicas ! No pareces una aldeana.

— Pues soy una aldeana — replicó ella con graciosa resolución.

Pero el escribano se inclinó al oído del juez y sin duda le 10 enteró en pocas palabras de quién era, porque aquél desde entonces la trató con mucha más consideración.

También declararon Joaco y Telva, pero ningún nuevo dato aportaron. Por último informó don Jerónimo, el médico, quien manifestó que había sido llamado por el 15 tío Atilano de la Vega, y que reconociéndole escrupulosamente no había hallado más que una herida externa de carácter leve y alguna conmoción cerebral que pronto había desaparecido. Don Jerónimo, como todo el mundo en el concejo, estimaba mucho más a Juan Quirós que al tío 20 Atilano.

En vista de estas declaraciones el juez mandó poner en libertad a Telesforo. Angelina abrazó a su primo con lágrimas de alegría, lo mismo que el tío Juan y Carmela, que la habían acompañado. Los tres y Telesforo dieron pronto 25 la vuelta al Condado, pues sabían la impaciencia con que les aguardaba Griselda.

Antes de acercarse a la casa, Angelina ya gritaba:

— ¡ Madre, madre, traemos a Forín libre !

Griselda salió corriendo; se abrazó a su hijo y a poco se 30 desmaya.[1] Telesforo afirmaba que debía su libertad a la

---

[1] See note 1, p. 44.

declaración de Angelina.   Toda gloria le pareció pequeña
para echarla sobre la cabeza de aquella prima a quien adoraba y que pensaba hacer suya para siempre.

   Desgraciadamente un suceso imprevisto convirtió en
5 humo sus ilusiones y dió al traste con aquel tierno idilio.

PRESTO FINALE

I

49. Dormitaba Angelina, según su costumbre, después de comer, bajo un árbol de la pomarada, cuando su prima Carmela la despertó con altas voces.

— Angelina, Angelina.

Se incorporó vivamente.

— ¿ Qué ocurre ?

— Un señor pregunta por ti.

— ¿ Un señor ?

— Sí, aquí está.

Angelina se puso en pie de un salto y se halló frente a frente de Gustavo Manrique, quien despojándose del sombrero e inclinándose profundamente le preguntó en tono respetuoso:

— ¿ Cómo sigue usted, Angelina ?

Ésta cambió de color varias veces en pocos instantes y no contestó.

— No es necesario preguntar por su salud, porque las rosas de su cara la están proclamando admirablemente — insistió el caballero volviendo a doblar el espinazo.

Vestía Manrique un elegante traje de equitación, ancho sombrero de fieltro, botas altas de piel de ante, espuelas doradas y un latiguillo en la mano. Su figura era gallarda, como siempre, pero su rostro estaba un poco más ajado. Así pudo advertirlo Angelina, a pesar de su estupefacción.

Viendo que no despegaba los labios, Manrique dirigió una mirada a Carmela, quien comprendiendo lo que significaba se alejó.

Manrique se acercó efusivo, sonriente, tendiendo ambas

manos a la joven, que permanecía inmóvil como una estatua, mirándole fijamente.

— ¡ Pero, Angelina, qué gozo tan grande, qué inmenso placer el hallarte de nuevo y verte más hermosa que nunca !

5 Entonces Angelina se irguió soberbia con los ojos llameantes de indignación.

— Caballero, el que yo sea una pobre aldeana no creo que dé a usted derecho para tutearme.

El rostro de Manrique se cubrió de tristeza.

10 — ¿ Pero qué estás diciendo, Angelina ? ¿ Es posible que así hables a tu Gustavo, a tu prometido ?

— ¡ Mi prometido ! — exclamó Angelina con acento sarcástico —. Un caballero tan encopetado no puede ser el prometido de una pobrecilla aldeana.

15 — ¿ Pero olvidas, Angelina, en un instante, nuestro amor, el lazo que nos une y que muy pronto debía ser indisoluble ?

— ¡ Más pronto lo has olvidado tú ! — profirió ya furiosa la joven clavándole una mirada de ira.

20 Luego, con fingida tranquilidad y tono displicente:

— Mira, Gustavo, sigue tu camino como yo sigo el mío. No es fácil que nos encontremos.

Y al decir esto le volvió la espalda.

— ¡ Pero Angelina — clamó Manrique —, cómo había de 25 esperar tal recibimiento después de lo que por ti he llorado y sufrido !

— ¿ Que has llorado y sufrido por mí ? ¿ No sientes vergüenza al pronunciar tal embuste ?

— Dios es testigo de que digo la verdad. Cuando me 30 dieron la noticia de que tu padre había desaparecido repentinamente de Madrid, llevándote consigo a la isla de Cuba, sentí como si el cielo se desplomase sobre mí, quedé yerto, pensé volverme loco y poco faltó para que me diese un tiro.

Angelina le contempló un instante en silencio.

— ¿ Y mi carta ?

— ¿ Qué carta ?

— La que te escribí al día siguiente de llegar a este pueblo.

— Yo no he recibido ninguna carta — respondió Manrique abriendo mucho los ojos.

Angelina le contempló otra vez en silencio.

— Pues iba certificada.

— No puede scr.

— Sí puede ser. Conservo aún el recibo de la estafeta.

Manrique pareció muy sorprendido y permaneció unos momentos confuso cual si no pudiese articular palabra.

— ¡ Ah, sí ! — exclamó al fin —. ¡ Ya comprendo ! Al día siguiente de tu desaparición misteriosa me sentí tan agobiado, tan deshecho, que temí caer enfermo, y entonces se me ocurrió tomar el tren y refugiarme en mis tierras de Galicia, donde permanecí cerca de un mes. Por eso, sin duda alguna, esa carta de que me hablas no ha llegado a mis manos.

Angelina se mantuvo inmóvil mirando al suelo, mientras Manrique la contemplaba con ojos ansiosos. Al fin dijo cual si hablase consigo misma:

— Es bien extraño.

— No; no es extraño. Yo llevé conmigo a mi criado, y quedando cerrada la casa, y sin haber dicho a nadie dónde iba, fácil es que la carta se haya quedado en Correos. De todos modos, cuando regrese a Madrid haré gestiones para encontrarla . . . aunque después de año y medio no es fácil que eso suceda ... Pero por Dios, Angelina, no me supongas capaz de tal vileza, no me pongas esa cara de inquisidor, no disipes el gozo infinito que ahora siento al volver a verte, no oscurezcas el radiante sol que brilla sobre mi existencia.

5 Angelina se dulcificó:

— Veo que sigues tan poético y romántico como siempre — dijo sonriendo —. Hace ya mucho tiempo que no sonaban en mi oído esas palabritas cortesanas, y si he de confesarte la verdad no las echaba de menos. Si te he olvidado, 10 Gustavo, comprende bien que he tenido razón para ello. La carta que te he escrito iba de tal modo, que solamente un hombre sin corazón, sin honor y sin vergüenza podía dejarla sin contestación.

— Supongo, Angelina, que no me tendrás por tal — 15 profirió fogosamente Manrique llevándose la mano al pecho.

— Si te tuviera no cruzaría contigo una palabra más y te haría salir de aquí inmediatamente.

— Pues entonces, Angelina, que yo te vuelva a ver 20 risueña, alegre y confiada en tu Gustavo. Dame tu mano en señal de inalterable cariño, y para desagraviarme del horrible recibimiento que acabas de hacerme.

Angelina extendió su mano y Manrique la besó apasionadamente.

25 — No besas la mano suave y perfumada de una señorita — dijo la niña sonriendo maliciosamente —, sino la de una aldeana endurecida por los trabajos del campo.

— ¿ Y qué importa ? Esta mano suave o áspera empuñará pronto el cetro de la elegancia en la alta sociedad 30 madrileña; volverás a ser, Angelina mía, la estrella Sirio [1]

---

[1] **Sirio.** *Sirius*, of the constellation *Canis Major* (Greater Dog), also called the Dog Star — the brightest star in the heavens.

de los salones. Porque aunque mi fortuna es modesta, todavía me ha de permitir adornarte como mereces.

Angelina se encogió de hombros y dijo con displicencia:

— Todo eso me tiene sin cuidado. He perdido en este tiempo el gusto de la elegancia y de los salones. ¿Ves cómo visto ahora? Pues estoy contentísima con este traje.

— Y debes estarlo, porque te sienta a maravilla. No puedes figurarte lo preciosa que estás... Pero ya cambiarás de gusto, tu corazón volverá a latir de nuevo por los aplausos de los salones y las lisonjas del tocador, como canta la tiple en una zarzuela antigua.

— Lo dudo... Pero en fin, lo importante para mí es el saber que no has sido un miserable y un ruin, como había pensado, que te hayas mantenido fiel y constante...

— ¡ No lo dudes, Angelina !

— Bien, pues no lo dudaré. Por hoy es bastante. Tengo mucho que hacer..., no delante del tocador — añadió maliciosamente — sino delante de las mazorcas que voy a desgranar.

— ¿ Me permitirás que venga a verte ?

— Sí; puedes venir a esta misma hora.

— Pues hasta mañana, preciosa mía.

— Hasta mañana, Gustavo.

El caballero elegante se alejó sin que Angelina diese un paso para ir a despedirle. Permaneció inmóvil contemplándole y cuando le perdió de vista volvió tranquilamente a sentarse bajo el árbol donde estaba.

Carmela, excitada su curiosidad, vió al forastero montar en un soberbio caballo alazán que había dejado amarrado a uno de los árboles del camino y alejarse rápidamente. Después entró de nuevo en la pomarada y silenciosamente vino a sentarse al lado de su prima. Al cabo de unos instantes preguntó en voz baja:

— ¿Es tu novio, verdad?

— Sí, es mi novio — repondió Angelina en voz baja también.

— ¿El mismo a quien has escrito al llegar aquí?

— El mismo.

— ¿Y por qué no te ha contestado?

— No recibió la carta.

— Pues iba certificada.

— Al parecer se había marchado de Madrid al día siguiente de mi salida.

Calló Carmela y calló también Angelina. Al cabo de un largo rato aquélla murmuró tristemente.

— ¡Pobre Foro!

Angelina se estremeció y tardó en despegar los labios. Al cabo dijo:

— No te puedes figurar, Carmela, el dolor que siento pensando en tu hermano, porque le quiero entrañablemente... Pero hay cosas en este mundo que no tienen remedio. Ese hombre que acaba de irse era mi novio, mi prometido, teníamos señalado ya el día en que debía realizarse nuestro matrimonio. Tú comprenderás que lazos como éste no se desatan fácilmente. Nosotras, las mujeres, cuando entregamos el corazón lo entregamos para siempre, si el hombre a quien lo hemos entregado ha sido de nuestro gusto... Y éste lo ha sido.

— Lo entiendo, Angelina, lo entiendo — murmuró Carmela.

Ambas tenían la cabeza baja y no se miraban. Carmela la levantó y mirando cara a cara a su prima le preguntó:

— ¿Estás bien segura de que no ha recibido tu carta?

Angelina se estremeció de nuevo y tardó en contestar.

— Si no lo estuviese no le miraría a la cara.

Después, alzándose bruscamente exclamó en voz alta:

— ¡ En fin, Dios dirá ! Vamos a deshacer ese poco de maíz para llevarlo al molino.   5

II

50. Los marqueses de Campollano, próceres asturianos, habitaban un viejo palacio situado en una de las calles más viejas del viejo Madrid. El marqués era un gigante bonachón; la marquesa una beata desmirriada, a quien por su
5 intolerancia en todo lo referente a las creencias y al culto, los mismos aristócratas sus amigos le habían puesto por mote *La Previa Censura*.[1]

Se hallaban ambos tomando café después del almuerzo en un oscuro, vetusto gabinete de su lóbrega mansión y les
10 acompañaba nuestro antiguo conocido Gustavo Manrique, pariente suyo. Aunque el marqués era asturiano, la marquesa procedía de Galicia y era prima hermana de la madre, ya difunta, de Manrique. Éste les trataba con respetuosa intimidad y es posible que abrigase alguna esperanza de
15 heredarles, pues no tenían hijos. [p. 286]

El criado anunció a fray Atanasio González, hermano del cardenal del mismo apellido. Lo mismo el marqués que la marquesa le recibieron con espasmos de alegría.

Era fray Atanasio el reverso de su hermano el arzobispo.
20 Tanto como éste parecía a todo el mundo adusto, silencioso, severo, tanto fray Atanasio se mostraba locuaz, alegre y campechano, hombre de buena sociedad. Ambos hermanos habían residido la mayor parte de su vida en las islas Fili-

---

[1] *La Previa Censura*. Censorship, first established in Spain by decree of Ferdinand and Isabella, July 8, 1502. It designated the authorities empowered to censor matter for publication and provided penalties for violation of its provisions — books to be burned in public, loss of all receipts from sales and a fine equal to the value of the books. It was abolished by the Cortes of Cádiz, November 10, 1810.

pinas como religiosos dominicos. Por eso se le llamaba fray
Atanasio, aunque a la sazón era canónigo de la catedral de
Oviedo.

Después de los saludos y enterados minuciosamente de la
salud del cardenal, la conversación recayó sobre Asturias, 5
adonde fray Atanasio debía regresar muy pronto. El
marqués era un asturiano rabioso: para él no había otra
región ni más bella, ni más rica, ni más alegre, ni donde los
habitantes fuesen más cordiales e ingeniosos. Hablaba de
su tierra como el desterrado que suspira por ella. La 10
marquesa, cuya parentela residía en Galicia, le arrastraba
todos los veranos a Pontevedra. Aunque profundamente
contrariado no se atrevía a poner reparos a los planes de *La
Previa Censura*. Poseía una gran casa solariega en Asturias
y de allí procedían casi todas sus rentas, en particular de los 15
valles de Langreo y Laviana.

— ¡ Cómo le envidio a usted, querido fray Atanasio !
¡ Qué bien se pasa en aquel país !

— Pues aunque usted se ofenda, querido marqués, le
diré que se pasa mucho mejor en Madrid.   20

— ¡ Ande usted allá, mal asturiano ! ¡ Parece mentira
que haya usted nacido en aquel pueblecito de Villoria, tan
pintoresco y donde se cría el talento !

— Lo de pintoresco sólo es verdad por el verano, pues
durante el invierno no hay quien pueda verlo, y lo del 25
talento le diré en confianza que un ingeniero que acaba de
estar allí asegura que no quedan más que borricos, porque
todo el talento se lo ha llevado mi hermano Ceferino.

Rió el marqués de buen grado y le secundó fray Atanasio.

— ¡ No tanto, no tanto, fray Atanasio ! Yo he conocido 30
paisanos de Villoria muy despiertos.

— ¡ Y muy zorros ! — exclamó la marquesa.

— Son astutos, un tanto socarrones, pero muy avispados
¿ verdad, fray Atanasio ? Y cuando salen de aquel rincón
saben abrirse paso en el mundo. No hay más que recordar
a su paisano Antón Quirós, que logró ser en Madrid una
5 potencia financiera, aunque el vicio de la especulación le
haya precipitado en la ruina.

Fray Atanasio soltó una carcajada.

— ¿ De que se ríe usted, querido ?

— Me río, porque, a Dios gracias, no ha habido tal ruina.
10 Todo ha sido una comedia fraguada entre él y mi hermano
el cardenal.

— Explíquese usted, amigo.

Entonces fray Atanasio le informó por menudo de cuanto
había sucedido. Cómo la hija única de Quirós, caprichosa,
15 fantástica, neurasténica, había llegado a tal grado de anemia
que se temía por su vida. El padre, desesperado, consultó
con el cardenal, y éste le aconsejó que la hiciese aldeana para
robustecerla, que la enviase a Laviana fingiéndose arruinado
y la obligase a trabajar en el campo. Quirós aceptó el pro-
20 yecto y se marchó a la Habana. La niña, convencida de
que era una pobrecita, recogida por caridad en casa de unos
tíos, se resignó a trabajar la tierra, y en poco tiempo se hizo
una verdadera campesina, con la salud y la fuerza que éstas
suelen tener.

25 — Figúrense ustedes que la niña, que pesaba en Madrid
poco más de cuarenta kilos, según mis noticias pesa ahora
setenta, y es una verdadera moza de cántaro.

Los marqueses, que estimaban a Quirós, quedaron tan
asombrados como complacidos.

30 — La verdad que la audacia de ese hombre es algo increíble.

— ¡ Dios le ha recompensado ! — exclamó la marquesa

—. Yo imagino que ese magnífico resultado se debe en gran parte a las oraciones del cardenal.

— ¡ Y a las agallas del cardenal ! — exclamó fray Atanasio riendo —. Mi hermano no parece formado de carne y hueso, sino de piedra y ladrillo. A los seis meses de hallarse en Cuba Quirós, sabiendo que su hija estaba mucho mejor de salud, decidió volver a España, pero mi hermano le retuvo con tan enérgicas palabras que allá se quedó. Uno de estos días me parece que debe embarcar para España.

— ¡ Qué alegría la de su hija al verse de nuevo rica !

— ¡ Riquísima !

— Parecc que es un capital enorme el de Quirós.

— Mayor que antes, porque en este tiempo, según me han dicho, ha hecho un negocio colosal con las acciones de un ferrocarril que había comprado a la par y vendió a trescientos.

— El dinero trae el dinero — dijo la marquesa.

— Hoy se le calculan a mi paisano unos diez millones de pesos.

— ¡ Buen bocado ! — dijo el marqués.

— Pero ese hombre es un *nabab*.

— Es un *nabab* con los gustos de un paisano. Come, viste y duerme como un menestral. Tiene coches y caballos y jamás monta en ellos, tiene criados y se sirve él mismo, se cepilla su ropa y se limpia las botas. Hasta me han dicho que cuando necesita agua va a la cocina por ella.

— ¿ Entonces para qué diablos le sirve el dinero a ese hombre ? — exclamó riendo el marqués.

— Le sirve de entretenimiento. Es una afición como la de los coleccionistas, es un numismático a su manera. A usted, marqués, le da por las monedas antiguas y a él le da por las nuevas.

— ¡ Hombre, tiene gracia eso ! Me parece más práctica su afición que la mía.

— ¿ Y dice usted que viene pronto ? — preguntó la marquesa.

5 — Si no está ya embarcado, debe embarcar en seguida.

Pocas más palabras hablaron del asunto. La conversación se encarriló por otros senderos, y fray Atanasio, siempre ingenioso y locuaz, les entretuvo largo rato. Al fin se despidió, anunciando que partía al día siguiente para 10 Oviedo.

Manrique no permaneció mucho más tiempo con sus parientes. Mientras habló fray Atanasio había sido todo oídos, no perdió una sílaba. Quedó tan pensativo y preocupado que su tía lo advirtió.

15 — Qué serio estás, Gustavito. ¿ Te sientes mal ?

— Un poquito me duele la cabeza. Me parece que hoy no voy al Real, aunque es mi turno.

— Harás bien en acostarte temprano.

Se despidió, besando ceremoniosamente la mano a su tía 20 y estrechando la del marqués.

Antes de poner el pie en la calle tenía ya trazado su plan.

III

51. Así que llegó a casa arregló su maleta, metiendo lo necesario para unos días, dió algunas instrucciones a su criado, envió por una guía de ferrocarriles y bien enterado de la salida del tren de Asturias, cuando llegó el momento avisó un coche de punto, montó en él y se trasladó a la estación del Norte. 5

Al llegar de mañana a Oviedo, cuando hubo descansado y vestido adecuadamente, preguntó por el edificio del Gobierno Militar y allá encaminó los pasos. La única persona de importancia que recordaba conocer en la ciudad 10 era el general Suárez, comandante general de la provincia. Aunque había entre ellos alguna diferencia de edad se tuteaban, eran muy amigos, camaradas del Casino y asiduos tertulianos.

— ¡ Gustavito, tú por aquí ! — exclamó el general —. 15 ¿ Qué viento te trae ?

— Aquí me tienes en tus dominios, querido Manolo, aunque presumo que no será por muchos días. En Oviedo no me detendré más que el día de hoy. Mañana debo partir para un concejo de la montaña llamado Laviana, donde mi 20 padre tenía unas fincas rústicas, que se han trasconejado, y voy a ver si las recupero.

El gobernador, encantado de aquella visita, le convidó a almorzar. Charlaron por los codos y bebieron una razonable cantidad de cognac. 25

— Oye, Manolo, ¿ tú podrías proporcionarme un caballo ?

— ¿ Y cómo no, querido ? Te llevarás el mío.

— No puedo aceptar. Pienso permanecer algunos días en Laviana y no voy a privarte de montura ese tiempo.

— No te preocupes, puedes permanecer el tiempo que quieras; tengo dos caballos y los dos son buenos.

5 — Pues un millón de gracias.

Aquella noche durmió Manrique en la fonda de Oviedo. Por la mañana le envió el general su caballo y un mozo o peatón que se encargó de llevarle la maleta a Laviana.

— Señorito, sin correr nada puede usted llegar a Laviana 10 en tres horas. Yo tardaría algo más.

Así sucedió, como el peatón le había anunciado. Llegado a la Pola se alojó en la única casa de huéspedes que allí había, llamada de Zapico, almorzó, se vistió su lindo traje de equitación y preguntando a unos y a otros llegó hasta el 15 lugarcito del Condado.

Menos trabajo de lo que él temía le costó engañar a la inocente Angelina. Sin embargo, como en el fondo de aquella alma podían quedar algunos átomos de desconfianza, se dió tan buena maña, que en los días sucesivos 20 logró disiparlos. Era hombre experto, se mostró rendido, cariñoso, guardándole toda clase de consideraciones y respetos. Angelina era un pajarito asustadizo, y como la conocía se guardaba de tomarse con ella libertades. Únicamente de vez en cuando se autorizaba el besarle la mano, 25 lo cual producía siempre risa a la niña.

— Mira que te vas a pinchar los labios. Es una mano de labradora.

Todas las tardes venía al Condado, amarraba el caballo y entraba en la pomarada, donde le aguardaba Angelina. 30 Pero ésta no le consentía más de media hora de charla; pretextaba que tenía mucho que trabajar, pero en realidad era el respeto de sus tíos lo que la obligaba a tan severa consigna. Manrique saludaba a éstos, cuando los hallaba al paso, llevándose la mano al sombrero, pero sin dirigirles la palabra.

Carmela les había dicho quién era aquel sujeto, y como no tenían noticia alguna de los sentimientos de su hijo, nada les molestaban aquellas, al parecer antiguas relaciones, de su sobrina, reservándose, no obstante, el derecho de escribir a su padre preguntándole su opinión acerca de ellas. En cuanto a Telesforo, aquello fué una verdadera desdicha. El pobre chico, enamorado ciegamente de su prima, andaba huído por los rincones como un animal herido. Más de una vez le encontró su hermana llorando. Cuando casualmente se encontraba de frente con Manrique, la aversión le salía de tal modo a los ojos, que éste no pudo dudar que tenía en él un rival y le pagó en la misma moneda. Si a sus padres les saludaba con señoril condescendencia, al chico le dirigía siempre una mirada desdeñosa, volviendo la cabeza.

A pesar de su habilidad y experiencia estuvo a punto de dar un traspié con la misma Angelina. Se mostraba exageradamente compasivo por lo que ésta había debido sufrir. Ella rechazaba enérgicamente tal compasión.

—Mira, Gustavo, no hay motivo para tanto compadecerme. He vivido y vivo en esta aldea admirablemente bien. Más razón tendrías al compadecerme en Madrid, donde apenas tuve un día feliz. Desde que llegué aquí mis gustos cambiaron por completo. Hoy soy otra Angelina distinta de la que tú has conocido. Me encantan los montes, los prados, los árboles, gozo viendo las vacas pacer y a los terneros mamar, bailando y gritando en las romerías. Me agradan las canciones de los aldeanos y hasta me gusta el chirrido lejano de los carros. La corriente del río suena en mis oídos como una música deliciosa que me refresca el

alma. En este mismo sitio en que ahora nos hallamos aca-
riciada por la brisa, aspirando el aroma del heno, tumbada
bajo un pinar me quedo muchas veces cuajadita y duermo
como una santa. Ya ves que lejos de compadecerme hay
5 razón para envidiarme. Pues todavía a más de esto, el
cariño de mis tíos y mis primos llena tanto mi corazón, que
no lo cambiaría por todos los tesoros de la tierra.

Manrique escuchó este discurso sonriendo irónicamente.

— ¿ Quieres que te diga, Angelina, por qué lo encuentras
10 todo aquí tan hermoso ? Pues por una razón muy sencilla,
porque aquí gozas de una salud de que en Madrid carecías.
La salud, sólo la salud barniza de color de rosa los objetos
que miramos.

— Tal vez sea cierto, pero como ha querido Dios que
15 así haya pasado y yo me encuentro aquí admirablemente,
me molesta que me prodigues tanta compasión, y te ruego
que no lo hagas porque pudiéramos reñir y yo no tengo ganas
de reñir contigo.

— ¡ Ni yo contigo, mi dulce Angelina !

IV

52. Sólo diez días habían transcurrido desde la llegada
de Manrique, cuando se recibieron en el Condado dos cartas
de la isla de Cuba, una dirigida a Juan Quirós y otra a su
sobrina Angelina. La primera decía:

« Querido hermano: Ha llegado, gracias a Dios, el 5
momento de descubrirte la verdad. Yo no he estado jamás
arruinado. He fingido estarlo para salvar a mi hija de una
muerte cierta. Siguiendo los consejos de quien sabe más
que yo, la envié contigo para que se creyese pobre y tra-
bajase y se alimentase como vosotros. El resultado ha sido 10
sorprendente, puesto que mi adorada hija goza de perfecta
salud; se ha transformado por completo y se manifiesta más
alegre y feliz que nunca lo ha sido. A Dios y a vosotros debo
esta dicha tan grande. Adjunto una letra importante
pesetas veinte mil contra la casa Herrero de Oviedo. 15
Cuando llegue a ésa tendrás veinte mil duros más por lo bien
que os habéis portado con mi querida niña. Dentro de pocos
días pienso embarcar para la península. Hasta que nos vea-
mos pues te abraza tu agradecido hermano

Antonio. » 20

La segunda decía:

« Mi queridísima hija: He hecho contigo una prueba bien
dura y aun puede afirmarse peligrosa, que afortunadamente
ha dado felices resultados. Yo no he perdido mi dinero,

pero tú estabas perdiendo la vida y a pesar de mi riqueza no podía salvarte. Una persona de gran respeto me aconsejó enviarte a la aldea para que hicieras una vida campesina. Para eso me fué preciso fingirme arruinado y que te creyeses
5 pobre. Estás salvada, hija mía y eres rica, muy rica, más rica de lo que tú puedes imaginarte. Dios ha recompensado el sacrificio que hice de tenerte lejos de mí tanto tiempo. Alégrate pues. El porvenir se te presenta de color de rosa. Dentro de pocos días embarcaré para España. Muy pronto
10 si Dios quiere tendrá la dicha de estrecharte entre sus brazos tu amante padre

Antonio. »

Puede calcularse el efecto que estas dos cartas produjeron en la vivienda de Juan Quirós. Fué antes estupefacción
15 que alegría. No podían darse cuenta de la realidad, les pareció al principio que aquellas cartas eran mentira, que algún bromista las había escrito, las leían, las releían, miraban el sobre por ver si llegaban realmente de la Habana.

Cuando al fin, cotejada bien la letra de Quirós con la de
20 otras cartas, se convencieron de que eran auténticas y que la letra de veinte mil pesetas presentaba todas las señales de legitimidad, Carmela estalló en gritos de alegría abrazando y besando a su prima que, más asustada que alegre, se dejaba acariciar pasivamente. El gozo subió también
25 a las mejillas de Juan, coloreándolas. Pero las de su esposa no se colorearon, antes bien quedaron pálidas. Al cabo, hecha un mar de lágrimas, se abrazó a Angelina.

— ¡ Angelina mía, te pierdo para siempre !

— No, madre, no — le respondió ésta conmovida —, no
30 me pierde usted. Ahora y siempre seré su hija.

Carmela salió corriendo a la calle, narró el caso a la primera persona con quien tropezó y la noticia corrió como una chispa por toda la aldea. Antes de una hora la casa del tío Juan estaba llena de gente, que le felicitaba ruidosamente, comentando el caso con algarabía de voces y risas.

De los primeros en llegar fueron los de la casa del tío 5 Leoncio de la Reguera de Arriba. La bonachona Conrada se aproximó a Angelina y la felicitó tímidamente.

— Oye, nena, ¿ por qué no me besas ? ¿ Piensas que porque tengo dinero soy otra Angelina distinta ?

Conrada la abrazó y la besó con efusión. Angelina con- 10 tinuó en voz alta:

— La verdad es que si el dinero me ha de quitar el cariño y la confianza de mis amigas, maldeciría del dinero.

— ¡ La misma Angelina de siempre ! — exclamó Griselda, mirándola con infinita ternura —. ¡ La buena, la noble, la 15 honrada!

Pero Angelina no la oyó. Se había ido derecha a Pinón de la Fombermeya, [p. 286] que con la montera en la mano, la boca abierta y los ojos espantados, la contemplaba, cual si tuviera delante una visión del otro mundo. Le habían 20 dicho que aquella chica se había convertido repentinamente en millonaria y ya le parecía un ser sobrenatural. Para Pin, un millón era algo incomprensible, una cosa que salía del orden creado.

— Vamos, Pin, encasqueta la montera y no seas burro. 25 ¿ No te acuerdas que sallamos juntos el maíz ?

— ¡ Y bien que lo hacías, mal rayo !

— ¿ Verdad que sí, Pin ?

— ¡ Y que lo digas ! Vamos, hombre . . . que no hay en toda la parroquia una rapaza que te ponga el pie delante. 30

— Dirás la fesoria.

— Claro está, la fesoria . . . se entiende, mal rayo.

Pero a la puerta se oyeron gritos y todos volvieron la cabeza. Era Pepa, la criada del cura, quien los profería.

— ¡ Señorita, señorita, ya ve usted que me salí con la mía ! Señorita ha sido, señorita es y señorita será pese a
5 quien pese.

— Ya lo veo, Pepa — dijo riendo Angelina —. Muchas gracias y que Dios se lo pague.

Don Tiburcio venía detrás de su criada.

— Buenos días, señor cura.

10 — Buenos y bien felices los tienes hoy, hija mía. Espero que también sean santos.

— Así lo quiero yo igualmente, señor cura. Antes de muchos días hemos de hacer a la Virgen del Carmen, como acción de gracias, una fiesta que sea sonada, como no la
15 ha habido jamás en este concejo.

— Eso está muy bien, querida — pronunció el cura gravemente —. La gratitud por los beneficios que Dios nos dispensa es de obligación ... Pero al mismo tiempo, ¿ sábestetú ?, no hay que olvidar que la caridad es la pri-
20 mera de las virtudes. San Pablo dice que sin la caridad, aunque tuviésemos poder para transportar las montañas, de nada nos serviría.[1] Acuérdate que en este pueblo hay muchos pobrecitos bien necesitados y que ...

— ¡ Juro a Dios, señor cura — interrumpió Angelina con
25 exaltación — que ninguno pasará hambre en esta parroquia mientras yo viva !

— Bendita seas, hija querida, por el sagrado juramento que acabas de pronunciar.

Así que se hubo comentado bien prolijamente el suceso y

---

[1] See I Cor. XIII, 2. *Y si tuviese profecía, y toda ciencia; y si tuviese toda la fe, de tal manera que traspasase los montes, y no tengo caridad, nada soy.*

que se hartaron de felicitar y festejar a la familia del tío
Juan, particularmente a Angelina, los vecinos se fueron
saliendo uno tras otro.

Cuando quedaron solos era mediodía y se pusieron a
comer. Griselda, Carmela y Telesforo, los tres agitados, 5
aunque por diferentes motivos, no tenían apetito. El tío
Juan y Angelina comieron tranquilamente como todos los
días.

Después de comer, la nueva millonaria se fué como
siempre a reposar en la pomarada. No tardó en llegar 10
Manrique. Angelina le invitó a sentarse a su lado debajo
de un árbol. Hablaron como siempre de asuntos indiferentes, y al cabo de un rato la joven sacó del pecho la carta
de su padre y sonriendo la entregó a su novio.

— Gustavo, lee.   15

Éste fué presa de enorme estupefacción. Un gran actor
no lo hubiera hecho de modo más admirable.

— ¿ Cómo ? . . . ¿ Qué es esto ? . . . ¿ Es sueño o realidad ? . . . Apenas puedo concebirlo . . . ¿ Pero es auténtica
esta carta ? . . . ¡ Pero es posible, Dios mío ! . . .   20

Luego, llevándose las manos a los ojos, quedó inmóvil y
silencioso.

— ¿ Qué te pasa, Gustavo ? — preguntó su novia
riendo.

Tardó en contestar. Al fin, con voz alterada: 25

— Angelina . . . Angelina mía, este suceso tan extraordinario despierta en mi alma a la vez alegría y tristeza,
alegría por la fortuna que llega a tus manos cuando menos
lo pensabas, tristeza porque me arranca la ilusión más cara
de mi vida, la de ofrecerte mi modesta posición y sacarte de 30
la tuya que es hoy humillante . . . Te lo confieso, sentía
vanidad . . . Dios me la perdone. Me sentía orgulloso de

que debieras a mi amor una nueva y más alta situación . . .
Se ha disipado esta ilusión . . . ¡ Qué se va a hacer !

Al mismo tiempo se llevó el pañuelo a los ojos como si
fuese a enjugar una lágrima.

5 Angelina, muy conmovida, le apretó la mano.

— ¡ Qué bueno eres, Gustavo ! No te inquiete la diferencia que ahora existe entre tu posición y la mía. Me basta
saber que me has querido pobre para vivir siempre orgullosa.
Pero me perdonarás que lo esté también de poder ofrecerte
10 una fortuna más brillante que la tuya . . . Me lo perdonas,
¿ verdad ?

— ¡ Oh, Angelina, eres verdaderamente un ángel !

Y al mismo tiempo tomó su mano y la besó efusivamente
repetidas veces, cerrando los ojos como si no pudiese con la
15 emoción que le embargaba.

V

53. Sucedió que Juan envió a la Pola a su hijo Telesforo con un recado. En Puente de Arco se le unió Ramón de las Argayadas, aquel famoso prestamista, providencia y raposo al mismo tiempo del valle de Laviana, que también iba a la Pola.

— ¡ Sea enhorabuena, Foro, sea muy enhorabuena ! — le dijo poniéndole una mano sobre el hombro —. ¡ Vaya una lotería que os ha caído en los Campizos ! Tú y tu padre vais a ser ricos, según parece, pero esa rapaza que tenéis en casa es una millonaria. Creo que no se pueden contar con los dedos los millones que tiene su padre.

Telesforo se encogió de hombros.

— Oye, Foro, dicen que tu tío tiene un cuarto grande todo lleno de doblones de oro y que los revuelve con una pala, ¿ es verdad ?

— No sé nada — respondió Telesforo con marcado desdén. [p. 286]

Se puso a caminar de prisa dejándole atrás. Ramón comprendió que aquella conversación no le agradaba, se juntó a él de nuevo y la cambió.

Cuando se hallaban ya cerca de la Pola quiso el diablo que saliese de ella montado en su briosa jaca Gustavo Manrique, lindamente ataviado y resplandeciente de alegría y jactancia. Pero sus ojos se oscurecieron al tropezar con los de Telesforo. Gustavo sintió su orgullo herido por aquella mirada hostil y para darle satisfacción, parando su caballo gritó en tono altanero:

— Oye, chico.

Telesforo quedó inmóvil y preguntó con la misma arrogancia.

— ¿ Es a mí ?

— Sí, es a ti. Ve a casa de Zapico y tráeme los guantes
5 que he dejado olvidados en mi habitación. Aquí te espero.

Telesforo se puso rojo, y acercándose al caballo le preguntó con cierta rabia:

— ¿ Y usted quién es para mandarme a mí ?

Manrique empalideció y dijo con sonrisa sarcástica:
10 — Yo soy un caballero y tú eres un rústico.

Telesforo empalideció a su vez y profirió furioso:

— Lo que es usted [1] un grandísimo sinvergüenza.

Manrique alzó el látigo y le cruzó la cara. Telesforo
saltó sobre él como un tigre, le arrancó de la silla, le arrojó
15 al suelo y le pateó.

— ¿ Foro, qué haces ? — gritó Ramón de las Argayadas,
que se acercó corriendo.

Telesforo volvió la cabeza, le miró con ojos extraviados,
saltó de la carretera a la vega y desapareció.

20 Un grupo de paisanos que venía detrás de ellos acudió a
socorrer a Manrique, que yacía exánime.

— ¿ Pero qué fué, qué pasó ? — preguntaban todos —.
¿ Es el hijo del tío Juan de los Campizos quien lo ha tirado ?

— Sí, ha sido el hijo del tío Juan — pronunció Argayadas
25 en alta voz —, pero este señorito le había cruzado la cara con
el látigo.

— Entonces ha hecho muy bien — manifestó un paisano
y siguió tranquilamente su camino.

Pero los demás levantaron a Manrique, que se quejaba
30 lastimeramente llevándose las manos al costado derecho.

---

[1] Supply **es** after **usted**.

Manrique alzó el látigo y le cruzó la cara.

Como no era posible montarlo a caballo, improvisaron unas parihuelas con los garrotes, tendiendo sobre ellos sus chaquetas y así lo llevaron hasta la casa de Zapico, que no estaba lejos. Mientras caminaban, Argayadas no cesaba de
5 vocear:

— Está muy mal, ha sido una desgracia; pero este señorito le había cruzado la cara con el látigo.

Se llamó inmediatamente a don Jerónimo, que después de reconocido pudo apreciar la fractura de una costilla y fuertes
10 contusiones. Se le metió en la cama, le dieron un calmante y poco después quedó tranquilo. El médico afirmó que el caso no ofrecía peligro y que sería cosa de pocos días el restablecimiento.

Al oscurecer llamó a su cuarto el cabo de la Guardia Civil
15 y le preguntó si quería que se diese parte al Juzgado de aquella agresión. Manrique había tenido tiempo a reflexionar. Había oído repetidas veces a Ramón de las Argayadas, único testigo, decir en alta voz que la agresión partió de él, cruzando con el látigo la cara del muchacho.
20 Por otra parte, comprendió que no le convenía enemistarse con la familia de Angelina si había de llevar a feliz término el brillante negocio que tenía entre manos. Así, que manifestó al cabo que no se diese parte, que él había caído del caballo sin que nadie le hubiese tirado.

25 Esta declaración fué muy celebrada. En la casa de todos se hacían lenguas de su generosidad.

La noticia llegó rápidamente al Condado. En la casa del tío Juan produjo enorme consternación.

Juan salió corriendo para la Pola. Era la hora del
30 oscurecer. Preguntó por su hijo, pero nadie le daba cuenta de él. Lo que sí le afirmaban era que el señorito a quien había derribado del caballo estaba muy malito en la cama.

El sobresalto de Juan era cada vez mayor. Preguntó en la cárcel por si le habían llevado allí. Luego fué a ver al cabo de la Guardia Civil y éste le manifestó que el herido no había querido que se diese parte, con lo cual se tranquilizó.

De allí fué a la taberna de su prima Engracia.

— Ya sé a qué vienes, Juan. No te asustes. A Foro no le pasa nada. Está lejos de aquí.

— ¿ Cómo lejos ?

— Sí, está camino de Oviedo y no tardará en llegar. Mañana tomará el tren para Madrid y de allí a Sevilla.

Juan quedó estupefacto.

— Sí, yo le aconsejé que se marchase de Laviana, que se fuese a Sevilla con su tío Joaquín. Yo creo que allí está mejor que aquí ¿ sabes tú ?

Juan se sentó en un banco y permaneció mudo y cabizbajo.

— No te disgustes demasiado por lo que ha sucedido. Ese canalla de señorito le cruzó la cara de un latigazo. Foro ha hecho requetebién. Yo hubiera hecho otro tanto y tú lo mismo ... La verdad que tu sobrinita se casa con un buen mequetrefe. Fácil es que en cuanto pesque sus millones la trate también a latigazos.

Juan no se movía. Continuaba en la misma posición estática. Engracia siguió comentando cada vez con más ardor el lance; no se hartaba de lanzar improperios contra el granuja del forastero.

— Dicen que le ha roto una costilla. ¡ Así se las hubiese roto todas ! [1]

Juan alzó la cabeza.

— ¿ Y tú le has dado dinero para el viaje ?

---

[1] ¡Así se ... todas! *Would that he had broken them all (for him).* se = le, dative of interest. See note, p. 155.

— Sí, le he dado el dinero que necesitaba.

Juan echó mano al bolsillo, pero Engracia le paró con una mirada iracunda.

— ¿ Qué vas a hacer ? Yo le he dado dinero, porque así se me ha antojado. Es mi sobrino.

— Gracias, Engracia; muchas gracias.

— Vete pronto al Condado y tranquiliza a mi prima, que estará la pobre bien asustada.

— Gracias, muchas gracias.

El pobre Juan salió tambaleándose. Cuando llegó al Condado había cerrado la noche.

Aquello era una desolación. Griselda sollozaba en un rincón de la cocina. Carmela lloraba en otro. Angelina, sentada en el escaño, con las manos caídas y la cabeza doblada sobre el pecho, no lloraba, parecía la estatua de la desesperación.

Juan les notificó en pocas palabras lo que ocurría, que Telesforo no estaba preso porque el herido no había querido dar parte, y que se había marchado a Oviedo para tomar el tren de Madrid y Sevilla.

VI

54. La situación de Angelina era por demás tan difícil como triste a la hora presente. Amaba entrañablemente a aquella familia y era amada de ella: amaba también a su primo y no podía menos de darle la razón. Mas por otra parte Gustavo era su novio, su prometido y yacía mal herido 5 en la cama. ¿ Qué hacer en tan críticas circunstancias ?

La más profunda tristeza reinaba en la casa de Juan Quirós. Griselda no cesaba de llorar. Carmela andaba huída por la casa y evitaba las ocasiones de hablar con su prima. El tío Juan se mostraba silencioso y cejijunto. 10

La pobre Angelina no sabía qué hacer, ansiaba ardientcmente que llegara su padre y la sacara de aquel compromiso. Secretamente, esto es, sin que la familia se percatase enviaba todos los días a saber de Manrique. Éste parecía que iba mucho mejor. Pero un día le envió algunas palabras 15 escritas con lápiz: « Estoy mejor, pero ardo en deseos de verte. Ven aunque no sea más que un instante. » No pudiendo resistir a tan fervorosa instancia, después de comer se deslizó una tarde de casa y se plantó en la Pola.

Entró en la fonda, subió al cuarto del forastero y tocando 20 en la puerta con la mano preguntó:

— ¿ Se puede ?

— Pasa, pasa, Angelina.

Manrique, muy pálido, le recibió con la mayor alegría y le tendió la mano, que Angelina apretó conmovida. Las 25 lágrimas se agolparon a sus ojos.

— ¿ Cómo te encuentras, Gustavo ?

— Mucho mejor; no te apures; pienso que dentro de

tres o cuatro días podré levantarme.   No llores, tonta.
Ya verás cómo esto no tiene importancia.

— ¡ Qué bueno eres, Gustavo !   Ya sé que no has dado
parte a la justicia.

5 — Pensando en ti lo he hecho.

— Gracias, gracias, Gustavo.   Dios te lo pague.

Se sentó a su cabecera y departieron unos momentos.
Angelina le expresó su vivo deseo de que llegase su padre y
Manrique se mostró también muy interesado en ello;
10 hablaron de la próxima boda, trazaron planes para lo porvenir y hasta hablaron del viaje de novios.   Cuando más
enfrascados se hallaban en su plática, sonaron unos golpeci-
tos en la puerta.

— ¿ Se puede ?

15 — Adelante.

Era fray Atanasio, el hermano del cardenal González,
canónigo a la sazón en la catedral de Oviedo.   Saludó
afectuosamente a Manrique, interesándose mucho por su
salud.   Había llegado hacía unos momentos de Villoria,
20 donde había ido el día anterior para asuntos de familia,
pensaba dormir aquella noche en la Pola y regresar al día
siguiente a Oviedo.   Cuando se hubo sentado dirigió una
mirada de curiosidad a Angelina.

— ¿ Se puede saber quién es esta joven ?

25 — Soy la hija de su paisano Antonio Quirós — respondió
Angelina sonriendo.

— ¿ Pero eres la hija de Antón Quirós ? — exclamó
con alborozo el canónigo —.   ¿ Es posible ?   ¡ Cuánto me
alegro, hija mía, de conocerte !   ¡ Pues no hemos hablado
30 poco de ti mi hermano y yo !

Se alzó de la silla y le apretó las manos con efusión.   Y
siguió diciendo:

— ¡ Y tan enfermita como decían que estabas ! Rebosas de salud, hija mía; estás hecha una gran moza. Vas a avergonzar a tus amigas de Madrid. Lo debes a tu buen padre, ya lo sé, y un poco también a mi hermano Ceferino. Te felicito de todo corazón. Te has creído pobre una temporada, has trabajado como una aldeana. No está mal eso; es cristiano y es saludable. Ahora que eres rica procura ser buena y no enfermar. Yo lo sabía todo hace días, porque me lo dijo mi hermano. Y aquí el señor Manrique también lo sabía, porque estaba en casa de los marqueses de Campollano cuando hablamos de este asunto hace dos semanas poco más o menos. Por cierto que la marquesa no se hartaba de admirar la audacia de tu padre. ¿ Verdad, señor Manrique ?

Angelina se puso intensamente pálida. Y todo el color que huyó de sus mejillas vino a refugiarse en las de Manrique. Éste sintió la mirada fija y atónita de su novia como un latigazo y se puso a toser falsamente hasta querer reventar.

— ¡ Pero, además, está usted muy acatarrado, amigo Manrique ! — exclamó fray Atanasio —. Cuídese usted.

Angelina se alzó de la silla.

— No puedo estar aquí más tiempo. Me espera abajo mi prima Carmela. Páselo usted bien, señor canónigo. Que usted se alivie, Gustavo.

Y salió de la estancia con brusquedad poco cortés. Bajó la escalera en tal estado de confusión y vergüenza que no veía dónde pisaba. Nadie la esperaba en la calle, pues había venido sola. Con el rostro pálido y terriblemente contraído se puso a caminar la vuelta del Condado.

— ¡ Qué indecente, qué miserable, qué sucio ! — mur-

muraban sus labios. Caminaba unos cuantos pasos y
volvía a exclamar cada vez un poco más alto:

— ¡ Qué indecente, qué miserable, qué sucio !

Así llegó hasta el Condado. Tan contraído tenía el rostro
5 que Carmela le preguntó:

— ¿ Qué te pasa, Angelina ?

— Nada. Necesito escribir unas cartas.

Subió a la solana, puso el papel delante y empezó a
escribir.

10   « Amigo Gustavo: Aunque un poco tarde me he convencido al fin de que ni tú has nacido para mí ni yo para ti.
Por lo tanto, desde ahora doy por rotas definitivamente
nuestras relaciones y deshecho nuestro proyectado matrimonio. Pero antes no quiero dejar de darte las gracias por
15 tu noble y desinteresado rasgo ofreciendo tu posición y tu
nombre a una pobrecita desvalida.

Siempre muy tuya afma. s. s.

Ángela Quirós. »

Esto escribió Angelina « con tanta cólera y rabia — que
20 donde pone la pluma — el delgado papel rasga » como el
moro Tarfe del famoso romance.[1]

Después, con más calma, escribió esta otra carta:

« Mi querido Foro: Así que recibas esta carta te pondrás
en camino para Laviana. El obstáculo que se había
25 levantado entre tú y yo, por milagro providencial ha
desaparecido. Ya te explicaré lo que ha sucedido. Tanto

---

[1] Number 63 in the *Romancero General* of Agustín Durán (*Biblioteca
de Autores Españoles*, Vol. 10). Tarfe is writing a challenge to the Moor
Zaide, who has insulted him in the presence of the king.

tus padres como yo te esperamos con impaciencia. Toma el primer tren que puedas alcanzar. Te quiere siempre con todo su corazón tu prima

Angelina.»

Escritas y cerradas estas cartas bajó con ellas al pueblo. La primera persona con quien tropezó fué con el tío Felipe de la Casuca.

— Tío Felipe, va usted a llevarme estas cartas a la Pola. La que tiene sello la pone usted en la estafeta y la otra la entrega usted en la fonda de Zapico.

— ¿ Sabes, tú, Angelina? Ahora no puedo ir a la Pola porque . . .

— Sí puede usted — atajó violentamente ella poniéndole un duro en la mano.

El tío Felipe partió como una flecha.

Subió de nuevo a los Campizos y fué a tumbarse según su costumbre en la pomarada. Dulce y plácidamente se dejó caer sobre el césped mirando al cielo. Sentía una íntima alegría, un gozo inexplicable como el que sale indemne de un grave peligro. Allá en lo alto del firmamento le parecía ver la imagen de la Virgen que le sonreía. Una oración fervorosa salió del corazón a los labios. « ¡ Bendita seas, Virgen Santísima, por haberme salvado de las garras de un malvado !» Jamás se sintió tan feliz como en aquel momento.

Cuando llegó la hora de la cena entró en la cocina. Las mismas caras compungidas, el mismo triste silencio. Le hablaban todos con extremada amabilidad, pero serios. La cena se deslizaba como los días anteriores, bajo el peso de un doloroso silencio.

Al terminar levantó la cabeza y preguntó con naturalidad:

— ¿ Tío Juan, tiene usted alguna noticia de Foro ?

Todos se estremecieron. Juan murmuró malhumorado:

— No tengo ninguna todavía.

5 — Pues yo sí.

Los ojos de los tres se clavaron en ella con asombro.

— Sí; tengo noticia de que dentro de cuatro o cinco días estará aquí otra vez.

— ¿ Y cómo sabes tú eso ?

10 — Lo sé porque yo le he escrito mandándole que venga . . . Y como él me obedece siempre, vendrá seguramente.

Hubo un silencio.

— ¿ Y por qué le has mandado eso ? — preguntó al fin Juan.

15 — Le he mandado que venga, porque quiero casarme con él — repuso Angelina con perfecta naturalidad.

Marido y mujer se miraron y un mismo pensamiento asaltó sin duda su cerebro. Angelina lo adivinó y dijo:

— No estoy loca, no; estoy perfectamente cuerda. 20 Puesto que ustedes tenían que saberlo, les diré que Foro y yo nos queríamos, éramos casi novios. Carmela lo sabía. Se presentó ese sujeto que antes de llegar aquí era mi prometido y como yo había empeñado con él mi palabra, hubo necesidad de romper mis relaciones con Foro. Por fortuna, 25 o mejor dicho por milagro, ese sujeto ya no es nada para mí. Soy completamente libre y puedo entregar mi mano a quien se me antoje. Y la entregaré a Foro si ustedes no se oponen a ello.

Nadie replicó. La estupefacción les tenía mudos. El 30 silencio duró largo tiempo. Al fin, Juan dijo con voz temblorosa:

— Eso que nos hablas, Angelina, no puede ser. Tú

eres muy rica; nuestro Telesforo muy pobre. Tu padre no consentirá y con razón en semejante matrimonio.

— Mi padre consentirá, porque no querrá destruir mi felicidad. Ya ven ustedes el sacrificio que por ella ha hecho.

Reinó el mismo silencio. Al fin, Griselda, alzando la frente y mirándola con ternura:

— Es igual. Aunque no te cases con él, Angelina, basta que me devuelvas a mi hijo para que no lo olvide jamás.

VII

55. En efecto, unos cuantos días después llegó Telesforo de Sevilla. La escena que se desarrolló fué conmovedora. Griselda se colgó a su cuello y no se hartaba de besarle. El chico se mostró con sus padres expansivo y cariñoso, pero 5 tímido y confuso con Angelina. Ésta, enojada, le dijo:

— Oye, Foro, me parece que voy a verme obligada a darte unas bofetadas como antes para que te despabiles un poco.

Los días que siguieron a su llegada fueron dulces y tranquilos. No mucho después Angelina supo que Manrique se 10 había ido de la Pola. ¡ Buen viaje !

Pero una secreta zozobra agitaba el corazón de Juan, Griselda y sus hijos, sobre todo de Telesforo. Se esperaba con temor la carta de Antonio noticiando su llegada. Se preveía con tristeza que no duraría mucho tiempo la 15 felicidad que ahora disfrutaban. El padre de Angelina se opondría resueltamente a aquella relación. Hasta temblaban representándose su indignación al tener conocimiento de ella. Tan sólo Angelina se hallaba perfectamente tranquila, como si no dudase un punto de lograr lo que quería.

20 No llegó la carta, sino el mismo Quirós en persona. Una mañana, sobre las diez, entró en la pacífica aldea del Condado haciendo mucho ruido un coche arrastrado por cuatro caballos. De él descendió Quirós acompañado del fiel Vigil y de un criado, y emprendió a pie el camino de los 25 Campizos que ya conocía. Quien primero le divisó fué Carmela, que tendía ropa en la pomarada.

— ¡ Angelina, tu padre ! — gritó con todas sus fuerzas

Ésta, que cosía en la solana, enrojeció como una amapola

y a brincos bajó la escalera, cayendo en los brazos de Quirós.
Padre e hija se mantuvieron largo tiempo abrazados. Angelina lloraba y también lloraba aquel fiero luchador, aquel
hombre de hierro. Y al separarse la contemplaba con admiración, la devoraba con los ojos y volvía a estrecharla.   5

— ¡ Pero hija de mi alma, qué hermosa estás ! Parece
increíble. ¡ Pero qué hermosa, qué hermosa ! Bien ha
pagado Dios mi sacrificio.

Después abrazó a sus hermanos y sobrinos. Entraron
en la cocina y subieron a la solana.   10

— Griselda, te doy las gracias por la manera como has
tratado a mi hija.

— ¿ Las gracias por haberme confiado este tesoro ? —
exclamó la buena mujer indignada —. ¡ Las gracias yo a ti !

Angelina se abrazó a ella ruborizada.   15

— ¡ Madre, no me avergüence usted !

— Ya sabía por mi hija lo que tú vales. Tendrás tu
recompensa.

— ¿ Sabes lo que te digo, Antón ? — profirió Griselda,
teniendo abrazada a Angelina —. Que te guardes tu dinero   20
y nos dejes a Angelina.

Fueron unos minutos de expansión cariñosa. Sin embargo, todos, menos Angelina, se hallaban turbados y cohi-
bidos.

Quirós había mandado preparar la comida en la Pola y 25
quería llevarlos allá. En el coche, apretándose, podían
caber todos, pero Angelina, acercándose a su padre, le dijo
con dulzura:

— Papá, si no te diese más, yo te agradecería que comié-
semos aquí. No me gusta ir a la Pola, ni a mis tíos tampoco. 30

— Sea lo que tú quieras, hija mía. En este momento no
puedo negarte nada.

Ordenó a Vigil y al criado que fueran a la Pola y trajeran el almuerzo. Antes de las doce ya estaban de vuelta con los manjares y los vinos más exquisitos que pudieron procurarse en la pequeña villa.

5   Se puso la mesa en la solana.

— Oye, Manuel — dijo Angelina a Vigil, llamándole aparte —. ¿Tú sabías, cuando me has traído a Oviedo, que mi padre no estaba arruinado?

— Yo lo sabía todo, querida.

10   — ¡Malo, perverso! — exclamó tirándole del bigote —. ¡No te lo perdono!

— Niña, yo no podía hacer traición a tu padre ... Además, estoy seguro de que si te lo hubiera dicho al oído, tú no serías lo que eres en este momento.

15   Angelina quedó pensativa.

— Tienes razón. Es casi seguro.

Se comió en medio de la mayor alegría. Quirós, al lado de su hija, no apartaba de ella los ojos contemplándola con ternura y admiración; la tenía cogida una mano y no la
20 soltaba. Reía cuando ella rechazaba los manjares finos, y exclamaba:

— ¡Eres una aldeana completa!

— Y muy contenta de serlo — respondía ella.

Cuando hubieron tomado café, Angelina les hizo una seña
25 y todos se retiraron. Padre e hija quedaron en la solana.

Entonces, llegado el momento de las expansiones, Angelina narró a su padre con todos los pormenores lo que le había ocurrido con Gustavo Manrique. Quirós abría
30 mucho los ojos. Al fin exclamó riendo a carcajadas:

— ¡Qué tunante!

— ¿Y te ríes, papá?

— Yo me río siempre que veo a un hombre hacer una vileza y salir chasqueado.

— Lo único que siento, papá, es que ese puerco se me haya escapado sin darle siquiera un bofetón.

Quirós reía aún más.

— ¿ Pero te hubieras atrevido ?

— ¡ Ya lo creo ! No sabes las manos que tengo. En la parroquia hay quien las ha probado ya.

Quirós, entusiasmado, la abrazaba, la besaba.

— ¡ Como tu padre, hija mía ! De niño también he sido un cachetero formidable.

Terminado este relato quedaron unos instantes silenciosos. Al fin, armándose de valor dijo Angelina :

— Bueno, papá. Supongo que porque Dios me haya salvado de las garras de ese bribón y mi boda haya fracasado, no creerás que pienso quedarme soltera.

— ¡ Qué he de creer ! Ni quiero siquiera pensarlo.

— Pues bien, te diré que tengo determinado casarme pronto si tú no te opones a ello.

— ¿ Pronto ? ¿ Y con quién ? — preguntó muy sorprendido.

— Con mi primo Telesforo.

Quirós dió un salto y quedó en pie.

— ¿ Qué dices, criatura ? ¿ Estás en tu juicio ?

— Sí, estoy en mi juicio y lo tengo bien pensado.

— ¡ Pero eso es un absurdo ! Es cosa tan ridícula que no comprendo cómo te ha pasado por la imaginación ... ¡ Casarse con un rústico !

— Es un rústico, sí, pero este rústico me ha querido cuando yo no era más que una pobrecita desvalida, no ha venido a mí con las garras afiladas para apoderarse de mi dinero.

Quirós se puso a dar vueltas por la solana dejando escapar bufidos de indignación.

— ¡ Qué barbaridad !, ¡ qué estupidez !

Luego parándose frente a su hija, que continuaba sentada:

5 — Pero no sabes, nena, que hoy por tu posición puedes casarte con un duque, con un príncipe.

— Lo sé, papá, pero ese duque o ese príncipe no se casaría conmigo, sino con tu dinero, que le serviría para mantener sus caballos y sus queridas.

10 Quirós se puso nuevamente a dar vueltas por la estancia.

— ¡ Qué atrocidad !, ¡ qué estupidez ! — repetía sin cesar.

Angelina, sentada, seguía con zozobra sus movimientos.

Al fin se sentó y metiendo la cabeza entre las manos per-
15 maneció silencioso largo tiempo.

— Vamos a ver — dijo al cabo —, ¿ y a ti no te dará vergüenza presentar ese rústico a tus conocimientos de Madrid ?

— Si no pienso ir a Madrid, papá; quiero vivir aquí.

— ¿ Vivir aquí ? — preguntó estupefacto, levantando la
20 cabeza.

Angelina se puso en pie.

— Escucha, papá. Yo no soy lo que antes era y tú has tenido la culpa de ello. ¡ Culpa para mí feliz ! Aldeana me has querido, aldeana me tienes. Puesto que es tanto tu
25 dinero, cómprame tierras, cómprame prados, cómprame castañares, hazme una gran pomarada . . .

— Te puedo comprar la parroquia entera, si se te antoja — profirió Quirós con orgullo.

— No necesito tanto. Quiero una casa con solana algo
30 mayor que ésta, quiero un establo capaz para una docena de vacas y una tenada donde puedan guardarse cincuenta carros de yerba. Con esto sólo harás mi felicidad. Y tú, que

tanto te has sacrificado por ella, no querrás ahora hacerme desgraciada.

Quirós volvió a meter la cabeza entre las manos y a quedar silencioso.

— ¡ Angelina, Angelina, mira bien lo que haces ! — exclamó al fin angustiado —. Considera lo que te aguarda en Madrid: los teatros, los paseos, las reuniones, los bailes, los conciertos, los coches, los caballos, las joyas, los trajes suntuosos . . .

Angelina se acercó a él, le puso suavemente una mano sobre el hombro y le dijo sonriendo:

— Todo eso, papá, lo he probado ya y tú sabes que no me ha hecho feliz. ¡ Si vieras qué hermoso maíz hemos tenido este año en la vega ! Había muchas plantas con tres mazorcas. ¡ Si vieras la cosecha de manzanas que ha dado la pomarada ! Algunos árboles tenían casi tantas manzanas como hojas. ¡ Era una bendición !

FIN

EXCISIONS

Page 3. Era el dormitorio una elegante pieza con todos los refinamientos y el lujo exquisito que pudieran encontrarse en aquella época, no muy apartada de la nuestra, pues nos hallamos en el último tercio del siglo pasado. Una cama de palisandro cubierta con colcha de raso azul, cortinas igualmente de seda azul en los dos balcones, las paredes con tapices modernos, representando escenas galantes de damas y caballeros del tiempo de Luis XV y la Pompadour, el techo forrado de seda fruncida, formando una estrella en el centro, el piso con alfombra de flores, una coqueta y sobre ella un juego de plata para el aseo, un gran armario de tres lunas, una mesita dorada que soportaba una pequeña estatua de la Virgen Inmaculada, de marfil; todo precioso, todo rico, revelando una opulencia poco corriente.

Page 4. que era otra primorosa pieza que correspondía a la elegancia del dormitorio.

Page 5. con un irrigador.

Page 10. — ¡ Si oyera la señorita lo que decía ayer doña Carmen Rivera en el jardín, antes de montar en el coche !

La joven suspendió su tecleo y levantó la cabeza.

— Esta niña de Quirós cada día es más guapa. Y su marido le contestó: — Es una verdadera preciosidad.

— ¡ Bah ! Son amigos que deben favores a papá.

— No, señorita, no; los amigos como los enemigos dicen lo mismo. La otra tarde en el Retiro, el cochero de Monteverde decía al de don Nazario cuando pasaba el landó de la señorita: « Repara Pepe, repara ese botón de rosa. »

« ¡ Qué botón de rosa ! Es un tocinillo de cielo del « Riojano ». — Los oyó Clemente.

— También yo los oí.

Y Angelina reía a carcajadas.

Page 10. La doncella seguía incensándola con evidentes deseos de captarse su simpatía. Cuando más animada era la charla, entra Rufina, cuyo rostro se demudó, permaneciendo inmóvil.

— María — profirió con voz levemente alterada —, en el cuarto de baño del señor faltan las toallas.

— Voy al momento — respondió la doncella bajando la cabeza como si la hubieran cogido *in fraganti*.

Rufina, con el rostro contraído, se acercó a la señorita murmurando:

— Cada cual debe atender a su obligación.

Angelina levantó la cabeza y sonriendo picarescamente:

— María es una buena chica.

Rufina dejó escapar un bufido de desprecio, sin contestar. Era ferozmente celosa. Angelina lo sabía y alguna vez se divertía en hacerla rabiar.

— ¿ Felicidad ha llegado ?

— Sí, señorita; está en el saloncito verde esperándola. ¿ Es que piensa salir por la mañana la señorita ?

— No; aguardo el vestido.

Se dirigió al saloncito indicado seguida de la doncella. Cuando llegó a la puerta se detuvo y permaneció inmóvil y sonriente.

— ¡ Mírala ya dormida ! — exclamó en voz baja, señalando con el dedo a una señora anciana tocada con un sombrero no muy flamante y vestida con un traje que aún lo era menos. Sentada en un sofá, con la cabeza doblada y la barba hundida en el pecho, dormía efectivamente la buena señora. Ambas la contemplaron unos instantes.

— Verás qué pronto y qué fácilmente la despierto — pronunció Angelina muy quedo; y alzando repentinamente la voz después:

— Oye, Rufina, ¿ no me has dicho que has visto ayer en la calle de Alcalá a Granizo ?

Y al pronunciar este nombre elevó aún más la voz.

La anciana señora despertó despavorida.

— ¡ Ah, Granizo ! ¿ Qué decían ustedes ?

Angelina y Rufina soltaron a reír. La señora se levantó haciendo un gesto de disgusto y acercándose a Angelina la besó en ambas mejillas.

Esta Felicidad era una desgraciada. Viuda de un capitán que Quirós, el padre de Angelina, había conocido en Cuba, logró casar a su hija única con un empleado de Correos llamado Granizo. Vivió con ellos algún tiempo, pero llegó a hacerse tan impertinente que su yerno, exasperado, la puso un día en la calle. Como no disponía de otros recursos que de una cortísima viudedad, se vió obligada a servir de dama de compañía en algunas casas. Quirós la tomó para Angelina y recordando a su marido la trataba con una consideración que otras familias no le habían concedido. Por eso se autorizaba besar a la señorita y tutearla. En realidad, más que servidora semejaba una pariente pobre. Quirós, hombre sencillo, nada encontraba en ello de particular y Angelina tampoco, aunque se divertía como una niña traviesa a su costa. Aquella buena mujer no tenía otra preocupación que la de su yerno: era una idea fija; era un odio profundo y permanente que absorbía toda su atención y su vida. Ella, generalmente silenciosa, cuando tocaba este punto se desbordaba en palabras, no callaba jamás. Bastaba el nombre de Granizo para sobresaltarla, para despertarla aunque se hallase bien dormida, como se ha visto.

— ¿ Has desayunado bien, hija mía ?

— ¡ Dale ! Aquí todo el mundo está pendiente de mi desayuno — exclamó Angelina riendo —. Fácil es que cuando salga a la calle el chico de los periódicos me pregunte cuántas tostas me he comido esta mañana.

— No, doña Felicidad — respondió lacrimosamente Rufina —; la señorita no ha hecho más que beber el café.

— Pues es necesario que te purgues. No hay más remedio que purgarse.

— Pero, oiga usted, señora; si me tomase todas las purgas que usted me ha recetado desde hace un año, se habría agotado en las boticas el Agua de Carabaña.

— Pues es necesario purgarse — repitió tercamente doña Felicidad.

— ¿ Por qué no le da usted todas esas purgas a Granizo ? — preguntó haciendo un guiño malicioso a Rufina.

— ¡ Ah, Granizo, Granizo !

Mas antes que comenzase su acostumbrada letanía, Angelina se escapó corriendo.

— ¿ Sales esta mañana, Angelina ? — le gritó la vieja.

— No — le contestó desde lejos —. Venga usted por la tarde a las cuatro.

Page 11. — Además le ha ordenado unas lavativas.

— ¡ Eso ya no ! — exclamó riendo —. A mí todavía no me mandan lavativas . . . Pero me las mandarán el día menos pensado.

Page 17. En este valle, que linda por el Norte con los de San Martín del rey Aurelio y Langreo y por el Sur con el de Sobrescobio, radican siete parroquias. La primera, viniendo del Norte, la de Tiraña. Se entra en ella por una estrecha cañada que se ensancha después un poco, no mucho. La segunda es la Pola, sede del Municipio y del Juzgado de primera instancia. Ésta se halla asentada en el llano del valle, que es medianamente abierto, circundado de altas montañas y por medio del cual corre el río Nalón, el más caudaloso de Asturias, aunque allí cerca de su origen no es todavía muy abundante. Frente a la Pola, a la otra margen del río, están las parroquias de Carrio y Entralgo, la primera pobre y triste, la segunda rica y alegre, envuelta por frondosas pomaradas señoreando una vega fertilísima. En esta deliciosa aldea desemboca un riachuelo que se une allí mismo con el Nalón y se abre la cañada que conduce a la parroquia de Villoria, bañada por el antedicho riachuelo. Esta parroquia es la más populosa del concejo. En su llano, no muy extenso a orillas del río, está la población más numerosa, pero esparcidos por la falda de las montañas que separan Laviana del valle de Aller, como pintorescamente colgados, se ven numerosos blancos caseríos. Arbín, donde vivió el famoso helenista don César de las Matas, Fresnedo, Ríomontan, las Meloneras, la Braña, patrias respectivas de Nolo, Jacinto, Tanasio y otros héroes que se cantan en el poema novelesco titulado *La Aldea perdida*, que vió la luz hace ya bastantes años.

Siguiendo el curso del Nalón río arriba, a la derecha, se encuentra a poco más de un kilómetro el pueblecito de Lorio, húmedo y sombrío, pues está harto arrimado a la fragosa sierra del Rengoso. Es patria de Toribión, el invencible guerrero que se canta igualmente en el citado poema. Casi **enfrente de** este lugar se halla el del Condado, última parroquia de Laviana. Es el más llano, el más soleado, el más atractivo tal vez de todo el valle. No tardaremos en hacer de él prolija mención.

Page 17. don Antonio Quirós.

Page 17. Los barcos que transportaban en aquella época a los emigrantes eran de vela, unas cáscaras de nuez, sucios, hediondos, donde marchaban hacinados los pobres aldeanitos que enviaban de Asturias a Cuba para hacer fortuna. El cincuenta **por ciento** moría al llegar del terrible *vómito negro;* los que quedaban vivos trabajaban toda su vida sin lograr otra cosa que comer; sólo algunos pocos favorecidos por la suerte conseguían, ya maduros, restituirse a sus pueblos con fortuna.

Quien haya visto zarpar de Gijón o Avilés uno de estos barquichuelos cargados de tierna carne humana no lo olvidará jamás. Las infelices madres, desoladas gritaban desde el muelle con temerosos alaridos diciendo adiós a sus hijos. Éstos, agarrados a la jarcia del barco, con el rostro contraído y los ojos húmedos, las contemplaban estáticos como imágenes del dolor.

Page 20. Fué conocido y estimado de los hombres de negocios en Madrid: el duque de Requena, don Nazario Izaguirre, el marqués de Manzanedo. Todos los próceres de la banca le atendían y respetaban sus juicios. Porque era poderoso y singularmente perspicaz el que este hombre mostraba en los asuntos de dinero. Sin instrucción, pero con talento natural, mucha astucia, mucha audacia y un conocimiento profundo de los resortes financieros, entró en relación con el mundo de la plutocracia y pronto también con el de la aristocracia, que no es en España tan cerrado y soberbio como en otros países.

Page 22. El sentido de la vista gozaba exactamente lo mismo que hoy día, mas el del olfato no era tan dichoso. Los coches automóviles exhalan olores acres de gasolina que, aunque desagradables, no son nauseabundos y a más se dicen desinfectantes, mas los gases que despedían los centenares de caballos que allí se estrujaban, envolvían al mundo elegante en una clase de aroma nada grato a los sentidos. Aquellas damiselas que se apartaban con asco de su cocinera porque olía a cebolla, encontraban dulce y atractivo el perfumado ambiente de los traseros de sus caballos.

Page 25. Socio a la vez del Veloz Club, círculo de los jóvenes patricios y del Casino de Madrid, donde se reunía la alta burguesía, sabía compartir entre unos y otros sus atenciones, era familiar con todos y vertía en ambos círculos sus palabritas agudas y mordaces. Porque era donoso Manrique, o a lo menos pasaba por tal, aunque bien aquilatado su gracejo no ofrecía caracteres áticos y sus chistes solían ser la mayor parte de las veces desvergüenzas. Pero, en fin, como tocante a humorismo aquellos socios tenían anchas tragaderas, es lo cierto que Manrique gozaba fama de chistoso.

Page 25. Habitaba en un lindo cuarto de la calle del Turco, con un criado; hacía sus comidas en el Veloz Club o en el Casino; el coste de la vida no era excesivo. Sin embargo el dinero se le escapaba por entre los dedos, porque era fastuoso y vicioso.

Page 26. Pues aunque las damas de la aristocracia no tomasen dinero, entre viajes, regalos y caprichos se le marchaba lindamente; solamente las flores le costaban un capital. Para la carne femenina Gustavo Manrique era un insaciable tiburón. En los diez o doce años de vida mundana se le habían conocido diez o doce queridas.

Page 30. Mas Felisa no se resignó a esta *capitis deminutio*. Con la corta renta que les había quedado se empeñó en conservar las apariencias y sostener su prestigio aristocrático. A la hora presente habitaban en un cuarto bajo de una de las calles estrechas del viejo Madrid. Gran portal, el portero con librea, pero la vivienda reducida y lóbrega. Las pocas habitaciones del cuarto Felisa las decoró con algunos ricos muebles y tapices que había podido salvar de su casa. Todas ellas, hasta las alcobas, las convirtió en salones de recibo; de tal modo, que nadie sabía dónde podían dormir aquellos dos hermanos. Sólo tenían una doméstica, que les servía de cocinera y doncella a la vez; pero tenían un criadillo, al cual vestían de frac y corbata blanca cuando daban un te a sus amistades. A la criada, que les servía para todo, la tocaban con un gorro de encaje almidonado y la colgaban del pecho un artístico delantal. ¡ Qué lucha diaria, después de esto, con la maritornes, sobre si el aceite, sobre si los huevos y el carbón ! Felisa creía siempre que se gastaba demasiado aceite, demasiada manteca, demasiado carbón. Tenía rigurosamente encerrados los comestibles, los medía, los tasaba con escrupulosa exactitud. Cortaba ella misma sus trajes y los cosía, pero se había provisto, no se sabe cómo, de algunas etiquetas de modistas francesas, y a sus conocidas les hacía creer que se los encargaba a París. En cambio obligaba a su hermanito a vestirse con Utrilla, el mejor sastre de Madrid, aunque la ropa interior era también obra casera, fabricada entre ella y una económica costurera. El alumbrado escasísimo. Acababa de llegar a Madrid la luz eléctrica: ella la había instalado en su cuarto, pero la gastaba con tal pulcritud, que muchas noches lo dejaba a oscuras. La pobre criada se tiene dado no pocos coscorrones contra los muebles, pasando de una habitación a otra. En cambio, en su fiesta onomástica o la de su hermano, o cuando se aventuraba a dar un te a sus amigos, aquella mansión parecía un ascua de oro: todas las bombillas brillando a la vez, el criado en pie al lado de la puerta, correctamente metido dentro de su frac; la criada a la entrada del recibimiento, con su gorro de encajes y guantes blancos. La casa parecía en verdad la residencia de un marqués. Pero al salir el último invitado, cuando apenas estaba en la calle, quedaba otra vez sumida en las tinieblas.

Page 30. Tenía la figura ordinaria de su abuelo, el contratista, pero no su astucia y su energía. Estas cualidades habían pasado íntegras al través del padre a su hermana Felisa. Era un muchacho de escasa inteligencia, inocentón, bondadoso, modesto; por lo tanto, mucho más simpático que su hermana. No estaba pagado de su título; **al contrario,** parecía que le molestaba, pues a pesar de su escasa penetración comprendía que un marqués pobre **hacía un papel** ridículo en la sociedad.

Page 31. La aristocrática señora asturiana, esposa de un amigo de Quirós, que solía acompañarla en bailes y reuniones cuando éste no podía o no quería hacerlo, quedó tan abandonada que, herida por tal frialdad, dejó de poner los pies en la casa con disgusto de Quirós, que estimaba de veras a su marido.

Page 31. Felisa pertenecía a una familia aristocrática, no era una chiquilla aturdida, sino una madura y formal señorita. ¿Por qué oponerse a aquella amistad? Lo único que encontraba vituperable era la frialdad inmotivada y descortés que Angelina había usado con la señora de su amigo.

Page 32. El salón no tenía grandes dimensiones, pero había otro contiguo más chico, donde se refugiaban los caballeros y algunas señoras que habían traspuesto la juventud. Este salón comunicaba con el comedor, que era amplio y espléndido, todo suntuosamente decorado y esclarecido.

Page 32. También vinieron a saludarla afectuosamente algunas damas. Su extrema juventud, su belleza, su cuerpecito endeble, inspiraban interés, mezclado de lástima. El saberla única heredera de un millonario añadía bastante a este interés. « ¡Qué monada de niña! ¡Qué lástima de criatura! Está cada día más delgadita — se decían luego entre sí aquellas señoras —. Sería una verdadera pena que se desgraciase esta niña tan linda y con un porvenir tan brillante. »

Page 34. Rufina, sentada a la cabecera de la cama, todavía aguardó un rato a que quedase completamente dormida. Por fin se alzó de la silla, la contempló unos instantes con ansiosa atención y sobre su pequeña mano, que pendía, depositó un tierno y ligero beso. Angelina abrió los ojos.

— ¡ Márchate, tonta !

Page 35. Felicidad, su dama de compañía, también padeció persecución. Angelina solía reír de las diatrivas contra su yerno, hasta las provocaba maliciosamente delante de las doncellas para divertirse un rato. Mas ahora, una vez que la infeliz se atrevió a nombrar a Granizo, la señorita la atajó encolerizada:

— ¡ Ya tenemos encima la *granizada!*

Page 37. Se negó a ir a una reunión de los condes de Campollano, a una *tómbola* para los heridos de Cuba y a una función religiosa donde predicaba un célebre orador sagrado. Felisa

Page 40. Angelina guardó silencio y Manrique también. Éste dijo al fin:

— Si ha habido falta ha sido involuntaria y debe usted perdonarla . . . **Por lo demás,** no puede existir comparación . . . A lo menos yo jamás la he establecido. Lalita Moro es una hermosa joven, muy vistosa, muy pintoresca . . . una mujer para la galería, ¿ sabe usted ? No puede convenir a un hombre como yo.

A un calavera arruinado, debió añadir. Porque Lalita Moro por lo hermosa, por lo buena, por lo inteligente y culta, era un dechado de perfección . . . pero no tenía dinero.

Angelina mordió el anzuelo. Aparentando mal humor, pero con bien clara satisfacción, le interrumpió:

— ¡ Bueno, cállese usted ! No necesito que me hable de otras personas. Le repito que yo no tengo derecho a exigir explicaciones.

— Y yo le repito que daría la vida porque usted tuviese ese derecho.

Page 44. Ya sabemos que la caña con que la sagaz Felisa Valgranda pretendía pescar a su amiguita se había quebrado. También sabemos que su hermano, más noblemente, estaba en realidad enamorado de Angelina. Aquélla, cediendo más al despecho que a la cordura, había dejado de visitar a su amiga. Un día que el coche de Angelina pasaba cerca de la acera de la calle de Alcalá viniendo por ella Felisa, le hizo un amable saludo con la mano, mas la despechada Valgranda volvió la cabeza sin contestar. Angelina quedó avergonzada, contó el lance a su novio y ambos rieron. A Manrique se le ocurrieron agudos donaires sobre la desesperada y provecta señorita, que Angelina se placía en repetir a su doncella Rufina, confidente ahora de sus amores.

Page 44. — No pienso que vaya a morderle.

— Yo no pienso esperar a que me muerda.

El perro seguía ladrando con furia.

— ¡ *Camarada*, aquí ! — gritó Manrique.

Pero *Camarada*, cual si comprendiese que aquella llamada era de mentirijillas y que a su amo le importaba poco aunque mordiese a aquel sujeto, se obstinaba en hacerle frente y no dejarle pasar.

— Le repito que llame usted a su perro — gritó entonces el marqués enfurecido.

Page 45. — Uno de esos señoritos me parece que es el novio de tu señorita.

— Sí, el que montaba a caballo y tenía el perro que le dicen *Camarada*.

— Pues el otro estaba furioso, y si el del caballo llega a apearse creo que le atiza. Se han dado las tarjetas.

— ¡ Bah!, no llegará la sangre al río.

— ¡ Ya ! — replicó el cochero riendo —. Las cuestiones entre estos señoritos terminan almorzando en Fornos.

Page 47. Atacó de tal modo furioso, que Manrique amedrentado no supo más que retroceder (romper en términos técnicos) alargando la punta del sable sin parar los golpes. En el segundo asalto hizo lo mismo. El marqués, cada vez más enardecido e indignado por tan estúpida y cobarde defensa, tuvo la desgracia de precipitarse.

Page 49. Su peso no corresponde a la estatura, la deficiente alimentación ha engendrado la anemia. El órgano que primero ha de sufrir las consecuencias de tal estado de agotamiento es el de la respiración. Por lo tanto, urge prevenir el daño.

Page 50. Reposo al aire libre, alimentación adecuada, perfecta tranquilidad de espíritu. Pienso que de este modo su organismo reaccionará favorablemente y que su estado de agotamiento no tendrá consecuencias fatales. Aquí le entrego dos recetas: la una es un sedante para el sistema nervioso, la otra un estimulante para el estómago. Repito que los medicamentos no han de curarla, pero ayudarán a su curación. Prepárese usted a hacer el viaje, y ya verá pronto los resultados favorables.

Page 50. Su padre también lo era, aunque mejor que ella había empleado la terquedad. En esta nueva amargura, el pobre hombre se puso a imaginar que debía hablar con Manrique y humillarse a pedirle su auxilio. Una circunstancia fortuita impidió que diese tan tristísimo paso.

Page 50. Fraile dominico había sido él, y dominico le placía seguir siendo, al decir de los que le trataban.

La residencia de los frailes dominicos distaba mucho de ser un palacio; modesta casa alquilada donde sólo una docena de frailes vivían y rezaban.

Page 55. No debemos prosternarnos ante el barro, sino ante la imagen de Dios que allí habita. Pero el hombre, querido Antón, olvida desgraciadamente esta verdad a menudo y entonces decae, se rebaja, se coloca al nivel del bruto. Lo mismo para el individuo que para los pueblos, la señal de decadencia es el deseo inmoderado de los placeres materiales. Cuando el cuerpo goza en demasía el alma huye. No hemos nacido para divertirnos, sino para acercarnos a Dios viviendo en caridad ...

Page 55. El trabajo está bendecido por Dios. La virtud no es la felicidad, porque ésta no existe sino en el Cielo; pero es el comienzo de la felicidad.

Page 56. comía los manjares más ordinarios, vestía modestamente, casi nunca montaba en sus coches, no iba a los teatros ni a los banquetes. ¿ Entonces, qué ? Sus millones de nada le servían. Lo mismo podía vivir con el sueldo de un modesto empleado. No obstante, él no se creía desgraciado, ni se lo había creído nunca en medio de un duro e incesante trabajo allá en la Isla de Cuba.

« No me aburría, porque no tenía tiempo para ello como esos señoritos holgazanes ... o como esas señoritas — se dijo, pensando en su hija —. Ésta le hacía desgraciado, porque ella lo era sin motivo aparente. ¿ Habría cometido un error al educarla ? ¿ Lo estaría cometiendo ahora como afirmaba fray Ceferino ?

El opulento capitalista con su chaqueta de paño gris, sus zapatos gordos y su sombrerete de fieltro marchaba mezclado con los menestrales que en aquella hora vespertina pululaban por los senderos de la Moncloa solazándose. Veía a muchos de ellos tumbados sobre el césped rodeados de su mujer y sus hijos, merendando unos pedazos de queso o unos chorizos, bebiendo un trago de mal vino tinto. ¡ Pero qué rostros dilatados, qué risa, qué algazara ! « No, esos pobres trabajadores, esas mujeres y esos niños no son desgraciados, pensaba. ¿ Por qué lo es mi hija ? » Delante de él caminaban tres muchachas sin sombrero ni mantilla, pobremente vestidas; parecían criadas de casas modestas. Iban charlando a gritos, iban riendo sin cesar. Si una tropezaba, ¡ qué risa ! Si a otra se le caía el pañuelo al suelo, ¡ qué risa ! Si a otra se le desataba el moño, ¡ qué risa ! « No, esas chicas no son desgraciadas, se decía. ¿ Por qué lo es mi hija ? »

A la vuelta

Page 58. De tal modo, que en la casa más parecía un deudo que un servidor. Era una especie de intendente, quien se entendía con los criados y los pagaba, el que presidía al arreglo y disposición de la casa, compraba y vendía los coches y caballos, y el que abonaba todas las cuentas. Quirós se mantenía alejado de todo menudo cuidado, ocupándose exclusivamente de los altos negocios bancarios y especulaciones bursátiles.

Page 60. Parecía estar por completo distraída de sus negros pensamientos. Sin embargo, cuando Vigil le dijo: Sólo faltan algunas estaciones para llegar a Oviedo, su frentecita se arrugó y sus ojos adquirieron una expresión sombría.

— ¿ Pero es de verdad, Manuel, que nada sabes del objeto de este viaje ?

— Absolutamente nada ... Pienso que algo serio le ocurre a tu padre ... ¡ pero es tan reservado !

Page 61. Vigil y el cardenal González eran las únicas personas con quienes Quirós había comunicado su plan. El cardenal lo aprobó sin vacilación alguna. Vigil puso algunos reparos, trató de disuadirle, le parecía extraño y violento; pero al fin, ante la voluntad firme y resuelta de su principal, no tuvo más remedio que bajar la cabeza. Quedaron en que le acompañaría a Cuba en aquel viaje, que el administrador juzgaba de corta duración.

Page 67. Se decía que estaba **en camino de** hacerse rico. De todos modos, él debía abonar a su cuñado una cantidad como renta de esta mitad. Si fuese propietario de toda ella entonces viviría con mayor holgura, se podría considerar como uno de los labradores más ricos del concejo.

Page 68. Otro pradito aún llamado de la Fontiquina. En la vega dos días de bueyes destinados a maíz, alubias y calabazas. Como Juan, con el dinero regalado por Antonio, había comprado otros dos días de bueyes, era a la fecha poseedor de cuatro días de bueyes (sesenta áreas aproximadamente). Cosechaba bastantes fanegas de maíz y de judías. También recogía buena cantidad de avellana de los árboles que cercaban los prados y algunos sacos de castañas.

Page 70. Había una espetera con pobre y ordinaria vajilla de barro y cacerolas de hierro y hoja de lata, con cucharas y tenedores de madera de boj. Una enorme masera donde se amasaba el pan y la borona y después se guardaba. A un lado se abría el boquete del horno para cocer el pan, pues para la borona se seguía otro método: después de amasada, previamente limpio y arrojado el lar, se colocaban sobre él las boronas en forma de grandes quesos, se las cubría con hojas de castaño y sobre ellas una capa de ceniza enrojecida. Al cabo de algunas horas la borona estaba cocida. Esparcidas unas cuantas tajuelas y adosado al muro un escaño de madera que el humo y el uso habían puesto negro. Sobre el fregadero de piedra y colgadas de una repisa tres herradas con sus grandes aros brillantes de hierro y suspendidos de ellas sendos cangilones de metal amarillo con rabo de hierro para sacar el agua.

Page 73. — Este prado se ha pacido demasiado; no estará de siega hasta primeros del mes **que viene** . . . ¡ Vaya una vega maja ! Es tan buena como la nuestra, y me parece a mí que mejor abonada . . . Es un gusto ver estos pradiquinos orilla del río. **Vale más** no segarlos porque estén dando pación todo el año. Cuando se siegan, la yerba es larga y juncosa. El ganado no la come a gusto.

Page 73. — Esta parroquia que hemos dejado se llama San Andrés. La que estamos atravesando es la de San Martín del rey Aurelio. Aquí está el ayuntamiento del concejo.

— ¡ Ah !

— Ya estamos en Blimen. Hermosa pradería, ¿ verdad tú ?

Angelina aprobó con la cabeza sin saber lo que significaba una pradería, ni menos si fuese buena o mala.

Page 73. La primera aldea que vieron sobre la carretera se llamaba Iguanzo. Enfrente del lado de allá del río están Entralgo y Canzana, patria de Demetria, la heroína de *La Aldea perdida*, un poco **más allá** el lugarcito Puente de Arco, así llamado por el puente antiguo de piedra que en él se encuentra. Después el pueblecito de Celleruelo y un poco más lejos el de Muñera, frente a la parroquia de Lorio, a la cual pertenece. Por fin se entra en una vega más amplia y aparece el Condado, que cierra el valle de Laviana.

Page 78. En efecto, comenzó el movimiento de las mandíbulas. A cada cucharada de patatas seguía un bocado a la borona. Cuando Griselda se cercioró de que el movimiento era uniforme y todo marchaba bien, se decidió a emprender el suyo. Siempre de pie y con la escudilla en una mano y la cuchara en la otra principió a comer. De vez en cuando, dejando la cuchara en la escudilla, llevaba una mano al pedazo de borona que tenía sobre el armarito de la espetera y lo mordía.

Terminado en buen orden este primer movimiento estratégico, tomó las escudillas sucias, las dejó sobre la masera, sacó del armarito otras limpias semejantes a las primeras y las fué llenando de leche con un jarro de barro negro. Cortó de nuevo otras rebanadas de borona y las repartió como antes. No migaron la borona en la leche, como se hace con el pan en la ciudad, sino que mordían en ella y después sorbían un trago.

Page 81. Por momentos pensaba que se hallaba bajo una pesadilla y que pronto despertaría en su precioso dormitorio de Madrid. Otras veces sentía rugir en su pecho una cólera rabiosa y le acometían impulsos de gritar. Subía del pecho como una ola de sufrimiento que crecía sin cesar y la ahogaba. ¿ Por qué, por qué todo aquello ? ¿ Qué pecados había cometido para que Dios la castigase de tan bárbara manera ? Evocaba su vida anterior y no encontraba en toda ella más que pecadillos veniales, presunción, cóleras inmotivadas, alguna murmuración, alguna respuesta irrespetuosa. Hasta se preguntaba: « ¿ Estaré ya en el infierno ? » Le acometían vivos deseos de morir. No se le pasó por la imaginación el suicidio, pero apetecía la muerte. Antes, cuando hablaban de ella, se estremecía y hacía callar al que la mentaba; y ahora la llamaba cual si fuese una hada benéfica.

Así batalló toda la noche.

Page 84. Aquellas lágrimas fueron como la lluvia que refresca y fertiliza la tierra, encendida por los calores del estío. También su corazón se sintió refrescado. Aquella cólera rabiosa que la quemaba las entrañas se fué disipando y en vez de ella se esparció por su pecho una dulce resignación. Recordó la pasión de Jesús y no pudo menos de decirse: Esto que me pasa es nada. Cúmplase, Dios mío, tu voluntad.

Page 84. Un mueble de madera ennegrecida — todo lo que veía era viejo y oscuro — a modo de ancha cómoda, ocupaba uno de los testeros de la pared. En sus cajones debían de hallarse las vestiduras sacerdotales. En un rincón los ciriales con la cruz. Sobre la cómoda descansaban algunos misales. De una tosca percha de madera colgaba el ropón encarnado del monaguillo y la sobrepelliz, todo ello bastante sucio. Había también un banco lustroso por el uso. Un Cristo horrorosamente tallado con grandes chafarrinones pendía de la pared sobre la cómoda o armario bajo.

Page 85. Una mesa cubierta con un tapete de bayeta verde, una cómoda de madera de castaño y sobre ella una capillita con un cristal, detrás del cual se veía una imagen de la Dolorosa. Una estantería con algunos libros empolvados y varias sillas de paja.

Page 85. Formaban todos una muy grata espesura. El camino quedaba a un lado y desde el corredor se veía también perfectamente.

Page 88. Todos los bienes parroquiales que en otro tiempo eran muy ricos se han subastado. Para mantener una vaca de leche, ¿ sábestetú ?, tuve necesidad de arrendar un mal praduco que sólo me da tres carros de yerba . . .

Page 92. La mañana había sido bien aprovechada. Se había segado más de un tercio del prado. Por la tarde irían las mujeres a esparcir la yerba. Si el sol no se nublaba, al día siguiente podría meterse una buena cantidad de yerba en la tenada.

Page 94. Dios baja siempre al corazón de los humildes. Los actos de humildad que había tenido con su tía le habían ganado su cariño. Guardaba todavía alguna esperanza, pero no ardiente ni anhelante. Si Manrique la aceptaba, bueno, si no, la Virgen del Carmen se encargaría de protegerla. Aquella templada atmósfera, aquel rico aroma de los campos, aquel sereno cielo, aquel silencio majestuoso, infundían en su alma un dulce sosiego que nunca había sentido.

Entonces

Page 95. Salió al camino, abrió la portilla de la pomarada y penetró en ella. Cercanos a la sebe antes de los pomares había algunos árboles frutales, ciruelos, higueras, perales y dos grandes frondosos cerezos que llamaron su atención. Se estuvo algunos momentos contemplándolos y siguió internándose lentamente en la finca, que no era muy dilatada como sabemos. El sol penetraba difícilmente por la espesa cortina de los árboles, pero estaba allí y su real presencia señalada por algunos rayos en el césped infundían la vida y la alegría. Los pomares grandes y frondosos formaban tiendas de campaña, redondos cenadores fabricados por la naturaleza, no por la mano del hombre.

Page 95. El pueblo, la vega, donde comenzaba a crecer el maíz, el río orlado de nogales y homeros, los pequeños prados ceñidos de avellanos. Allá a lo lejos la aldea de Lorio, y sobre ella la fragosa sierra del Raigoso con su crestería salvaje.

Page 95. Contemplando sin pestañear las verdes ramas que casi le tocaban en la frente, sentía hacia ellas una irresistible inclinación, un afecto de hermana, quería **transformarse en** una y vivir siempre bajo el sol mecida por la brisa.

Page 97. Pero toda la familia sufrió una gran decepción. Angelina no quiso cenar más que una taza de leche con pan migado. Estaban consternados. Así no se podía vivir. En vano Angelina les hizo saber que se podía vivir meses y años con leche solamente. No lo creían. Viéndoles tan afligidos les prometió que al día siguiente comería un poco más.

Page 97. — ¿ Es que ustedes no van a rezar el rosario ?
— A eso vamos.
— Pues yo quiero rezarlo con ustedes.
Se miraron unos a otros, y una sonrisa de complacencia se esparció por los rostros.
Concluído el rosario subió a su cuarto y encendió una vela.

Page 98. Llevaba en la mano el relojito de oro y brillantes y dos sortijas que de Madrid traía puestas.
— Tome usted, tía, tome estas joyas y haga de ellas lo que quiera.
Griselda le clavó una severa mirada.
— ¿ Cómo lo que quiera ? Será lo que tú quieras, porque a mí no me pertenecen.
— Bien, pues para que me las guarde usted — replicó la niña ruborizándose.

Page 99. El prado era enorme y formaba a modo de valle, por medio del cual corría un arroyuelo. Los Quirós no eran dueños más que de la mitad. Griselda le explicó con tristeza que toda aquella gran finca había pertenecido a su abuelo, el cual vendió la mitad a un señor de Oviedo. Las dos mitades se hallaban separadas únicamente por el arroyo, sin pared ni sebe alguna.

Page 99. — Santos días tenga usted, tía Griselda. Es la sobrina ¿ verdad ?

Otro dijo:

— Guapina, esle guapina, pero flaquina también.

— Ya engordará con los torreznos que le dará su tía.

— Y con las buenas magras de jamón. Allá en Madrid no se come — añadió un cuarto con profunda convicción.

Page 100. Ni uno ni otro eran viejos todavía. En la aldea casan los hombres jóvenes; por eso, jóvenes ellos, ven a sus hijos jóvenes. El tío Pacho era el más gordo y persistía en gastar al uso antiguo el calzón corto y la primitiva montera de pico caído que ya en aquella época estaba casi proscrita de las aldeas de Asturias. El tío Leoncio, más delgado y de aspecto más juvenil y modernista vestía pantalón largo y boina. Cosme, el hijo del tío Pacho, era un mozallón razonablemente feo, bien distinto de Telesforo el del tío Juan, que a su lado parecía el Apolo del Belvedere.

Pin de la Fombermeya, o mejor dicho Pinón, pues todo el mundo empleaba el aumentativo, era un hombre de media edad que se acercaba a los cuarenta. Había nacido en la Fombermeya, un lugarcito de la parroquia de Lorio y había casado en el Condado. Hacía ya tiempo que era viudo sin hijos. Seguía habitando en el Condado, donde poseía una casita y una huerta bastante buena. Pero como ésta no bastaba mantenerle se alquilaba como jornalero dentro y fuera de la parroquia. Era un paisano honrado y un buen trabajador; todo el mundo le apreciaba. Sólo tenía una debilidad y era que cuando bebía unos vasos de sidra se empeñaba en proclamar a gritos que era el hombre más valeroso del concejo de Laviana. Algunas veces extendía su reputación a los concejos limítrofes. Como era un ser pacífico que huía toda clase de bulla y nadie le había visto empeñado en alguna quimera grande o pequeña, le dejaban gritar y lo echaban a risa.

Page 100. A ésta decían las vecinas que la hacía trabajar como un borriquito, poniéndole cargas superiores a sus fuerzas.   Hombre silencioso marchando siempre hacia sus fines.

Page 101. Una de las veces que el tío Juan se enderezó igualmente después de repasar la guadaña quedó inmóvil contemplando sin pestañear el prado de enfrente, aquella mitad que había sido en otro tiempo del abuelo de Griselda.   Como si adivinase lo que pasaba por su corazón, Pinón de la Fombermeya le gritó:

— ¡ Eh, tío Juan !   Lástima de prado, ¿ verdad ?

Juan no contestó.   Doblando de nuevo el cuerpo siguió su trabajo.

Page 101. Los dos hermanos que tenía, el uno trabajaba como minero allá en Langreo, el otro estaba sirviendo al Rey.   Solamente ella vivía con los padres.

Page 103. Don Tiburcio Miravalles, cura párroco del Condado, era hijo de unos aldeanos de las cercanías de Infiesto.   Toda su vida había sentido la nostalgia de las labores del campo.   Nada le deleitaba más en este mundo que arar, sembrar, segar, *llemir* las castañas.   Si el Gobierno, en vez de una pequeña huerta, le hubiese dejado algún prado o pieza de tierra y castañar, hubiera sido un hombre feliz.   Mas el hombre no puede ser jamás feliz « sobre la haz de la tierra », como él mismo decía muchas veces en los sermones de los domingos.

— Señor cura — dijo en voz alta Angelina —, ¿ San Pedro, no fué pescador ?

— Sí, hija mía, fué pescador.   En los primeros tiempos del Cristianismo no sólo los presbíteros, sino los obispos vivían del trabajo de sus manos, eran simples obreros.

— ¿ Y San José, no fué carpintero ?

— Sí, hija mía, sí; fué carpintero, y Nuestro Señor Jesucristo también.   Dios te bendiga.

Page 105. La *Moruca* hacía sólo dos meses que había parido.   El ternero era aún muy chiquito.   La otra vaca de leche se llamaba la *Pinta*, a causa de unas manchas blancas que tenía sobre el lomo. Ésta era menos lechar, pero se extraía de su leche una gran manteca. Las otras dos, la *Cereza*, de piel muy roja, y la *Blanca*, blanquecina, estaban preñadas.   La *Cereza* no tardaría mucho en parir.

Page 105. A la salida del lugar les esperaban Conrada y Sinforosa, que venían a ayudarlas a revolver la yerba segada por la mañana.

Ninguno de los hombres venía con ellas. Para la tarea de cargar los carros se bastaban el tío Juan, Telesforo y Pinón de la Fombermeya.

Page 113. Una de las veces Angelina percibió a Pinón de la Fombermeya.

— Oye, Pin. ¿ Te parece que lloverá mañana ?

— Yo no sé mayormente si lloverá mañana; pero si el viento sopla de la Peña Mayor y no se encuentra con el que viene del Raigoso y las nubes se esparcen mayormente de un lado y de otro y no tienen tiempo a quedarse quietas, vamos al decir ... paréceme a mí que no ha de llover cosa mayor.

Como no sacaba nada en limpio de la consulta, Angelina volvió a su sitio y continuó trabajando.

Page 124. ¿ No sabes lo que ha hecho con la Virgen ?

— ¿ Con la Virgen ? — exclamó Angelina.

Pero Griselda, exasperada, no la oyó.

— ¿ No sabes, bruta, que ese señorito es un granuja que no tiene el diablo por dónde cogerle ? ¿ No sabes que fué él quien perdió a la Virgen ?

— ¿ Perder a la Virgen ? — exclamó Angelina asustada.

Griselda quedó inmóvil. Madre e hija se miraron un instante y ambas soltaron a reír.

Su tía le explicó que vivía hacía algún tiempo en Condado una joven de singular hermosura a quien habían puesto a causa de su belleza por sobrenombre la Virgen y por él era conocida en toda la parroquia. Pues ese canalla de Román la había seducido y deshonrado. La pobre chica, avergonzada, desesperada, había dejado el fruto de su deshonra en poder de sus padres y se había ido por el mundo. Se decía que estaba en Madrid en una casa de mala vida.

Page 124. Don Manuel vivía casi a expensas de la posesión, que era grande y fructífera. Él y su familia apenas necesitaban comprar nada, porque todo lo tenían en casa, carne en cecina de la novilla que sacrificaban todos los años, jamón, chorizos, tocino, morcillas, leche, manteca, legumbres. Como su pequeña renta la percibía en el trigo llamado escanda, también tenían pan.

Page 136. El sol derramaba sus rayos por el valle matizándolo de diversos colores, el verde aterciopelado de las praderas, el amarillento de las vegas de maíz, el oscuro y brillante de los castañares. Por el medio corría el hermoso río Nalón, límpido, cristalino, semejando una gran faja de plata orlada de esmeraldas.

Siguieron la carretera hasta el Puente de Arco, lo salvaron y caminaron por la orilla izquierda del río hasta llegar a Entralgo, por el estrecho camino de Sobeyana. Allí se les agregaron todavía algunas otras mozas y enderezaron sus pasos por la estrecha cañada que surca el riachuelo de Villoria, afluente del Nalón.

Page 137. Un grupo de mozos maleantes se estaba divirtiendo a costa de un pobre idiota. Al ver a las tres mozas del Condado abrieron paso y empujando hacia ellas al idiota le preguntaron:

— Luisón, ¿ cuál de estas guapas mozas **te gusta más** ?

Guapas eran las tres; Carmela, frescachona, con sus grandes, límpidos ojos de ternera; Sinforosa, menuda, pero de lindo y picaresco rostro; Angelina, de gentil figura y expresivos ojos.

— Vamos, Luisón, ¿ cuál de las tres escogerías ?

El idiota quedó perplejo un instante. Después, señalando con el dedo a Angelina, dijo:

— La morenita.

Aunque parezca raro, a ésta le halagó mucho la preferencia del idiota.

Page 142. Siguieron por la carretera. A retaguardia marchaban emparejados Telesforo y Sinforosa. Cuando llegaron a Cillaruelo, ésta, con el pretexto de que su casa se hallaba al terminar la vega, la primera del lugar, consiguió que Telesforo dejase con ella la carretera y **se entrasen** por las tierras de maíz. Éste se hallaba muy alto, los ocultaba completamente. Por el estrecho sendero que conducía al Condado marchaban envueltos en las tinieblas. Como no podían ir emparejados marchaba delante Sinforosa y su novio detrás. La moza se detuvo y mirando a Telesforo con risa picaresca le dijo:

— Forín, si tú fueses otro ahora podías hacer burla de mí.

Telesforo se puso rojo y balbució:

— Darías voces.

— Calla, bobo, ¿ no ves que estoy ronca ? . . . ¡ Además como yo soy tan vocinglera !

El pobre mozo no quiso darse por enterado; siguieron caminando en silencio y así llegaron hasta la casa del tío Atilano. Allí encontraron ya a Faz, que había dejado la comitiva. Desde que vino de maestro al

Condado estaba alojado como huésped en casa del tío Atilano, pagando por su pupilaje una cantidad tan módica que haría reír en la ciudad.

Telesforo llegó a su casa casi al mismo tiempo que Carmela y Angelina.

— ¿ Te has divertido mucho, Angelina ? — le preguntaba su tía Griselda.

— Nunca me he divertido tanto.

— Madre — dijo Carmela —, Angelina ha sido la reina de la romería.

— Porque merece serlo — respondió satisfecha Griselda.

Page 144. El mercado de la Pola se componía, y es posible que aún se componga, a más de los paisanos que llevan a vender sus productos, de tenderos ambulantes. Éstos recorren sucesivamente durante la semana varios pueblos de la provincia, no muy lejanos unos de otros; los lunes en Sama de Langreo, los martes en Pola de Siero, los jueves en Pola de Laviana, los viernes en Cabañaquinta, capital del concejo de Aller; los sábados en Mieres. Transportaban su mercancía sobre recios mulos. En las primeras horas de la mañana arman sus tendezuelas portátiles en la plaza, abren sus fardos y extienden los paños y telas sobre toscos tableros.

En la Pola de Laviana hay dos plazas, si tal nombre merecen, una en la parte de abajo cruzada por la carretera que conduce a Sobrescobio y Caso, pasando por el Condado, y otra, la más antigua, en la parte de arriba del pueblo. En la primera venden sus géneros los mercaderes ambulantes de que hemos hablado; en la segunda se encuentra el mercado del ganado.

El tío Pacho de la Ferrera y el tío Leoncio salieron juntos del Condado poco después del mediodía.

Page 148. Pinón permaneció inmoble dentro de la taberna.

Los guardias civiles repartieron algunos cintarazos y lograron al cabo meter a los mozos de la Pola en sus casas y empujar a los de Blimea hacia la suya. Aquellos buenos guardias, conocedores del país y nada trágicos, llevaban colgados al hombro los fusiles, pero empuñaban sendos garrotes que les bastaban para reducir a la obediencia a los chicuelos y borrachos.

La noche había llegado. Todo había quedado tranquilo y silencioso en la Pola. Sin embargo, los dos guardias todavía rondaban por las calles por si a los mozalbetes se les ocurría salir en busca de aventuras. A las nueve el silencio era absoluto.

De pronto llegan a sus oídos fuertes voces de allá al extremo del pueblo. Se detuvieron sorprendidos y percibieron a lo lejos el bulto de un hombre, que por el medio de la carretera venía dándolas.

— ¡Aquí va! ¡Aquí va! — gritaba el hombre —. Aquí va Pin de la Fombermeya, el hombre más valiente del concejo de Laviana.

Los guardias se apostaron cada uno detrás de un árbol y esperaron.

— ¡Aquí va! Aquí va Pin de la Fombermeya, el hombre más valiente de toda la ría del Nalón.

Las voces eran horrísonas y rompían de un modo medroso el silencio de la noche. Por medio de la carretera iba caminando lentamente.

— ¡Aquí va! ¡Aquí va Pin de la Fombermeya!...

Dos formidables estacazos en la espalda le hicieron dar un brinco y emprender una carrera loca. Cruzó como una flecha la plaza, pero en vez de seguir por la carretera le pareció más seguro ocultarse en la vega. Se encontró con una portilla cerrada y la saltó sin tocar con las manos. La portilla tenía metro y medio de altura. Fué un salto soberbio, prodigioso, como no lo darían mejor los acróbatas que admiramos en el circo.

Al día siguiente los guardias enseñaban esta portilla a algunos señores de la Pola, los cuales se hacían cruces al saber que un hombre la había saltado sin tocar con las manos.

— Es increíble — manifestó don Paco el ingeniero — que sin trampolín se pueda dar semejante salto.

— El miedo es el mejor trampolín que se conoce — afirmó don Jerónimo el médico.

El salto de Pin de la Fombermeya es en Laviana tan famoso como el del capitán Alvarado en Méjico.

Page 152. Repentinamente apareció delante de ellos un hombre. Ambos se detuvieron sorprendidos, pero más aún el tío Pacho.

— Hola, buenos amigos, ¿con que del mercado, eh?

— De allí venimos, Ramón — respondió Leoncio.

Era un mozallón gordo, no muy alto, que podría contar poco más de treinta años, moreno, rasurado como los aldeanos, cara redonda, ojos negros saltones, vestido un poco peor que los caballeros y un poco mejor que los paisanos.

— ¿ Y qué hay de bueno por el mercado ?

— Todo malo. El ganado muy bajo. Así tenía que ser, porque este año fué de poca yerba.

— ¿ Y los cerdos ?

— Los cochinos estaban como tirados — respondió el tío Leoncio echando de reojo una mirada de salvación a su compadre.

Éste tenía la cabeza baja y no despegaba los labios.

— Eso será los grandes, pero los mamones todo el mundo los quiere para enviarlos a Oviedo.

— Todos, todos andan mal.

— Está usted equivocado, tío Leoncio . . . Y si no que lo diga aquí el tío Pacho, que vendió dos esta tarde y va a arreglar ahora sus cuentas conmigo.

— No puedo, no puedo — murmuró sordamente el tío Pacho.

— Lo que usted no puede, tío Pacho — dijo Ramón riendo y poniéndole una mano sobre el hombro —, es pescar truchas a bragas enjutas.

— Te digo en conciencia, Ramón, que no puedo — pronunció sin levantar la cabeza.

— Sí puede usted, porque acaba de vender dos cochinitos en cuarenta reales cada uno.

— ¡ Mentira !

— No han sido cuarenta reales, Ramón, fueron treinta y nueve y medio — apuntó el tío Leoncio defendiendo a su compadre.

— Bueno, es igual. De todos modos el tío Pacho me va a dar ahora sesenta reales de los noventa que me debe.

— No puedo, Ramón, no puedo. Estoy debiendo la renta del año pasado a don Silverio y el mayordomo, Cayetano, me va a llevar al Juzgado.

— No sea usted embustero. La renta de don Silverio la ha pagado usted ya en el mes de julio . . . ¡ Con que suelte usted la mosca, tío Pacho !

Y al mismo tiempo le metió cariñosamente el puño por la barriga.

Al fin, después de larga brega el tío Pacho le entregó cuarenta reales.

Este Ramón, llamado de las Argayadas por el caserío donde había nacido, fué mozo de labor en casa de don Manuel de Lorio cuando tenía veinte años. Habiendo muerto una tía vieja intestada, pudo sacar cuarenta duros que le entregó el escribano. El resto de la herencia se la había comido la curia. Con estos cuarenta duros empezó a negociar. Compró patatas, compró maíz a bajo precio a los paisanos que estaban necesitados y él mismo lo transportaba sobre los hombros al mercado. A los dos o tres años, cuando se vió con algunos cuartos, comenzó a prestarlos a los paisanos con interés escandaloso, peseta por duro, aunque se lo devolviesen **a los pocos días.** Creció su dinero como la espuma. A la hora presente se calculaba que podía tener un capital de diez o doce mil duros. Es poco en una ciudad, pero en la aldea y en aquel tiempo una riqueza.

Ramón de las Argayadas era el raposo más fino del valle de Laviana. Sabía dónde estaban las gallinas y las engullía. Sin embargo, este terrible usurero no era muy aborrecido en el concejo. ¿ Por qué? Porque los paisanos, más que nada en el mundo, temen el Juzgado. Pagar la deuda y además pagar las costas al escribano no lo pueden sufrir. Ramón de las Argayadas no les llevaba al Juzgado. Los perseguía, los acechaba, sabía lo que vendían, la cosecha que habían recogido, las vacas que tenían preñadas, los cerdos que había parido la marrana, lo sabía todo y además sabía sacarles los cuartos. Los paisanos le pagaban más o menos tarde, pero le pagaban siempre, porque no querían perder aquel recurso en los casos de apuro.

Vivía este Argayadas, capitalista célibe, en la más repugnante indigencia, y gracias a esto había podido juntar el capital que se le suponía. Compró una casita medio derruída en Puente de Arco. Se decía que no había allí más que un mal catre y algunas sillas viejas, y en la cocina escasos y pobres enseres. Cocía para comer unas judías, de que hacía provisión, porque alguna vez los paisanos apurados le pagaban en especie y para guisarlas pedía un poco de manteca por las casas de los vecinos. O bien les daba patatas para que se las guisasen, regalándoles otras pocas, o bien les daba algún maíz **a cambio de** un pucherito de leche. Esto era lo que se murmuraba entre el paisanaje. Pues a pesar de tal régimen dietético era hombre fuerte y arriscado.

Cuando de él se hubieron desembarazado nuestros compadres siguieron con la misma pausa su camino.

Page 157. No llevaba, aunque pudiera llevarlo, el vergonzante ramo de azahar, que algunas novias pasadas por las armas se ponen en Madrid sobre el pecho.

Page 168. El primer día que mazando sintió en el odre el peso del pegote de manteca, subieron los colores a su rostro como una madre que siente por primera vez en su vientre el latido del hijo. Sacó la manteca, la hizo una bola y la presentó a sus tíos casi llorando de alegría. Éstos se hallaban de ella tan complacidos que la mimaban a porfía. Sobre todo el tío Juan, estimando su afición a los trabajos campestres, la tomó por confidente de sus alegrías y temores.

— ¿Qué te parece, Angelina, cortaremos este pomar que está podrido?

— ¿Pero ha dado manzanas el año pasado?

— Sí; ha dado muchas.

— Pues déjele usted, tío. Cuando empiece a minorar habrá tiempo a cortarlo. Mientras tanto puede usted plantar cerca otro arbolito, a fin de que esté adelantado cuando arranquemos el viejo.

— ¿Qué te parece, Angelina, llevaremos la *Cereza* al prado? Está ya tan adelantada que temo le pase algo malo.

— Mejor será dejarla en el establo, tío.

Pero Angelina todos los días, al tiempo de ordeñar las vacas, experimentaba un disgusto. El pastor antes de hacerlo suelta al ternero, que corre a su madre y asido comienza a mamarla dándole golpes en la ubre con la cabeza para que baje la leche. La vaca, obedeciendo a esta tierna presión hace bajar la leche. Entonces el pastor despiadado arranca de ella al ternero y comienza a ordeñar. Era para Angelina un momento de pena cuando Telesforo arrancaba el ternerito a su madre.

— Forín, déjalo un poco más. El pobrecito apenas ha mamado.

— No puede ser, Angelina. Si se traga toda la leche nosotros no tendremos ni leche, ni manteca.

Angelina comprendía la razón, pero no podía menos de hacer siempre un gesto de disgusto.

Gozaba con todas las faenas del campo y también con las domésticas, siempre que no fuese coser. Cuando su tía Griselda la llamaba para remendar o zurcir alguna ropa se entristecía su semblante. En cambio, que solicitase su ayuda para amasar el pan y la borona, o para arrojar el horno, o para deshacer las mazorcas o para cerner el trigo y la sobrina acudía presurosa y contenta.

La faena de la colada cada quince días era para ella una fiesta. El ir a la presa del molino a lavar la ropa y charlar allí con otras mozas y cantar a voz en cuello, el colocar después la ropa en el medio tonel, para el efecto destinado, entre capas de ceniza, el aclararla después en el río, todo esto la ponía de buen humor.

Page 175. Aunque aquel joven no despertaba vivas simpatías, el hecho impresionó a todo el concejo. Y como sucede en casos tales, las opiniones se dividieron. Los unos creían que el chico había salido borracho de Ríoseco y se había caído. Otros, **los más,** fijándose en que el caballo no había caído con él, pensaban que había sido víctima de una venganza, lo que no era sorprendente dada su conducta licenciosa. Nada positivo pudo averiguarse: todo permaneció en el misterio. Como su misma familia no se ocupó demasiado en esclarecerlo, al cabo de algunos días quedó el suceso olvidado.

Page 175. En las postrimerías del mes de enero cayó sobre el valle de Laviana una gran nevada. Desde hacía ya varios días las altas montañas y aun las colinas más bajas estaban cubiertas de nieve. Pero la última tapó por completo el llano. Había cerca de media vara en las vegas.

Sucedió que nuestro amigo Faz, el rechoncho sacristán y maestro, tuvo necesidad de ir a la Pola a cobrar sus cortos emolumentos. Pisando alegremente la nieve llegó hasta allá una tarde. Evacuado su negocio se encontró con unos amigos de Infiesto y se entretuvo con ellos en la taberna de Engracia. Era ya bien entrada la noche cuando salió de la Pola. Por la carretera nadie transitaba. Chapoteando por encima de la nieve, sin tropezar con ningún ser viviente llegó nuestro sacristán hasta Muñera. Allí se decidió a tomar el camino o sendero de la vega, pues la casa del tío Atilano, donde se alojaba, primera del Condado, estaba al final de ella. La nieve por aquellos parajes se hallaba menos derretida y, por lo tanto, era más fácil caminar sobre ella. Marchaba, pues, tranquilo el maestro, cuando acertó a ver un perro que saltaba delante de él al sendero y muy pronto desapareció. Le chocó un poco la aparición de un perro en aquel sitio y hora, pero nada le impresionó. Mas a los pocos minutos el mismo perro saltó otra vez al camino, siguió por él un trecho y de nuevo desapareció. Esta vez el maestro quedó más sorprendido. Un minuto después el perro saltó al camino, pero más cerca, y el maestro comprendió con horror que aquel animal no era un perro sino un lobo. Los cabellos se le erizaron. Entonces se puso a caminar con más prisa. El lobo saltaba al camino y en seguida saltaba a la vega, cada vez con mayor frecuencia y cada vez más cerca. Faz apretaba el paso tembloroso y anhelante. Las primeras casas del pueblo ya se divisaban. Pero el lobo cada vez en sus saltos se aproximaba más.

Ya estaba cerca de la casa del tío Atilano. El maestro la veía como el pobre náufrago mira la orilla de la costa. Pero he aquí que el lobo, viendo que se le escapaba la presa ya no siguió por el camino, sino que se le plantó delante en actitud agresiva. El pobre Faz alargó su bastón hasta tocar con el hocico de la fiera y en el paroxismo del terror gritó:

— ¡ Auxilio !

El grito fué tan extraño, tan horrible, que la gente que se hallaba de *fila* en la cocina del tío Atilano salió en tropel y voceando.

Gracias a esto el pobre maestro salvó la piel. El lobo, al sentir el ruido huyó con harto sentimiento de su corazón, porque el rollizo maestro era un bocado apetitoso para su hambre.

Los vecinos hallaron a Faz tan pálido y tembloroso que inspiraba lástima. No pudo decir una palabra. Había perdido el habla. Le condujeron hasta casa, le sentaron en el escaño; pero por más preguntas que le hicieron no fué posible que contestase sino por señas. Un paisano más listo que los otros le dijo:

— ¿ Lobos ?

El maestro quiso descoyuntarse afirmando con la cabeza.

— ¿ Dos lobos ?

El maestro señaló uno con el dedo.

Un mozo heroico dijo entonces:

— ¡ Bah ! Siendo uno solamente yo me hubiera arreglado con él teniendo un garrote.

— ¡ Que habías de arreglarte, borrico ! — exclamó un viejo paisano —. El lobo te salta al pescuezo y no te deja ni siquiera alzar el palo.

Faz se marchó a la cama y los vecinos quedaron comentando el caso, y trayendo a la memoria algunos parecidos que a unos y a otros les había acaecido.

Al día siguiente Faz recobró el habla, pero su voz era tan apagada, tan tenue, que apenas se le oía. No pudo levantarse. Se le declaró una fiebre intensa que continuó al día siguiente y al otro. Los paisanos son reacios para llamar al médico, por el gasto que origina, pero al fin, por consejo, casi por mandato de don Tiburcio el párroco, el tío Atilano fué a la Pola y avisó a don Jerónimo. Vino éste y no puso buen gesto pulsando al enfermo. Extendió una receta y prometió volver al día siguiente; pero no vino. Faz siguió de mal en peor. Cuando al otro día llegó el médico lo halló en tan mal estado que aconsejó se le dispusiera.

Vino don Tiburcio, apresuradamente le confesó y acto continuo se fué a la iglesia y tocó él mismo las campanas llamando a los vecinos para acompañar al Viático. Acudieron bastantes. La familia entera de los Campizos, el tío Juan, Griselda, Carmela, Angelina y Telesforo fueron de los primeros.

La mañana era fría; la nieve aún no se había derretido, una niebla espesa había caído sobre el lugar. Las luces de los cirios despedían un resplandor fatídico; la campanilla sonaba estridente y lúgubre en ambiente dormido.

La gente penetró en tropel en la vivienda del tío Atilano, pero sólo unos pocos pudieron aproximarse a la cama del enfermo, el cual, con el rostro descompuesto, se hallaba ya en el período agónico. La fúnebre ceremonia era tan imponente que Carmela y Angelina vertían lágrimas. En cambio Sinforosa, cual si aquel acto le fuese indiferente mostraba un semblante casi risueño, se acercaba a Telesforo por detrás y le pellizcaba.

El párroco le impuso la Extrema Unción. Después se retiró con la gente. Sólo quedaron allí los más íntimos. El pobre Faz se marchaba a gran velocidad. Antes de una hora se inició el estertor agónico y el movimiento de cabeza que precede en los enfermos a la muerte. Ni Carmela ni Angelina se apartaban de su lecho. Al fin levantó un poco la cabeza, las miró con ojos extraviados y la dejó caer de nuevo murmurando:

— *Ite misa est.*

Esta vez el mundo perdió algo; perdió un admirable gaitero.

Page 178. Vivía en aquel lugar, en la más pobre y miserable choza que nadie puede figurarse, una anciana llamada la tía María Alonso. Contaba, según decían, más de noventa años, y se hallaba **a última hora** sin recursos, en la más completa miseria. Un día Angelina oyó decir:

— ¡ Pobrina ! Hace ya algunos meses que no se alimenta más que con borona.

Se sintió conmovida y empezó a visitarla y socorrerla. Le llevaba todo lo que podía, una taza de caldo, un pedazo de pan, un jarrito de leche. La tía María miraba a aquella niña como a un ángel bajado del Cielo. Un día, besándole las manos, le dijo con voz temblorosa:

— Hija mía, bendita seas tú y bendita la hora en que tu madre te echó al mundo.

Angelina salió enternecida de aquella choza, vertiendo lágrimas.

Page 183. el hombre más valiente del valle de Laviana —.

Page 184. Un domingo por la mañana habían sonado las campanas de la iglesia el primer toque para la misa, cuando Angelina, tocada con la mantilla aldeana de casimir negro con franja de terciopelo, se encaminaba tranquilamente a oírla acompañada de su tía Griselda y de Carmela. Al pasar por delante de la casa rectoral, don Tiburcio, que se hallaba en el corredor, después de darles en voz alta los buenos días, dijo en tono imperativo:

— Angelina, hazme el favor de subir; tengo que hablar contigo un momento.

Un poco sorprendida Angelina penetró en la casa, mientras Griselda y Carmela, sorprendidas también, siguieron su camino.

Con el cura, en el corredor, se hallaba el maestro y sacristán que había sustituído al bueno de Faz en la escuela y en la iglesia. Era éste un paisanín de Sobrescobio llamado Manín de Ríoseco. No hablaba latín como el difunto, pero tampoco castellano. Si zote era nuestro amigo Faz, mayor zoquete era Manín, aunque le llevase ventaja en belleza física.

— ¿ Qué se le ofrecía, señor cura ?

— Pues debo decirte, querida, que tengo encargo de doña Celedonia, la señora de don Indalecio el *Costalero*, para que te pregunte si tendrías inconveniente en dar algunas lecciones de primeras letras a sus dos chicos, nada más que leer y escribir, un poco de aritmética, un poco de gramática, en fin, lo que tú juzgues a propósito para desasnarlos, porque son dos borriquitos, ¿ sábestetú ?, tirar piedras, subirse a los árboles, torear a los carneros y cazar grillos, nada saben más que eso. Tú me dirás si te avienes a enseñarles y lo que quieres ganar por ello . . . ¡ Pero hija del alma, qué rolliza te estás poniendo ! Si sigues así vas a alcanzar a tu tía Griselda.

Nunca tropezaba don Tiburcio con Angelina que no se asombrase del aumento de sus carnes.

Quedóse Angelina pensativa unos instantes.

— Bien, señor cura, por mí sola yo nada puedo decirle. Tengo que consultar con mis tíos y si ellos lo aprueban entonces será el caso de que volvamos a hablar del asunto.

— Eso está bien dicho, Angelina. Con tu respeto no haces más que corresponder al cuidado y al cariño con que te tratan esos buenos tíos. Sigue para la iglesia, que yo voy en seguida.

Salió Angelina de la casa, no sin que Pepa le gritase como siempre:

— Adiós, señorita, que Dios la bendiga.

Esta buena mujer parecía tener empeño en que todo el mundo se enterase de que Angelina, a pesar de su traje, para ella era siempre una señorita. Ésta volvió la cabeza riendo y amenazándola con el dedo.

El párroco se dispuso a seguirla acompañado de Manín el sacristán. Antes de partir echó una tierna, afectuosa mirada a sus árboles frutales, que este año se hallaban cuajaditos de ciruelas, higos y cerezas. Como Pepa debía cerrar la casa para asistir a la misa, el buen párroco los encomendó al cuidado del Eterno, sin recordar que el Eterno cuida también de los pajaritos.

Ya iba don Tiburcio a retirarse del cercado cuando con gran asombro e indignación acierta a ver que unos mozalbetes se encaraman sobre el muro de la huerta y empiezan a pelar la higuera y los ciruelos con la mayor impudencia. Fué tal su cólera y estupefacción que por unos segundos no pudo gritar. Al fin salió de su garganta un terrible grito:

— ¿ Qué hacéis, malvados ? ¿ Qué hacéis, ladrones ?

Los mozos, cuyo número iba creciendo, sin hacer caso alguno de sus voces siguieron comiendo tranquilamente los higos y las ciruelas. Entonces intervino también Manín de Ríoseco, gritando:

— ¡ Aguardad un poco, allá voy yo !

Se oyeron carcajadas burlonas y unas cuantas piedras se abatieron sobre el corredor. A don Tiburcio le alcanzó una en el cuerpo, que si le da en la cara le descalabra. Manín, menos afortunado, recibió una en la cabeza y comenzó a sangrar por la frente. A toda prisa se retiraron cerrando la puerta del balcón. Los ladrones, riendo groseramente, siguieron su criminal tarea.

Eran estos bandidos unos mozos de Sobrescobio y Caso, a quienes había tocado la suerte del servicio militar y marchaban a Oviedo a presentarse en el cuartel.

Pepa gritaba también y gritaba Manín hasta desgañitarse. Acudieron algunos vecinos, pero nadie se atrevió a oponerse a aquella juventud formidable, que riendo siempre, después que se hartó de higos y ciruelas, siguió tranquilamente su camino.

Puede cualquiera figurarse el estado en que habría quedado el párroco. ¡ Y tenía que celebrar misa a los pocos instantes ! Esto le pareció imposible, pero imposible también le pareció dejar sin ella a sus feligreses que aguardaban ya en la iglesia. En tal aprieto, el desgraciado comenzó a hacer actos de contrición y a pronunciar jaculatorias. De nada le valían. No era posible apagar la llama de cólera que ardía en su pecho. Bufaba, resoplaba, gemía; paseaba por la sala, se arrodillaba delante de la imagen de la Virgen, que descansaba en su pequeña capillita de cristal sobre la cómoda. Nada, la irritación no cedía.

Al fin se decidió a acudir a la iglesia, donde ya esperaba impaciente el vecindario. Manín, a quien Pepa había vendado la frente con un pañuelo, le acompañó.

Entró en la sacristía, y siempre bufando, resoplando y murmurando denuestos contra los bandidos, ayudado por Manín se revistió para celebrar el Santo Sacrificio. Antes de salir a la iglesia alzó sus ojos suplicantes al Cristo mazacote y embadurnado de sangre que colgaba de la pared y dando un gran suspiro traspuso la puerta de la sacristía y se acercó al altar.

Todavía resoplando sin poderlo remediar se inclinó y comenzó la misa.

— *Introibo ad altare Dei* — ¡ Canasto de pillos !

El sacristán respondió:

— ¡ Sí, **por cierto** ! — *Ad Deum qui letificat juventutem meam.*

Page 185. Don Indalecio González (alias el *Costalero*) era hijo de unos pobrísimos labradores del Condado. Había ido a Madrid de chico y sirvió como criado en una taberna del barrio de Lavapiés. Con algunos ahorrillos que pudo juntar y con la ayuda de un cliente de su amo abrió otra taberna en la calle de *Tribulete*. Le fué bien. El mozo era avisado y obsequioso. Casó con la hija de una portera de la misma calle, llamada Celedonia, y en algunos años consiguió labrar un capitalito, que si en Madrid significaba poco en el Condado era una gran riqueza, treinta o cuarenta mil duros **en suma**. Entonces decidió traspasar la taberna bien acreditada y restituirse a su pueblo natal y disfrutar allí de su dinero y darse vida de gran señor.

Esto era principalmente lo que ambicionaba su respetable consorte, aquella chulapa de Lavapiés nombrada Celedonia. Con viva satisfacción y todo el aparato que les fué posible arribaron un día los antiguos taberneros al Condado. Edificaron una casita de poco coste, pero que sin duda era la mejor del lugar. Hasta se dijo que tenía retrete inodoro.

Celedonia comenzó a **darse** un **tono** escandaloso. Iba a misa con mantilla de encaje, rosario de cuentas de ópalo y devocionario con canto dorado. Se hacía siempre llamar señora por cuantos se le aproximaban, y cuando iba a la Pola se ponía un sombrero inverosímil, cargado de flores y frutas contrahechas, que era la admiración y el pasmo de aquellos sencillos aldeanos.

Don Indalecio fué concejal del Ayuntamiento, echó barriga y orgullo. Su digna esposa echó más orgullo aún, pero no barriga. Era una gata desmirriada.

Sin embargo, sobre ambos cónyuges pesaba el ominoso apodo de *Costalero*. No era posible quitárselo de encima: *Costalero* había sido el padre de don Indalecio; *Costalero* su abuelo y *Costalero* tenía él que ser. Cuando se le mentaba no se decía otra cosa que don Indalecio el *Costalero*, aunque nadie se lo llamaba a la cara.

La que más sufría y se emberrenchinaba con tal apodo era su esposa. Aquella chulapa, hija de una humilde portera, hubiera dado años de vida por hacerlo desaparecer. Cuando oía gritar en la calle a una mujer: « Oye, chico, ve a llevar esta manteca a doña Celedonia la *Costalera* », casi le daba un ataque de nervios. La malicia de los unos y la inocencia de los otros le hacían sufrir lo indecible.

Pero, en fin, a pesar del ominoso apodo, don Indalecio el *Costalero* era el zar del Condado, y doña Celedonia la *Costalera* la zarina. A su palacio imperial fué nuestra Angelina **en calidad de** institutriz de los niños, gozando de tan módico estipendio que da vergüenza anotarlo. Sólo permanecía allí las horas de la mañana y venía a comer a su casa. Doña Celedonia la trató al principio con bastante amabilidad: sabía que su padre había sido millonario y que aquella joven se había criado con gran lujo. Pero esto mismo fué despertando en su corazón plebeyo secreta envidia y ansias de humillación. Las almas viles sienten feroz deleite en ver caída la grandeza y pisotearla. Poco a poco empezó a ser con ella más fría y altanera. Apenas le dirigía la palabra: contestaba a su saludo con ostensible displicencia. Por fin, un día haciendo salir previamente a los niños de la habitación, le dijo con cierta melosa suavidad cruel:

— Angelina, voy a permitirme dar a usted una lección.

Angelina la miró sorprendida.

— Los que educan a los niños deben procurar ser ellos mismos bien educados. He observado que cuando entramos en esta habitación, lo mismo mi marido que yo, usted permanece sentada. Eso no está bien. Nosotros somos los señores. Usted debe levantarse de la silla y hacer una inclinación respetuosa. El respeto a los superiores se impone siempre y es de buen ejemplo para los niños.

Angelina se puso roja como una cereza.

— Creo que no tomará a mal esta lección y me la agradecerá. Las lecciones son amargas al principio, pero dan al cabo frutos dulces. Yo estoy segura de que usted la ha de aprovechar y que en adelante será más respetuosa. ¿ Verdad, Angelina ?

Ésta, cada vez más roja, no contestó una palabra. Doña Celedonia salió de la habitación, triunfante, con la sonrisa en los labios.

Angelina llegó a casa con el corazón apretado, y una vez en su cuarto se hartó de llorar; pero no dijo una palabra a sus tíos. Aunque se hallaba segura de su cariño, temía que diesen la razón a la orgullosa señora.

Transcurrieron algunos días. Angelina se levantaba, en efecto, cada vez que el *Costalero* o la *Costalera* entraban en el cuarto de estudio. Pero ésta aún no estaba satisfecha. Así como las bestias feroces se excitan con el olor de la sangre, así la bestia feroz humana se enardece cuando hace sangrar el corazón de un semejante.

— Angelina — le dijo un día —, ¿ por qué viene usted con media hora de retraso ?

— Señora, vengo con retraso porque hoy me ha necesitado mi tía.

— Yo no necesito saber nada de su tía.

— Pues yo necesito decírselo.

— Pues yo le repito que no quiero saber nada, y a usted le toca callar.

— Señora, yo no puedo callar porque . . .

— Pues yo le digo — profirió la *Costalera* encrespándose — que se calle. No estoy acostumbrada a que las criadas me repliquen.

— Yo no soy su criada. Vengo aquí solamente a dar lección a los niños — repuso Angelina irguiéndose.

— Es usted mi criada, porque la que me sirve es mi criada.

— Yo le repito que no soy su criada ni he pensado jamás en serlo.

— Usted se calla porque se lo ordeno yo — vociferó aún más fuerte la *Costalera*.

— Vuelvo a decirle que yo no soy su criada.

— ¡ Cállese usted, desvergonzada! ¡ Quítese inmediatamente de mi presencia !

Y con ademán iracundo de verdulera la agarró por un brazo y la empujó a la puerta.

Angelina salió de aquella casa en tal estado de confusión y vergüenza, que no veía el camino. Cuando llegó a la suya se echó en brazos de Carmela, que fué la primera que encontró, y cayó con un ataque de nervios. Acudió su tía, que le prodigó los sencillos cuidados que se conocen en la aldea, agua en las sienes, fricciones en el costado izquierdo, etc. Cuando salió del ataque y narró lo sucedido, la indignación de Griselda fué tan grande, que no faltó mucho para que le diese a ella otro semejante. Quería ir a casa de la *Costalera* y abofetearla. Carmela y la misma Angelina se lo impidieron. Pero se desahogó con un torrente de palabras injuriosas.

— ¡ La *Costalera!* ¡ Llamar a mi niña una criada ! ¡ Ella la verdulera, la hija de una portera, la mujer de un pordiosero, que todos hemos conocido aquí pasando más hambre que un lobo en tiempo de nieve! ¡ La fregona ! ¡ Porque hizo unos cuartos bautizando el vino y limpiando los vómitos de los borrachos, llamar a mi niña una criada !

Cuando llegaron el tío Juan y Telesforo todavía estaba gritando.

Se sentaron a comer y antes de empezar el tío Juan pronunció grave y solemnemente:

— Bueno . . . , hoy es el último día que Angelina pone los pies en casa del *Costalero*. Si ha ido allá, ha sido por su gusto, no por el mío. Nosotros no necesitamos que la rapaza gane dinero. Gracias a Dios tenemos bastante para mantenerla.

Angelina, conmovida, derramando lágrimas dijo:

— Gracias, tío, muchas gracias.

— ¡ Qué gracias ! — exclamó furiosa Griselda —. Tú eres una hija para nosotros. El que te ofenda a ti me ofende a mí.

No se habló más del asunto.

Page 185. la

Page 218. Manrique no ha ganado mucho, física, ni moral, ni económicamente desde el tiempo en que hemos tenido el honor de conocerle. Físicamente, su lucido semblante, que desde hacía ya tiempo se venía marchitando, se hallaba bastante más ajado, su moral harto más decaída por el juego, las trampas y las mujeres; en cuanto a su fortuna, en completa disolución. Triste, agobiado por las deudas, un poco catarroso y empezando a sentir los primeros dolores de reuma, miraba nuestro héroe el porvenir con sobresalto.

Animaba Gustavo aquella severa tertulia con su charla frívola narrando a sus tíos los incidentes más chistosos y los escándalos más recientes del mundo aristocrático, al cual sus tíos pertenecían, pero que sólo él frecuentaba. La santurrona marquesa a pesar de su beatería gozaba mucho con la chismografía y tiraba a su sobrino de la lengua con hipócritas aspavientos haciéndose cruces y rociando con el agua bendita de sus exclamaciones compasivas a los desgraciados pecadores. El marqués reía a carcajadas y su enorme vientre subía y bajaba como un mar alborotado.

Page 229. el hombre más valiente del valle de Laviana,

Page 233. — Te digo, en verdad, querido, que hay hombres de suerte. Por de contado que eso no se puede hacer más que allá en América. ¡Aquí, muchacho, miseria y compañía! Estos paisanos no tienen en el bolso más que calderilla y migas de borona. Se suda el quilo para sacarles dos ochavos.

Telesforo no despegaba los labios. Caminaron en silencio largo trecho. De pronto, Argayadas se detuvo y mirándole con ojos socarrones:

— ¿Oye, Forín?, ¿ y tú por qué no te casas con tu prima?

Telesforo se estremeció permaneciendo silencioso.

— Vaya, que si llegas a engancharla habría después que mirarte con anteojos de larga vista.

— ¿Y sabes tú si ella me querría a mí? — preguntó el chico con acento irritado.

— ¡Anda, burro! ¿No la tienes a tu disposición en casa? Lo que es a mí en tu pellejo juro a Dios que no se me escapaba esa liebre.

Telesforo

EJERCICIOS

EJERCICIOS

In the following pages an effort has been made to supply the most essential elements for home study and class drill in connection with the reading assignments. The *preguntas* become progressively more general in character in order to elicit answers involving more than a mere repetition of the words used in the question. It is hoped that they may prove effective in promoting facility of expression. Students should be urged to use the *preguntas* in testing for themselves the thoroughness with which they have prepared the assignment.

The *locuciones* have been limited to those appearing in the *Spanish Idiom List* (Keniston) and their relative importance is indicated by the use of asterisks. Page and line references are furnished that they may be carefully studied in their context before being used in original sentences.

The two-starred (**) *locuciones* represent almost ninety per cent of all the idioms in the *List* with a frequency of thirty or above, so that a mastery of these alone will give the student an excellent grounding in one of the most essential elements of the language; and the right kind of drill on the idioms is bound to involve drill on syntax as well. The resourceful teacher will find many ways to vary the drill. For example:

1. Short English sentences for translation (positive, negative, interrogative) involving the use of one or more idioms, with variation of person, tense and mood of the verb.

2. Connected paragraphs in English for translation, into which are woven all idioms of the lesson.

3. Original Spanish sentences, containing one or more of the idioms.

4. Questions, the answers to which require the use of an idiom.

5. Spanish sentences with the idiom in English.

6. Rapid fire oral drill employing short phrases or sentences in English, the student translating quickly into Spanish (e. g., *on* closing,

before two o'clock, she *attends* school, *at last* she awoke, he shouted *again*, *they fall* asleep).

7. Conjugations and synopses of verbal idioms (*yo me levanto, tú te levantas,* etc.; *me falta* dinero, *me faltaba* dinero, etc.).

8. Occasional review in pairs of idioms likely to be confused by the student (e.g., *antes de* and *delante de, después de* and *después que, acaba de* and *acababa de, tener miedo de* and *tener miedo a,* etc.).

Under *composición (oral o escrita)* brief outlines are provided covering the first twenty-eight assignments. Thereafter, only titles are suggested. As time is apt to be wasted in waiting for the student to recall the sequence of ideas or events, oral work in class (with books closed) may be stimulated by giving the student a small card containing one of the outlines. Written work at the blackboard will also be done with greater dispatch and with better results, if the student makes use of the card.

1

A. Preguntas

1. ¿ Qué fué lo primero que pensó Angelina al abrir los ojos? 2. ¿ Qué hizo antes de cerrar de nuevo los ojos? 3. Descríbase la cabeza de Angelina. 4. Al volver a despertarse, ¿ cómo mostró su disgusto? 5. Al despertarse la tercera vez, ¿ qué vió Angelina? 6. ¿ A qué hora se levantó? 7. ¿ Por qué riñó a su doncella? 8. Al levantarse Angelina, ¿ qué le puso Rufina?

B. Locuciones

3, 1, **al (abrir),** on (opening)

3, **antes de,** before

3, **asistir a,** to attend

5, dió (algunas) vueltas, she turned (a few times)

6, **al fin,** at last

6, **de nuevo,** again

7, **se quedó (dormida),** she remained, fell (asleep)

3, 9, **sin embargo,** nevertheless

11, **al cabo de,** at the end of

11, *se despertó,** awoke

11, **otra vez,** again

12, **delante de,** in front of; before

3, 15, ****(no) le faltaban** (trajes), she did (not)
lack (gowns)

19, ****otro** (suspiro), another (sigh)

25, ****¿ por qué?** why?

27, ****levantarse,** to get up

28, ****son las** (diez), it is
(ten) o'clock

4, 5, ****ayúda(me) a** (vestir),
help (me dress)

5, ****¿ tienes** (preparado
el baño)? have
you (prepared the
bath)?

10, ****después de,** after

C. Composición (oral o escrita)

Angelina. Sus trajes. Su doncella.

2

A. Preguntas

1. Describa usted a Angelina. 2. Cuando Angelina se introdujo
en el baño, ¿ por qué dejó escapar un grito? 3. ¿ Por qué estaba
fría el agua? 4. ¿ Qué hizo Rufina para arreglar el baño? 5. ¿ Qué
hizo mientras Angelina se bañaba? 6. Al fin, ¿ qué preguntó la
señorita a su doncella? 7. Después, ¿ qué mandó acerca del
vestido? 8. ¿ Por qué apretó el botón del timbre?

B. Locuciones

4, 18, ****se dirigió a,** she
made her way to

24, ****tardó** (tanto tiempo)
en, was (so) long in

26, ***(no) se enfade,**
(don't) be angry

5, 6, ****gozando de** (la dulzura), enjoying
(the comfort)

8, ****de pronto,** suddenly

9, **cual si,** as if

5, 11, ***hasta ahora,** hitherto;
as yet

12, ***(que) vayan a bus-
car(lo),** (let them)
go for (it)

26, ****al través de,** through;
across

27, ***se alzó,** arose

30, ****comenzó a** (frotar),
began to (rub)

31, ***después que,** after

C. Composición (oral o escrita)

El baño. ¡ Frío! Cómo se arregla. Angelina en el agua. El vestido. Angelina en la *chaiselongue*.

3

A. Preguntas

1. Después de castigar a Rufina, ¿qué solía darle Angelina? 2. ¿Qué le sirvieron para el desayuno? 3. ¿Por qué le echa sermones su papá? 4. ¿Qué hizo Rufina antes de vestir a Angelina? 5. Describa usted al padre de Angelina. 6. ¿De qué hablaron padre e hija? 7. Después de retirarse su padre, ¿qué hizo Angelina? 8. Según María, ¿qué colores le sientan bien a la señorita?

B. Locuciones

7, 2, **a pesar de, in spite of
5, en pos de, after
6, **hay que (repetirlo), it is necessary (to repeat it)
8, **muchas veces, often
12, **en casa, at home
13, **hace (dos horas), (two hours) ago
24, **se sentó, sat down

8, 1, *(lo) llevaba a término, a cabo, carried (it) out
10, *buenos días, good morning
11, *unas cuantas (veces), a few (times)
24, **se apresuró (a decir), hastened (to say)

10, 1, **¿te sientes (bien)? do you feel (well)?

10, 3, **de veras, really
5, *he dado (mi) paseo, I have taken (my) walk
5, *de costumbre, usual
8, **volvió a (mirarla), (he looked at her) again
8, **mirar(la), to look at (her)
9, **se retiró, retired
10, **entrando en (un saloncito), entering (a little parlor)
21, encogiéndose de hombros, shrugging his shoulders
23, le sientan (bien), suit you (well)
27, **poniéndose (seria), becoming (serious)

C. Composición (oral o escrita)

1. **Rufina.** Adora a la señorita. Castigos. Compensaciones.
2. **El desayuno.** De qué consiste. Angelina no tiene apetito. Sermones.
3. **El papá.** Contraste con la hija. Preguntas.

4

A. Preguntas

1. ¿ Cómo se puso Angelina al oír que no tendría el vestido antes de las cuatro? 2. ¿ Cómo castigó a Rufina por no acudir? 3. ¿ Qué hizo Angelina en el jardín? 4. ¿ Por qué se negaba *Rosette* a comer? 5. Al sentir la mano de Angelina sobre su lomo, ¿ qué hizo la jaca? 6. ¿ Por qué se movían inquietos los otros caballos de la cuadra? 7. Al entrar en el comedor, ¿ qué hizo Angelina? 8. Mientras tanto, ¿ qué hacía Rufina?

B. Locuciones

10, 29, *en vano, in vain

29, **esperó (el vestido), she waited for (the dress)

31, con esto, herewith; thereupon

31, **todo el mundo, everybody

32, **sobre todo, especially

11, 1, *algunas veces, sometimes; several times

2, *en pie, standing

4, *(ahí) te estarás, you shall stay (there)

5, **otra cosa, something else

7, **salió de (ella), left (it)

11, **¿ qué (le) pasa (a *Rosette*)? what is the matter with (*Rosette*)?

12, *se niega a (comer), she refuses (to eat)

14, **se acercó a (una jaca), she approached (a pony)

11, 25, **(sin) dejar de (acariciarla), (without) ceasing (to caress her)

12, 1, **(la) seguía (acariciando), she kept on (caressing her)

3, **trataba de (frotarse), tried to (rub herself)

10, **(no) dejes de (enviar), (don't) fail (to send)

11, *apartándose, withdrawing

12, pierda cuidado, don't worry

14, **se puso a (leer), she began to (read)

19, **(no la veo) hace (un siglo) *or* hace (un siglo) que (no la veo), (I haven't

seen her) for (a cen-
tury)

12, 23, ****de pie,** standing

12, 27, se lanzó (a la escalera), rushed (to
the staircase)

C. Composición (oral o escrita)

1. **Humor endiablado.** Rufina arrimada a la pared. Las flores. El jardinero.
2. **Angelina en la cuadra.** *Rosette.*
3. **Angelina en el comedor.** Periódico. Criado. Rufina.

5

A. Preguntas

1. ¿De qué se había olvidado Angelina? 2. Por ser muy obediente, ¿qué ganó Rufina? 3. ¿Por qué no quería aceptar el regalo? 4. ¿Por qué era una hora angustiosa para Quirós la del almuerzo? 5. ¿De quién se quejaba Angelina? 6. ¿Por qué quedó sorprendida Angelina al ponerse el vestido? 7. ¿Qué dijo Angelina cuando la oficiala exclamó, «No tanto, señorita»? 8. ¿Qué mandó a Rufina?

B. Locuciones

12, 29, ****me había olvidado de
(ti),** I had for-
gotten about (you)

13, 1, ****por completo,** completely

6, ****como si,** as if

9, ****vino a (entregárselo),** came to (give
it to her)

10, ***cumplir con (mi obligación),** fulfilling
(my duty)

16, ****está bien,** all right;
very well

17, ****se fué,** went away

17, ****pensar en (ella),**
thinking of (her)

13, 19, ***la hora de(l almuerzo),** (lunch)
time

20, ***se reunieron,** met

21, ***desde hacía (algún
tiempo),** for (some
time)

27, ****se quejaba (del cocinero),** she com-
plained (of the
cook)

14, 2, ***haciéndose cargo de
(lo injusto),** real-
izing (the in-
justice)

4, ****a las (cuatro),** at
(four) o'clock

14, 4, **de la tarde,** in the afternoon

4, ****se presentó,** appeared

8, ****(al) ponérse(lo),** (on) putting (it) on

14, 9, ****se había convertido en** (un *muchito*), had changed into (a good deal)

13, ****quiere decir,** means

C. Composición (oral o escrita)

1. Rufina. Olvidada. El bolsillito.
2. El almuerzo. Hora angustiosa para Quirós.
3. El vestido. De un poquito en un *muchito*. La oficiala.

6

A. Preguntas

1. ¿Cómo se agruparon todos en la habitación? 2. ¿Qué repetía Angelina a la oficiala? 3. ¿Por qué se deslizó Rufina de la estancia? 4. ¿Cómo quiso arreglar el asunto Quirós? 5. ¿Qué hicieron los de la casa mientras esperaban a madame Petit? 6. ¿Qué recado envió madame Petit? 7. ¿Cómo lo recibió Angelina? 8. ¿Qué murmuró su padre al salir de la habitación?

B. Locuciones

14, 25, **en torno de,** around

27, ****en el fondo,** at heart

30, **por debajo de,** under

32, **en realidad,** really

15, 1, ****se atrevía (a llevarle la contraria),** dared (to oppose, contradict her)

4, **otras veces,** on other occasions

5, ****fué a (dar noticia),** went to (notify)

8, ****se burla de (mí),** is making fun of (me)

12, **esta noche,** to-night

15, ****a ver,** let's see

15, 20, ****así como,** just as

20, ****se hallaba (vestida),** she was (dressed)

24, ***mientras tanto,** meanwhile

25, ****se paseaba,** paced up and down

16, 1, ****quitarse (el traje),** to take off (the dress)

1, **mejor dicho,** or rather

4, **cruzado de brazos,** with arms crossed

5, ****a la vez,** at the same time

11, ****¡ Dios mío !** dear me !

C. Composición (oral o escrita)

1. **Irritación de Angelina.** Rufina da noticia a Quirós. Éste trata de arreglar el asunto.

2. **Madame Petit.** El recado. Angelina se quita el traje. Injurias. Desmayo. El padre.

7

A. Preguntas

1. ¿Dónde nació Antonio Quirós? 2. Siendo niño todavía, ¿a dónde quiso ir? 3. ¿Por qué razones cedieron los padres al deseo de su hijo? 4. ¿Cómo pasó Antonio los primeros años en Cuba? 5. ¿Cómo cambió de vida a los diez y seis años? 6. ¿Qué noticia le dió un compañero de taller? 7. ¿Cómo consiguieron los jóvenes el dinero para comprar la fábrica? 8. ¿Qué capital poseía Quirós a los treinta y dos años?

B. Locuciones

17, 18, **(no) pocas veces,** (not) seldom; (not) infrequently

19, ****(sin) dar cuenta de (sí),** (without) reporting on (himself)

21, ***gracias a,** thanks to

18, 7, ****se les ocurrió (la misma idea),** (the same idea) occurred to them

11, ****tal vez,** perhaps

17, **(los años que) llevo (trabajando),** (the years that) I have been (working)

17, ****he logrado (juntar),** I have succeeded in (collecting)

19, ****me hacen falta (seis mil pesos),** I need (six thousand dollars)

18, 27, ****me gusta (tu cara),** I like (your face)

31, **ve por (los seis mil pesos),** go for (the six thousand dollars)

19, 3, ***vete con Dios,** goodbye

4, ****en efecto,** as a matter of fact

4, **se avino (a tomar),** agreed (to take)

9, **consiguieron (levantar),** succeeded in (raising)

14, **hacer un viaje,** to take a trip

C. Composición (oral o escrita)

1. **Don Antonio Quirós.** Niñez. Su familia. Gijón.
2. **Vida de Quirós en Cuba.** Su compañero de taller. El marqués de Casa-Torno. La fábrica de cigarrillos.

8

A. Preguntas

1. ¿ Qué cambios halló Quirós en su familia al volver al Condado? 2. Cuéntese cómo Quirós llegó a casarse. 3. ¿ Qué hicieron Quirós y su socio después de vender la fábrica? 4. ¿ Qué hizo Quirós después de la muerte de su esposa? 5. ¿ Cómo vivieron Quirós y su hija en Madrid? 6. ¿ Por qué no vivía Quirós a gusto en aquel lujo? 7. ¿ Por qué era Quirós, a pesar de sus riquezas, un desgraciado? 8. Diga Vd. algo acerca del carácter de Angelina.

B. Locuciones

19, 16, ****(que) le quedaba,** (that) he had left

18, ****acababa de (casarse),** had just (married)

23, ****la mayor parte de(l tiempo),** most of (the time)

24, ****se enamoró de (una hija),** he fell in love with (a daughter)

27, ****se casaron,** they married

20, 7, **(no) se limitaron a,** they did (not) confine themselves to

25, **rara vez,** seldom

26, ***a pie,** on foot

26, ****consistía en (departir),** consisted of (chatting)

20, 27, ***por la(s) tarde(s),** in the afternoon

28, ***se dormía,** he fell asleep

21, 6, ****acabamos de (ver),** we have just (seen)

8, ****puesto que,** since

11, ****en cambio,** on the other hand

14, ****no sólo . . . sino también,** not only . . . but also

16, ****desde que,** since

17, ***se había mostrado,** she had appeared, become

19, ***a causa de,** on account of

20, ***se esforzaba en (complacerla),** he

strove to (please
her)

21, 20, cuanto más (la mimaba), [tanto más]
(sentía), the more
(he humored her),

[the more] (he
felt)

21, 23, se estremecía, he
shuddered

23, *cada vez que, when-
ever

C. Composición (oral o escrita)

1. **Un viaje a España.** Los padres de Quirós. Su hermano. Su casamiento.

2. **Época de prosperidad.** *Navarro y Quirós.* La muerte de su esposa. Su hija. El regreso a España.

3. **La vida de los Quirós en Madrid.** El hotel en la Castellana. El padre un desgraciado. Carácter y salud de la hija.

9

A. Preguntas

1. Pasada la crisis, ¿ qué hizo Angelina? 2. ¿ Qué hacía por las tardes la alta sociedad de Madrid? 3. Dentro del carruaje, ¿ qué hacía Angelina? 4. ¿ Que hacía Felicidad? 5. ¿ Qué pasó cuando los ojos de Gustavo chocaron con los de Angelina? 6. ¿ Qué hizo Angelina para que el coche se parase? 7. ¿ Qué dijeron Angelina y Gustavo de sus caballos? 8. ¿ Qué dijeron de *Camarada*?

B. Locuciones

22, 3, *dar una vuelta, to
take a stroll

9, disfrutar de(1 atrac-
tivo), to enjoy (the
attraction)

9, *por la noche, in the
evening

11, **de(1 mismo) modo,
in (the same) way

14, se entregaba a (una
desmayada soño-
lencia), surren-
dered herself to (a

dejected drowsi-
ness)

23, 1, despojándose de(1
sombrero), taking
off (his hat)

6, *en voz alta, out loud

13, **(el coche) se detuvo,
(the carriage)
stopped

18, *mucho tiempo, a long
time

18, *en casa de (Bauer),
at the (Bauers')

23, 22, ****ni (lo uno), ni (lo otro),** neither (one) nor (the other)

25, ***por el contrario,** on the contrary

27, ***a caballo,** on horseback

28, ****se encuentra (indispuesta),** is (indisposed)

24, 2, ***se me figura (que),** I fancy (that)

24, 9, ***de verdad,** really

19, ****sin duda,** no doubt

27, ****(creo) que sí (que no),** (I think) so (not)

27, ****me parece que (iré),** I think that (I shall go)

29, **¡ cómo no !** surely !

30, **hasta la noche (mañana),** see you tonight (to-morrow)

C. Composición (oral o escrita)

1. **Angelina da una vuelta en coche.** La Castellana. La soñolencia de Angelina y el sueño de Felicidad.

2. **Angelina y Gustavo.** Saludos. Se detiene el coche. Conversación.

10

A. Preguntas

1. ¿ Es cierto que Felicidad estaba dormida ? 2. Describa Vd. a Gustavo Manrique. 3. ¿ Por qué no era muy crecida la renta de Gustavo ? 4. ¿ Qué hubiera podido hacer para aumentar sus ingresos ? 5. ¿ Cómo pensaba salvar su situación ? 6. Descríbase el bloqueo. 7. ¿ Qué esperaba Angelina ? 8. ¿ Qué atractivos poseía Manrique ?

B. Locuciones

25, 3, ***hacia atrás,** backward

6, ****alejarse,** move away, withdraw

11, ****tenía (veinte) años,** he was (twenty) years old

13, ****ya no (era),** (he was) no longer

25, 21, ***debido a,** owing to

26, 3, ****de una vez,** once for all

5, ***en parte,** partly

17, ***(la) conoció (en una reunión),** he met (her at a gathering)

26, 20, *nada de (declaraciones), nothing
(in the way of pro-
posals)

26, 31, *un tanto (displicente),
a trifle (peevish)

C. Composición (oral o escrita)

1. **Gustavo.** Descripción: edad, apariencia, vida.
2. **Gustavo.** Estado financiero. Posición en la sociedad madrileña.
3. **El bloqueo.** Amistad familiar. Sorpresa y despecho de
Angelina.

11

A. Preguntas

1. ¿ Qué pasaba en el tocador de Angelina cuando Felisa entró
en él? 2. ¿ Por qué no quiso Angelina llevar el vestido violeta?
3. ¿ Qué dijo Felisa acerca de su hermano? 4. ¿ Qué dijo don
Antonio a su hija antes de salir ésta? 5. Dense algunos detalles
acerca de los hermanos Valgranda. 6. ¿ Por qué no se había casado Felisa? 7. ¿ Qué plan tenía respecto de su hermano y Angelina? 8. ¿ Por qué no seguía a gusto Federico los planes de su
hermana?

B. Locuciones

27, 14, *¿ qué importa? what
difference does it
make?

15, **¿ verdad? isn't it so?

15, **dirigiéndose a (las
doncellas), speak-
ing to (the maids)

20, *(lo he estrenado)
hace (un mes) *or*
hace (un mes) que
(. . .), it is (a
month) since (I
first wore it)

28, 1, **(sin) fijarse en (el
vestido), (without)
noticing (the gown)

3, dolor de (estómago),
(stomach)-ache

19, **antes que, before

22, *¡ vaya si (la merece) !
I should say (it's
worth it) !

24, **frente a, facing

29, **salió para *or* a (besar), she went out
(to kiss)

28, 32, *(te) hacen (mucho) daño, they harm (you very much)

29, 1, *cuide (usted) de (ella), take care of (her)

6, *(una señorita) de (cuarenta) años, (a woman forty) years old

13, *se encargó de (disipar), took charge of (squandering)

30, 3, **había servido de (madre), had served as (mother)

4, *daba los (primeros) pasos, was learning to walk; was taking the (first) steps

30, 6, *se vió (necesitada), she was (obliged)

13, **por eso, that's why

15, hasta entonces, up to that time

16, **carecía de (los atractivos), lacked (the charms)

18, a la fuerza, by force

18, *consentía en (secundar), he consented to (favor)

20, *por otra parte, on the other hand

C. Composición (oral o escrita)

1. **En el saloncito tocador.** Últimos retoques al atavío. La opinión de Felisa; de las doncellas. Don Antonio. Federico.

2. **Felisa Valgranda.** Edad. Su hermano. Su abuelo. Por qué los hermanos viven como modestos burgueses. Lucha para sostener su categoría. El medio más seguro.

12

A. Preguntas

1. ¿Cómo llegó Felisa a ser la ninfa Egeria de Angelina? 2. ¿A qué sitios la arrastraba? 3. ¿Cómo solía hablar Felisa de su hermano en casa de Quirós? 4. ¿Por qué no le convenía a Felisa que su hermano se enamorase de Angelina? 5. Antes de salir de casa, ¿qué prometió Angelina a su padre? 6. ¿Qué se celebraba aquella noche en la Embajada de Austria? 7. ¿Por qué llama el autor «solícitas abejas» a los hombres que rodeaban a Angelina? 8. ¿Cómo se mostró Gustavo Manrique gran estratégico aquella noche? 9. Impulsada por la cólera, ¿que hizo Angelina? 10. Descríbase la vuelta a casa de Felisa y Angelina.

B. Locuciones

30, 24, *tropezó con (Angelina), met (Angelina)

29, *llegó a ser (su ninfa), she became (her nymph)

29, poco tiempo, a short time

31, 1, **en cuanto a, as for

14, *unas veces, sometimes

15, **por fin, finally

18, **con (frecuencia), (frequent)ly

23, *(esto no) le convenía (a Felisa), (this) did (not) suit (Felisa)

32, lo más (pronto) posible, as (soon) as possible

32, 5, *cierto (príncipe), a certain (prince)

18, **(ni) se ocupó (más) de (ella), (nor) did he pay (further) attention to (her)

25, *se inclinaba, he stooped, leaned over

32, 26, **en fin, in short

33, 3, **cada vez más (viva), more and more (intense)

3, *se había apoderado de (Angelina), had taken possession of (Angelina)

10, **no obstante, notwithstanding

24, reía a carcajadas, laughed loudly

27, **(cómo) te habrás divertido, (what) a good time you must have had

34, 14, (al) apearse, (on) alighting

25, de ningún modo, under no circumstances

28, **fué (cediendo), gradually (ceased)

29, *se acostó, she went to bed

C. Composición (oral o escrita)

1. **Habilidad diplomática.** Felisa no deja a Federico entrar en casa de Quirós, pero ... El joven se enamora de Angelina.

2. **A la Embajada.** Angelina y su padre. La reunión. Solícitas abejas. Gustavo saluda a Angelina. No se ocupa de ella.

3. **El gran estratégico.** Larga experiencia. Lalita Moro. La cólera de Angelina. El marqués. El placer de Felisa.

4. **La vuelta a casa.** La felicidad de Federico (y de Felisa). Lo que ve Angelina por la ventanilla del coche. Observaciones y caricias. El frasco de éter.

13

A. Preguntas

1. ¿ Por qué fueron amargos los días que siguieron al baile? 2. Cuéntese lo que pasó en la Castellana hasta que Manrique logró hablar otra vez con Angelina. 3. En su conversación, ¿ cómo emplearon las palabras « vasallo » y « reina » ? 4. ¿ Por qué creía Felisa Valgranda que Angelina estaba enamorada de su hermano? 5. ¿ Qué se resolvió a hacer Felisa ? 6. ¿ Cómo hizo el marqués su declaración de amor? 7. ¿ Cómo la recibió Angelina? 8. ¿ De qué manera la contestó?

B. Locuciones

35, 4, **llegaron a (hacerla insoportable), came to (make her intolerable)

14, se hizo la (distraída), she pretended to be (distracted)

15, *insistió en (sus paseos), insisted on (walking up and down)

15, **hasta que, until

20, **cerca de, near

36, 12, he incurrido en (su desagrado), I have incurred (your displeasure)

16, *se echan a (temblar), they start to (tremble)

37, 1, *aquí (la) tiene usted, here (it) is

5, (la que) tenga derecho para (ello), (the one who) has the right to (do it)

9, **tenemos (mucho) que (hablar), we have (a lot) to (talk about)

24, *(aunque) sí (distrajo), (although it) did (distract)

27, **a menudo, frequently

27, **fuera de (casa), outside of (the house)

38, 2, *por esto, for this reason

2, *se resolvió a (dar), she made up her mind to (give)

38, 19, ****al día siguiente,** on the following day

38, 19, ****(para) buscar (una llave),** (to) look for (a key)

C. Composición (oral o escrita)

1. **Días amargos.** Caprichos inverosímiles. La pobre Rufina. Quirós pierde la paciencia.

2. **Nuevo encuentro con Manrique.** Angelina se hace la distraída. Movimientos previstos. Como Napoleón en Austerlitz . . . El momento oportuno. Los vasallos de un déspota. Manrique pone su cabeza a la disposición de Angelina.

3. **Una declaración de amor.** Angelina seria, pensativa. Preocupación de la niña. El golpe de gracia. La carta. Calabazas al natural.

14

A. Preguntas

1. ¿ Por qué llevó Quirós a su hija a la reunión de Carriquiri?
2. Al sentarse Gustavo al lado de Angelina, ¿ qué esperaba ésta?
3. En vez de declararse, ¿ qué hizo Gustavo? 4. ¿ Cómo descubrió Angelina su corazón? 5. ¿ Cómo explicó Gustavo su conducta de la noche de la Embajada? 6. Descríbase lo que pasó cuando Angelina tropezó con el marqués. 7. Cuéntese cómo la alegría de Angelina fué interrumpida. 8. ¿ Qué pensamientos tuvo Quirós al enterarse de los amores de su hija?

B. Locuciones

39, 7, ****poco a poco,** gradually

10, ****vamos a ver,** let's see

26, ****pues bien,** well then

26, ***no puedo menos de (decir),** I can't help (saying)

28, ****ni siquiera (cortés),** not even (courteous)

29, ****agradezco (su fran-** queza), I thank (you) for (your frankness)

40, 13, ****(tampoco) es cierto,** (that) is (not) true (either)

13, ***(no) tengo derecho a (exigírselas),** I do (not) have a right to (demand them of you)

40, 30, ****(sin) acordarse de
(su declaración),**
(without) remem-
bering (his pro-
posal)

41, 5, ****(ya no le) hizo caso,**
(no longer) paid
attention (to him)

9, **¡ cuidado !** look out !

9, ***en voz baja,** in an
undertone

41, 16, ****más bien,** rather

42, 8, ****he aquí (el motivo),**
here is (the reason)

16, ****se enteró de (los
amores),** he learned
of (the love affair)

24, ****por su parte,** on his
part

28, **al extranjero,** abroad

C. Composición (oral o escrita)

1. **La reunión de Carriquiri.** Angelina va con su padre. Gustavo. El capítulo de agravios. La explicación.

2. **Derechos de una reina.** La cabeza de un vasallo. Efecto de
la alegría. El marqués. ¡ Cuidado ! Noche de triunfo.

3. **Días de respiro, después borrasca.** Alegría de Angelina. La
calma chicha. Celos. Insinuación de boda. La petición de mano.

4. **Quirós se entera de los amores de Angelina.** No le gusta el
novio. El temperamento de su hija. Proyecto de trasladar su
residencia al extranjero.

15

A. Preguntas

1. Cuéntese como un perro causó una mirada agresiva en una
mañana del mes de marzo. 2. Luego, ¿ qué pasó? 3. ¿ Cómo se
enteró del caso Angelina? 4. ¿ Qué escribió a su prometido?
5. ¿ Qué decía la carta de Gustavo? 6. ¿ Qué se convino entre los
testigos del marqués y los de Gustavo? 7. ¿ Qué hizo Gustavo la
noche que precedió al duelo? 8. Descríbase el duelo.

B. Locuciones

44, 1, **por poco (le saca
de penas),** almost
(freed him from
anxiety)

44, 7, **viniese (paseando),**
(should) be (walk-
ing)

13, **¡ toma !** here !

44, 16, **tenga usted la bondad de (llamar),**
kindly (call)

24, ****¿ (qué) culpa tengo
yo?** (how) am I to
blame?

45, 3. ***eso de (apearse),** that
matter about (dis-
mounting)

6, **fuera de sí,** beside
himself

24, **por delante de,** in
front of

30, ***no (le) cupo duda
que,** (she) did not
doubt that

46, 10, ****(al) llegar a (casa),**
(on) reaching
(home)

46, 10, ****a casa,** home

14, ***hasta luego,** so long;
see you later

20, ***antes de que,** before

47, 3, ****(al) despedirse,** (on)
saying good-bye

10, **de la mañana,** in the
morning

12, **toda clase de (de-
portes),** all kinds
of (sports)

20, ****de todos modos,** at
any rate; at all
events

C. Composición (oral o escrita)

1. **Un paseo interrumpido.** Manrique y *Camarada* en la Castellana. El marqués de Valgranda. Una mirada agresiva. Sonrisas
forzadas. ¡*Camarada* aquí! El perro como si oyese campanas.
Palabras fuertes. Tarjetas.

2. **Angelina enterada del suceso.** El cochero de los Ortega lo
refiere a Clemente; Clemente a la doncella; la doncella a Angelina.
Una carta urgente. La contestación.

3. **Asunto serio.** Nada de explicaciones. A sable con punta.
Manrique en el teatro; en el Club.

4. **El duelo.** Valgranda diestro esgrimidor. El brazo largo de
Manrique. El marqués cae a tierra. Una carta declamatoria.

16

A. Preguntas

1. Compárense los sentimientos de Angelina y de su padre
después del duelo. 2. ¿Cómo andaba de salud Angelina?
3. Descríbase el reconocimiento de Angelina por el doctor Say.
4. ¿Qué dijo el doctor a Quirós después de reconocer a su hija?

5. ¿Qué dijo Angelina al oír la prescripción del doctor? 6. Dense algunos detalles acerca de Fray Ceferino González. 7. ¿Cómo estaba vestido Fray Ceferino cuando Quirós fué a visitarle? 8. Describase el dormitorio de Su Eminencia.

B. Locuciones

48, 19, (le) **costaba trabajo (reprimir)**, it was hard (for him to repress)

26, **no tendría (más) remedio (que)**, she couldn't help (but)

49, 8, ****aprovechando (una valiosa recomendación)**, taking advantage of (a valuable recommendation)

14, ***hizo (mil) preguntas**, asked (a thousand) questions

49, 19, ***por ahora**, for the present

50, 6, ****(al) escuchar (el proyecto)**, (on) listening to (the plan)

8, **aquello de (los sanatorios)**, that matter of (the sanatoriums)

25, ***(allí) se encaminó**, he made his way (there)

51, 2, ***penetró en (la estancia)**, entered (the room)

22, ***poniéndose en pie**, standing up

C. Composición (oral o escrita)

1. **Dos puntos de vista.** Angelina (Gustavo un héroe). Quirós (Gustavo un sujeto muy antipático).

2. **La salud de Angelina.** Nerviosa, sin apetito. Los tónicos. La tisis en lontananza. Quirós se rompe los sesos para prevenirla. El clínico francés. El reconocimiento. La sentencia del oráculo. Angelina no quiere seguir la prescripción.

3. **Fray Ceferino González.** Antiguo compañero de Quirós. El cardenal (figura, vestido). Su dormitorio.

17

A. Preguntas

1. Cuando niños, ¿qué hacían juntos Antón y Ceferino? 2. ¿Qué dijeron uno y otro del juego de bolos? 3. ¿Cómo se

introdujo en la conversación lo de Angelina? 4. ¿ Qué dijo Quirós
de la vida de su hija? 5. Después de un rato de silencio, ¿ qué
opinión expresó el cardenal? 6. ¿ De qué estaba persuadido el
cardenal? 7. Después de largo silencio, ¿ qué hizo Quirós?
8. ¿ Cómo se despidieron los dos amigos?

B. Locuciones

51, 30, ****(no) hay (cardenal),**
there is (no cardi-
nal)

52, 29, ***¿ a que (no sabes)?**
I'll bet (you don't
know)?

32, ***jugar a (los bolos),**
to play (nine-
pins)

53, 6, ****¿ te marchas?** are
you going away?

11, ****(me) tendrán que
(sacar),** they will
have to (take me
out)

54, 2, ****se había hecho (rico),**
he had become
(rich)

3, **a gusto,** comfortably;
willingly

54, 14, ***se le antoja,** she
takes a fancy
to

15, **entenderse con (cien
hombres),** to come
to an understand-
ing with (one hun-
dred men)

27, ****no (es) más que,** (is)
only

55, 1, **pasa a (ser),** pro-
ceeds to, comes to
(be)

15, ***a tiempo,** in time

18, **se estrecharon las
manos,** they shook
hands

C. Composición (oral o escrita)

1. **Antón y Ceferino.** Recuerdos de la juventud (anguilas, mirlos,
manzanas verdes, castañas, palizas). Dos compatriotas del mismo
temperamento. Los bolos.

2. **Consejos de un amigo.** El indiano abre su pecho. La vida
que lleva Angelina (criados, coches, teatros, bailes). Silencio. La
opinión del cardenal. Largo silencio. Un sermoncito. Otro largo
silencio. Gracias. Despedida.

18

A. Preguntas

1. ¿ En qué pensaba Quirós mientras andaba por las calles de Madrid ? 2. ¿ Qué hizo al llegar a la Puerta del Sol ? 3. ¿ Por qué suspiró profundamente antes de beber el último trago de cerveza ? 4. ¿ Cómo estaban los ojos de Quirós antes de entrar en el café ? ¿ y después de salir ? 5. ¿ Cómo principió Quirós a desarrollar su plan ? 6. Al fin, ¿ qué dijo una tarde a su hija ? 7. Dense algunos datos acerca del hombre que acompañó a Angelina. 8. ¿ Cómo se despidió Quirós de su hija en la estación ?

B. Locuciones

56, 19, **a un tiempo,** at once, at the same time

57, 2, ***a punto de,** on the point of

2, ***(a punto de) ahogarse,** (on the point of) drowning

57, 12, ****desde luego,** at once

26, ***a solas,** alone

58, 9, ***a fin de que,** in order that

16, ****se dispuso a (partir),** got ready to (leave)

C. Composición (oral o escrita)

1. **Un rayo de luz.** Las palabras del cardenal. Un café de la Puerta del Sol. Un profundo suspiro.

2. **Desarrollo del plan.** Quirós serio y taciturno. Angelina angustiada. Un gravísimo negocio. Poco equipaje. Manuel Vigil. En la estación.

19

A. Preguntas

1. Cuando Angelina se encontró en el coche con Vigil, ¿ qué le preguntó ? 2. ¿ Qué respuesta le dió el administrador ? 3. Cuéntese lo que pasó en el coche antes de quedar dormida Angelina. 4. Al despertarse, ¿ qué vió Angelina por las ventanillas del coche ? 5. ¿ Dónde almorzaron Angelina y Vigil ? 6. ¿ Qué decía la carta de Quirós ? 7. ¿ Qué dijo Vigil para animar a Angelina ? 8. Dése una descripción del labriego que viene preguntando por Angelina.

9. Repítase la conversación de Vigil y el tío Juan. 10. Al salir, ¿ por qué no quiso Angelina ponerse el sombrero ?

B. Locuciones

59, 6, ****separarse (de mí),** to part (from me)

14, **se distrajo,** she was amused, distracted

60, 4, ***(le) llamó la atención,** attracted her attention

25, **a consecuencia de,** because of

28, ****dentro de (pocos días),** within (a few days)

61, 5, **de golpe,** suddenly

20, ***al principio,** at the beginning

27, ****por lo menos,** at least

29, **da pena,** it grieves; it is pitiful

31, **te corresponde (animarle),** it is your duty (to encourage him)

61, 31, ****para que,** in order that

62, 3, ****(para que él no) se muera,** (in order that he) may (not) die

10, ****se llama (Ángela),** is called (Angela)

13, **se ¿tornó (rojo),** became, changed to (red)

29, ***viene (usted) a buscar(la),** (you) come for (her)

63, 8, ****han de (tomarlo),** are to (take it)

22, ****¿ me parezco a (mi padre)?** do I look like (my father)?

30, **en marcha,** let's go

C. Composición (oral o escrita)

1. **En el coche.** Vigil no sabe nada. Lágrimas. Juego de miraditas. Angelina dormida. El paisaje de Asturias.

2. **En Oviedo.** Almuerzo en la fonda. La carta. Vigil anima a Angelina.

3. **El tío.** Su traje. Se parece mucho a Antonio. La maleta. El sombrero. La despedida.

20

A. Preguntas

1. ¿ Qué había escrito Antonio Quirós a su hermano ? 2. ¿ Qué motivo tenía Juan para estarle agradecido a su hermano ? 3. ¿ Qué

producían las tierras de Juan y Griselda? 4. ¿Qué animales domésticos tenían? 5. ¿Qué productos vendían en la Pola y en Gijón? 6. Descríbase la casa vivienda. 7. ¿Qué indicaba que no se comía mal en casa de Juan Quirós? 8. Descríbase lo que se hallaba en el *pradín de arriba.*

B. Locuciones

68, 5, *eso es, that's right
15, **todos los años (días), yearly (daily)
17, *por allí, around there
21, de abajo, below
22, **debajo de, under
26, **por encima de, above
27, **además de, besides
69, 21, (se) toma el sol, (one) basks in the sun

69, 25, (a) un (lado) y otro, (on) both (sides)
70, 6, *encima de, above
12, *con todo, nevertheless
23, otros tantos, as many more
28, **detrás de, behind
29, *por delante, in front
31, **por donde, through which; along which

C. Composición (oral o escrita)

1. **Los dos hermanos.** La carta. Motivo para estar agradecido. Un cheque de veinte mil pesetas.

2. **La casería.** La casa. El camino. La pomarada. La huerta. El prado. El gran prado de Entrambasriegas. El castañar.

3. **Frutos de la casería.** Cerdos, gallinas, vacas. Leche, manteca, huevos. Comida abundante; dinero poco. Sidra. Avellana.

4. **La casa vivienda.** Pobre, vieja. La solana. Los cuartos. El cuarto trastero. El desván. La cocina (el lar, el sardo, el techo). La comida de los Quirós.

5. **En el *pradín de arriba.*** El establo. El pajar. El cobertizo.

21

A. Preguntas

1. ¿Cómo viajaron Angelina y su tío de Oviedo a Noreña? ¿de Noreña a Sama? ¿de Sama al Condado? 2. ¿De qué hablaron en Noreña antes de tomar los billetes? 3. Cuente usted lo que pasó en el coche de tercera. 4. ¿Qué pasó en la confitería de Joaquín? 5. En el carricoche, ¿por qué había monólogo en vez de conversa-

ción? 6. Al bajar del coche en el Condado, ¿ por qué comenzó Juan a caminar vivamente? 7. ¿ Cómo recibieron a Angelina su tía y sus primos? 8. Describa usted a Griselda, a Carmela, a Telesforo.

B. Locuciones

71, 2, no querían (salir), refused (to come out)

16, *(tengo que) acostum-
brarme, (I have
to) get used to (it)

72, 28, **una vez, once

73, 2, *(no) pasaba de (los
cuarenta años),
was (not) over
(forty years old)

6, *(no) tenía gana(s)
de (conversación),
(did not) feel like
(talking)

73, 9, para sí (mismo), to
himself

11, **se decidió a (preguntarle), she decided
(to ask him)

24, **cerca de, near

27, librarse de (ella), to
escape from (it)

74, 26, *tenía los (ojos vivos),
her (eyes) were
(bright)

27, *se movía (con vi-
veza), moved (with
sprightliness)

C. Composición (oral o escrita)

1. **De Oviedo al Condado.** En el coche. Noreña (el billete). El coche de tercera. Sama (la confitería). En el carricoche. El Condado.

2. **La familia de Juan Quirós.** Griselda. Carmela. Telesforo.

22

A. Preguntas

1. Al entrar en la cocina, ¿ por qué parecía una mueca la sonrisa de Angelina? 2. ¿ Qué preguntas le hicieron? 3. ¿ Qué había preparado Griselda para la cena de Angelina? ¿ y qué cenó ésta? 4. ¿ Qué cenaron los demás? 5. Terminada la cena, ¿ qué hizo el tío Juan? 6. ¿ De qué hablaron Juan y su hijo? 7. Descríbase el cuarto en que iba a dormir Angelina. 8. ¿ Por qué le costó trabajo reprimir un grito al introducirse en la cama? 9. ¿ Qué oyó Angelina antes de soplar la vela? ¿ y después? 10. ¿ Cómo pasó la noche?

B. Locuciones

75, 4, ****vamos,** come
  11, ****(la) obligó a (sen-**
      tarse), forced (her)
      to (sit down)
  12, ****de modo que,** so
      that
76, 18, ***un poco de (leche),** a
      little (milk)
78, 1, ***cada cual,** each
      one
  11, ***aprende a (comer),**
      learn to (eat)

78, 25, ****(puede) quedar (se-**
      gado), (can) be
      (mowed)
79, 4, ****tuve miedo,** I was
      afraid
  15, ***buenas noches,** good
      night
80, 2, ****al lado de,** beside
  4, ****debes de (estar fati-**
      gada), you must
      (be tired)

C. Composición (oral o escrita)

1. **En la cocina.** Primeras impresiones. Preguntas. Leche y bizcochos.

2. **Cenan los Quirós.** Escudillas y cucharas de madera. Patatas. Borona. Angelina estupefacta.

3. **Después de la cena.** Se hace un cigarrillo. La siega del prado. Buenas noches.

4. **El dormitorio.** Terrible impresión. Los muebles. La cama. Las sábanas. El jergón. Angelina se queda dormida.

23

A. Preguntas

1. Compárense los ruidos que sintió Angelina al despertarse con los que hubiera sentido en Madrid. 2. Dígase todo lo que hizo Angelina antes de bajar a la cocina. 3. Después de salir al camino, ¿qué hizo? 4. Descríbase la iglesia del Condado. 5. Dése una descripción del sacerdote. 6. ¿Qué hacía Angelina cuando el clérigo la tocó en el hombro? 7. Cuando terminó de rezar, ¿a dónde se dirigió? 8. ¿Por qué exclamó el sacerdote: «¡Alto allá, querida!»

B. Locuciones

82, 7,   **se incorporó,** she sat
          up
     9,   ****a lo lejos,** in the dis-
          tance
83, 1,   ****a poco,** presently
     6,   **por detrás de,** behind
    17,   ****a la derecha,** on the
          right (hand)
    24,   ***de rodillas,** on her
          knees; kneeling
84, 2,   **dió un salto,** jumped

84, 14, **(cuando) termines de
          (rezar),** (when) you
          finish (praying)
    16, **(volvió a) arrodi-
          llarse,** knelt (again)
    22, **para servir a usted,** at
          your service
    28, **(no) estamos bien
          (aquí),** we are (not)
          comfortable (here)

C. Composición (oral o escrita)

1. Angelina despierta. Ruidos matinales. Leche y bizcochos.
Los árboles. El aseo. La casa solitaria.

2. A la iglesia. Curiosidad de una mujer. Un aldeano. El altar.
Imagen de la Virgen del Carmen. Lágrimas.

3. El párroco del Condado. Descripción del sacerdote. En la
sacristía. Desgracia. Disgusto. Una llave enorme.

24

A. Preguntas

1. Dense algunos detalles acerca de la rectoral. 2. ¿ Qué cosas
vió Angelina al sentarse en el corredor de rejas ? 3. ¿ Qué le dijo el
clérigo acerca de su nombre ? 4. ¿ Qué le dijo acerca de su salud ?
5. Cuéntese lo de las piedras y los pajaritos. 6. ¿ Qué dijo el
párroco del tío Juan y su familia ? 7. Dése una descripción del
ama. 8. ¿ De qué habla ella ?

B. Locuciones

85, 8,   **en otro tiempo,** for-
          merly
    12,   ***se abría (sobre),**
          opened (on)
    16,   ***ante todo,** first of all

85, 30, ***en todas partes,**
          everywhere
86, 1,   ***echarás de menos (el
          lujo),** you will miss
          (the luxury)

86, 13, *por lo visto, apparently

17, *dependía de (la falta), depended on (the lack)

18, **en cuanto, as soon as

27, dió fin a (esta hazaña), he finished (this deed)

87, 2, *al pronto, at first

3, *quedamos en (que te encomendarás), we agree (that you will commend yourself)

87, 6, **te figurarás, you (probably) fancy

9, (en) tocante a, concerning; with regard to

11, *los dos, both

12, *tener cuidado, to be careful

88, 16, **me alegro (de conocerla), I am glad (to meet you)

23, **vaya, now; well now

C. Composición (oral o escrita)

1. **En la rectoral.** Una casa vieja. El corredor de rejas. Un montón de piedras. La huerta. Habla el cura. La felicidad. Salud y un pedazo de pan. Piedras y pájaros.

2. **Los Quirós según el sacerdote.** El tío Juan. Griselda. El rapaz y la rapaza.

3. **Pepa.** Edad. Apariencia. Su opinión (el tío Juan, los cazurros).. Recado para el tío Juan. El señorío.

25

A. Preguntas

1. Mientras Angelina estaba hablando con el señor cura, ¿qué hacía su tía? 2. ¿Qué favor pidió Angelina a Griselda? 3. ¿Cómo vistió Griselda a Angelina? 4. ¿Cómo se sirvió la comida a Angelina? ¿a los demás? 5. ¿Por qué no quiso Angelina ir por la tarde al prado? 6. Dense algunos detalles de la carta que escribió. 7. ¿Qué hará Gustavo al leer la carta, según lo que cree Angelina? 8. ¿Cómo estaba la aldea en las primeras horas de la tarde?

B. Locuciones

90, 5, *(no) me he apurado, I did (not) worry

90, 27, *de par en par, wide open

91, 6, *(voy a) pedir(le un

favor), (I am go-
ing) to ask (you)
for (a favor) *or* (a
favor) of (you)

91, 10, ****(que) tengas razón,**
(that) you are right

21, ***¡ ya, ya !** surely !

92, 7, ***convinieron en (que),**
agreed (that)

15, **se conformó,** she
submitted; re-
signed herself

92, 23, **poco (tiempo) des-**
pués, shortly after-
wards

93, 9, ***ha cambiado de (as-**
pecto), has changed
(its aspect)

94, 2, ****empezaba a (hacer**
calor), it was be-
ginning (to be
warm)

2, **hacer calor,** to be
warm

C. Composición (oral o escrita)

1. **Angelina y Griselda.** En un lugar se sabe todo pronto. Don
Tiburcio y los pelagatos. Gallina y puchero. Un favor. Dinero.
Angelina vestida al estilo aldeano. La comida.

2. **El proyecto.** Angelina sola en casa. La carta. La aldea en
las primeras horas de la tarde.

26

A. Preguntas

1. ¿ Por qué se sentía Angelina más tranquila ? 2. ¿ Qué
escribió a su padre ? 3. Descríbase la visita de Angelina al establo.
4. ¿ Qué vió desde la pomarada ? 5. Sentada debajo de un
manzano, ¿ qué sensaciones recibía Angelina ? 6. ¿ Qué le pasó a
las seis ? 7. ¿ Qué dijo confidencialmente a Carmela ? 8. ¿ Qué
hizo aquella noche antes de quedarse dormida ?

B. Locuciones

94, 27, ***se aproximó a (los**
terneritos), she
approached (the
young calves)

95, 8, ****de vez en cuando,**
from time to time

14, ***se extendía,** spread
itself

96, 26, ***al aire libre,** in the
open air

32, ***de confianza,** confiden-
tial; trustworthy

97, 1, ****se lleva (las nues-**
tras), carries off,
takes along (ours)

28, ****ya que,** since

C. Composición (oral o escrita)

1. **El establo.** Oscuridad. Las vacas. Los ternerillos. La atmósfera.

2. **Debajo de un manzano.** La brisa. Frescura deliciosa. La puesta del sol. Pensamientos. Voces.

3. **Dos cartas.** El peatón. Una peseta.

27

A. Preguntas

1. Dígase todo lo que hizo Angelina antes de salir para el prado. 2. ¿ Cómo era el camino? 3. ¿ Qué llevaban los segadores para afilar la guadaña? 4. Cuando Griselda dijo « Ya estamos, » ¿ qué vió Angelina? 5. Al ver a los segadores, ¿ por qué estaba sorprendida? 6. ¿ Qué hicieron los segadores después de tomar la parva? 7. ¿ Por qué se atraían y se necesitaban los tíos Pacho y Leoncio? 8. Dense algunos detalles acerca del tío Atilano.

B. Locuciones

98, 13, **en mi vida,** never
18, *(temía que) se cansara, (she was afraid) she might get tired
99, 15, *a más de, in addition to
26, *(en) lo alto, (at) the top

100, 23, *pasaba por (tal), he was considered (as such)
25, **tenía fama de (avaro),** he was reputed to be (a miser)

C. Composición (oral o escrita)

1. **El prado de Entrambasriegas.** El camino. Situación del prado. Los segadores. El tanque de madera. La parva. Línea oblicua.

2. **Los tíos Pacho y Leoncio.** Compadres. Secreta afinidad. Los toneles de sidra. Las esposas.

3. **El tío Atilano.** Paisanuco menudo, seco ... Incansable trabajador. Rico. Fama de avaro. Su mujer. Sus hijos.

28

A. Preguntas

1. ¿ De qué pretexto se servían los segadores para descansar un instante? 2. Compárense Conrada y Sinforosa. 3. ¿ Qué trabajo hicieron las mujeres? 4. ¿ Cómo le afectó a Angelina el esparcir la yerba? 5. ¿ Cómo estaba ya la yerba segada el día anterior? 6. ¿ Qué había traído Griselda para el desayuno? 7. Mientras comían, ¿ qué hacía don Tiburcio? 8. Poco antes de sonar el *Angelus*, ¿ qué hicieron todos?

B. Locuciones

102, 12, (no) se dió por (vencida), she did (not) consider herself (defeated)

21, hacia abajo, downward

103, 1, de buena gana, gladly

103, 18, **dejó caer (la guadaña), he dropped (the scythe)

22, (prado) abajo, down (the field)

25, a modo de, like

C. Composición (oral o escrita)

1. El trabajo de los segadores. Sonido rítmico. Pretexto para descansar.

2. Sinforosa. Apariencia. Temida de las mozas.

3. Angelina esparce la yerba. Trabaja con ardor. El efecto. Sonrisas.

4. Don Tiburcio. Invitación. El trabajar por la fresca. El cura en mangas de camisa. Tarea muy cumplida.

29

A. Preguntas

1. ¿ De qué se hace la borona? ¿ y el pan de escanda? 2. ¿ Qué tarea esperaba a los que comían en casa de Juan Quirós? 3. Explíquese la diferencia entre *lechar* y *mantequera*. 4. Cuéntese lo que pasó en el establo. 5. ¿ Qué hicieron Juan y Telesforo con la *Moruca* y la *Blanca*. 6. En el prado, ¿ qué hicieron los hombres?

¿ y las mozas? 7. Descríbase la vuelta al establo. 8. ¿ Cómo descargaron el carro Telesforo, Carmela y Angelina.

B. Locuciones

105, 11, *dar(le) las gracias, to thank (her)
26, *por la mañana, in the morning
106, 10, allá arriba, up there
17, *(no) cesaban de (reír), they did (not) stop (laughing)

106, 21, *(y) eso que, (and) in spite of the fact that
27, *(se) subió a (la tenada), (she) climbed into (the hay loft)

C. Composición (oral o escrita)

1. La comida: conversación.
2. Las vacas.
3. Angelina en el carro.
4. Angelina y Carmela en la tenada.

30

A. Preguntas

1. ¿ Por qué estaba Angelina un poco contrariada cuando se puso a desayunar? 2. En cuanto hubo desayunado, ¿ qué hizo? 3. ¿ Cómo pasó el día? 4. ¿ Qué cenó Angelina aquella noche? 5. ¿ Por qué no metieron todo el heno el día siguiente? 6. ¿ Cómo llegó a casa sin mojarse Angelina? 7. Según Pinón, ¿ qué indicaba por la mañana que iba a llover? 8. ¿ Qué explicación dió el tío Juan al preguntarle Angelina si la yerba se había perdido?

B. Locuciones

109, 7, *me opuse, I objected
13, **ya lo creo, of course
110, 28, al frente de, in front of
29, (el sosiego) de siempre, (the) customary (tranquility)

111, 10, al poco rato, presently
20, ¡ lástima de (yerba)! what a pity about (that hay)!

C. Composición (oral o escrita)

1. Angelina un poco contrariada.
2. ¡ Lluvia !
3. En torno del lar.

31

A. Pregunta

1. Al salir para el mercado, ¿ qué llevaba Griselda ? 2. ¿ Qué compró ? 3. ¿ Qué se hizo en casa durante los dos días de lluvia ? 4. Hágase una comparación entre Conrada y Angelina. 5. ¿ Qué se hizo el sábado con la yerba que había quedado en el prado ? 6. Con el trabajo al aire libre, ¿ qué comía ya Angelina ? 7. ¿ Qué decía la carta que le entregó su tía ? 8. Antes de romper el sobre de la carta, ¿ qué esperaba Angelina ?

B. Locuciones

113, 9, **se asomaba a (la baranda), appeared at (the railing)
114, 5, **a veces, at times

114, 6, no podía con (la borona), she couldn't manage (the corn bread)

C. Composición (oral o escrita)

1. Día de mercado.
2. Conrada.
3. Carta para Angelina.

32

A. Preguntas

1. ¿ Qué quiere decir en Asturias el verbo *sallar?* ¿ el verbo *arrendar?* 2. ¿ Qué hizo llorar a Angelina en la vega ? 3. ¿ Por qué no pudo menos de soltar a reír poco después ? 4. A los dos meses de estar en el Condado, ¿ cómo se encontraba Angelina ? 5. Dése una descripción de Faz. 6. ¿ Qué dijo el enano de los borrachos ? ¿ de su pobreza ? 7. ¿ Qué favor pidió Carmela a Faz ? 8. ¿ Por qué no se atrevió Faz a sentarse ? 9. ¿ Cómo se ganaba la vida ? 10. ¿ Cómo aprendió Angelina los cantos asturianos ?

EJERCICIOS 321

B. Locuciones

115, 13, ****se empeñaba (en hacer)**, she insisted
(on doing)

13, **a todo trance**, at any
cost

116, 1, ***de (pico) en (pico)**,
from (peak) to
(peak)

12, ***en torno**, around;
roundabout

17, ***acertó a (pasar)**, hap-
pened to (pass)

117, 23, ***¿ (qué) tienes que
ver con (los dipu-
tados)?** (what)
have you to do with
(the deputies)?

118, 8, ****en medio de**, in the
middle of

118, 27, ****es que**, the fact
(point) is that

119, 2, **a (toda la) prisa, (as)**
quickly (as)

3, ***(sin) perder(le) de
vista**, (without)
losing sight of
(him)

19, ****alrededor de**, around

27, ****es decir**, that is to
say

120, 10, ***a costa de**, at the
cost of

11, ***así que**, as soon as

18, **de memoria**, by heart

122, 2, **hacía poco**, a short
time before; **hace
poco**, a short time
ago

C. Composición (oral o escrita)

1. Angelina trabaja con la azada.
2. Faz, maestro y gaitero.
3. Angelina aprende las tonadas.

33

A. Preguntas

1. ¿Cómo estaba vestido el mancebo que se presentó ante las
dos primas? 2. ¿Por qué estaba, al principio, un poco inquieto?
3. ¿Por qué no percibió nada Angelina de la plática de Román y
Carmela? 4. ¿Qué pasó cuando vieron venir a Griselda?
5. Acercándose a Carmela, ¿qué hizo su madre? 6. ¿Qué clase de
hidalgo era el padre de Román? 7. Cuéntese la historia de Román.
8. Después de comer, ¿qué hizo Griselda? ¿y las dos primas?
9. ¿Qué hizo Angelina al darse cuenta de que Carmela la había dejado sola? 10. En casa otra vez las dos, ¿en qué pensaba Angelina?

B. Locuciones

124, 6, *de lejos, from afar
9, a (todo) escape, in great haste
28, camino de, on the road to

125, 8, *se dedicó a (sem-brar), he devoted himself to (sowing)

126, 4, *guardando silencio, keeping silent

C. Composición (oral o escrita)

1. En la pomarada. Román.
2. Don Manuel de Lorio. Su familia.
3. Angelina asusta a Carmela.

34

A. Pregunta

1. Mientras rezaba don Tiburcio, ¿ qué tenía siempre a su lado ? 2. ¿ Por qué no perdía de vista las idas y venidas del mirlo ? 3. Descríbanse los movimientos del párroco y del pirata alado. 4. Ya que don Tiburcio no podía abandonar la guardia, ¿ qué hizo Pepa ? 5. Cuente usted cómo el cura no llegó a comer el guisado de liebre. 6. ¿ Qué ocurrió cuando el cura volvió al corredor ? 7. ¿ Por qué comenzó el cura a hacerse cruces al ver a Angelina ? 8. ¿ Qué consejo dió a Angelina acerca de su prima ? 9. ¿ De qué hablaron después ? 10. Al tropezar Angelina con Faz, ¿ qué dijo éste de la romería y de las fiestas ?

B. Locuciones

129, 1, mediodía, noon
17, *de día, by day
25, por (más) que (las disimulase), no matter how (much he concealed them)

130, 19, *quince días, two weeks
27, dando voces, shouting

131, 8, **(un rugido) se es-capó, (a roar) escaped

131, 9, precipitándose, rushing
22, *a estas horas, now; at this time of day

132, 16, **de (esta) manera, in (this) way
19, *(temiendo) equivocarme, (fearing) to be mistaken

132, 20, ****(debes)** callarte, (you should) keep still

24, ***a propósito,** suitable

132, 27, ****por lo tanto,** therefore

30, **se resiste,** she offers resistance, refuses

C. Composición (oral o escrita)

1. El cura y el mirlo.
2. Bonifacio.
3. Angelina. Don Tiburcio.

35

A. Preguntas

1. ¿ Qué vistió Angelina para ir a la romería de San Roque?
2. ¿ En qué llevaba ventaja a su prima? 3. ¿ Qué hizo Angelina antes de partir? 4. Cuéntese lo que pasó en el camino de Villoria.
5. Dése una descripción de la plazoleta. 6. ¿ Qué hizo Angelina antes de decirse: « ¡ Bah! Don Tiburcio tiene razón. » ? 7. Descríbase el encuentro con Faz. 8. ¿ Qué pasó cuando Angelina se puso a cantar? 9. ¿ Cómo satisfizo un viejo la curiosidad de los aldeanos? 10. Al terminar su relato el viejo, ¿ qué dijo una mujeruca? ¿ qué exclamó un mozo? ¿ qué apuntó una vieja?

B. Locuciones

135, 1, **se preparaban,** were getting ready

11, **por detrás,** behind; behind her back

18, ***no hubo (más) remedio (que),** there was nothing to do (but)

136, 6, ****verdad es** (or **es verdad**), it's true

13, ***todo cuanto,** all that

14, ****¿ sabe (bailar)?** knows how (to dance)?

136, 15, ***¡ anda!** come now!

31, **se celebraba (la romería),** (the picnic) was being held

137, 7, ****en seguida,** immediately

138, 20, **a medio (degollar),** half (beheaded)

29, ***acudió a (unirse a ellos),** came to (join them)

29, ***unirse (a ellos),** to join (them)

C. Composición (oral o escrita)

1. Angelina y Carmela se preparan para la romería.
2. En el camino de Villoria.
3. En la plazoleta de Villoria.
4. En busca de una casa.
5. Angelina canta las tonadas asturianas.

36

A. Preguntas

1. ¿ De qué se vió rodeada Angelina al dejar de cantar? 2. Antes de bailar, ¿ qué dijo a los mozos con afectada seriedad? 3. ¿ Qué hizo después de bailar con el chiquillo? 4. ¿ Qué pasó a Perico por ser agonioso? 5. Al pasear otra vez por la romería, ¿ cómo trataron los mozos a Angelina? 6. Descríbase el grupo que marchaba la vuelta de Entralgo. 7. ¿ Qué pasó al llegar la pandilla a Puente de Arco? 8. ¿ Qué prueba tenemos de que Angelina durmió bien aquella noche?

B. Locuciones

139, 25, *(más) de cerca, close(r) at hand
140, 17, *te toca (a ti), it is your turn
141, 5, no puedo más, I'm exhausted, "all in"
6, *tengo miedo de (no poder), I am afraid of (not being able)
141, 14, *pagaremos (el médico), we shall pay for (the doctor)
24, **de noche, by night
142, 13, **contad con(migo), count on (me)

C. Composición (oral o escrita)

1. Angelina baila con los mozos.
2. La vuelta al Condado.
3. ¡ Qué sueño!

37

A. Preguntas

1. En el otoño, ¿ qué hacen los paisanos con el maíz? 2. ¿ Cómo llevaron al mercado Leoncio y Pacho el jato y los cerditos?

3. ¿Dónde se situaron en el mercado? 4. Descríbase la venta del jato. 5. ¿Por qué entró el tío Pacho pidiendo cincuenta reales por los gorrinos? 6. ¿Qué hacían los paisanos al oír el precio? 7. ¿Por qué no vendió los cerdos al bajar el precio a cuarenta y uno? 8. ¿Cómo logró venderlos al fin? 9. ¿Qué clase de mujer era Engracia, la tabernera? 10. ¿De qué hablaron los parroquianos mientras bebían la sidra? 11. ¿Cómo fué interrumpida la conversación? 12. ¿Por qué se apresuraron a despedirse los dos tíos?

B. Locuciones

146, 1, *(no) tanto (por...) como (por...), (not) so much (for ...) as (for ...)

21, *se (estaba) abu-rriendo, (he was) getting bored

147, 10, *¿qué tal? how goes it (with)?

18, **acerca de, about

C. Composición (oral o escrita)

1. Los paisanos en el otoño.
2. Los tíos Pacho y Leoncio en el mercado.
3. En la taberna de Engracia.

38

A. Preguntas

1. Una vez en la carretera, ¿cómo empezaron a caminar Leoncio y Pacho? 2. Cuente usted cómo el tío Pacho hizo un cigarrillo. 3. ¿Cómo quería encenderlo? 4. ¿Qué dijeron los dos amigos acerca de Xuan de la Ortigosa? 5. ¿Qué dijeron del jato? 6. ¿Por qué no dejaban mamar al jato las mujeres, según el tío Leoncio? 7. ¿En qué están iguales Leoncio y Pacho? 8. Cuéntese lo del propuesto casamiento de Cosme y Conrada. 9. Poco después de despedirse, ¿qué gritó Leoncio a Pacho? 10. ¿Qué sucedió a las once de la noche?

B. Locuciones

149, 19, *se paraba, he stopped

151, 5, daba (algunos) gol-pes (al pedernal), struck (the flint a few times)

151, 7, tuviste suerte, were lucky

24, **¿para qué?** why? what for?

25, **de a (peseta), at the rate of (a peseta)

152, 14, *(me) tienen miedo, they are afraid of (me); they don't trust (me)

C. Composición (oral o escrita)

1. El tío Pacho lía un cigarrillo.
2. Los cochinos y el jato.
3. Leche fría y leche caliente.
4. La Micaela y la Epifania dicen que sí.

39

A. Preguntas

1. ¿Cuánto tiempo hacía que Conrada sabía que iba a casarse con Cosme? 2. ¿Qué pensaba Angelina del novio? ¿y Conrada? 3. Nómbrense los que salieron de casa del tío Leoncio el día de la boda. 4. ¿Cómo iba vestida la novia? 5. ¿Cómo iba vestido el novio? 6. Compárese esta boda con las de la alta sociedad madrileña. 7. En vez de banquete en el Ritz, ¿qué hubo? 8. ¿Qué se comió? 9. ¿Cómo quedó el gaitero después de tanto comer y beber? 10. ¿Cómo le llevaron a casa?

B. Locuciones

156, 2, *tanto (Carmela) como (Angelina), both (Carmela) and (Angelina)

7, **tampoco (yo), nor (I) either

158, 19, **por último, finally

158, 25, por regla general, as a general rule

159, 14, *¿(no) tendrías gusto en (verle reventar)? would(n't) you be glad to (see him burst)?

C. Composición (oral o escrita)

1. Después de las primeras amonestaciones.
2. Los novios vestidos para la boda.
3. La ceremonia.

4. Comida **pantagruélica.**
5. **Faz.**

40

A. Preguntas

1. ¿ Al son de qué instrumento se bailó en el huerto del tío Leoncio? 2. Cuéntese cómo Angelina buscó a su prima. 3. Cuando llegó a divisar a Carmela cerca del molino, ¿ qué más vió Angelina? 4. ¿ Qué pasó cuando Angelina gritó: «¡ Carmela!»? 5. ¿ Qué pasó en la solana a la mañana siguiente? 6. ¿ Y qué pasó en la cocina poco después? 7. Mientras Griselda arreglaba la comida, ¿ qué favor le pidió Angelina? 8. ¿ Qué ocurrió cuando llamó *madre* a su tía por primera vez?

B. Locuciones

161, 12, ****ahora mismo,** right now
30, **a la mañana,** on (in) the morning
162, 4, ****conque,** and so
6, ****volviéndose,** turning around
31, ****¡ por Dios!** for Heaven's sake!
163, 17, ****en vez de,** instead of

164, 2, ****hágame el favor de (cortarme),** please (cut me)
5, **se encaró con (ellos),** faced (them)
6, ***¿ qué hay?** what's the matter?
8, ****si (estamos contentos),** why (we are glad)

C. Composición (oral o escrita)

1. Escapatoria.
2. Golpes y un bofetón.
3. Angelina pide un favor a su tía.

41

A. Preguntas

1. ¿ Cómo explica el autor la rápida adaptación a la vida campesina de Angelina? 2. ¿ Qué cosas lograron interesarle? 3. ¿ Qué tareas le gustaban más? 4. ¿ Qué hizo un jueves por la tarde? 5. ¿ Qué pasó cuando parió la *Cereza?* 6. ¿ Qué capricho tenía

Angelina? 7. ¿Cómo logró al fin satisfacer el capricho? 8. ¿Qué pasó cuando se presentó ante la familia con un jarro de leche en la mano?

B. Locuciones

167, 21, *a los (pocos) meses, (a few) months later

21, se pasaba (horas), she spent (hours)

170, 12, *de prisa, quickly

171, 8, a maravilla, marvelously

32, tenía (tal) empeño en (aprender), I was (so) very anxious to (learn)

C. Composición (oral o escrita)

1. Angelina se hace una aldeana completa.
2. Angelina trae las vacas.
3. Angelina aprende a ordeñar.

42

A. Preguntas

1. ¿Qué cantaba Virgilio en *Las Geórgicas* del invierno? 2. ¿Qué papel hace la castaña en la vida de los labradores asturianos? 3. Dése una descripción de la esfoyaza. 4. ¿Qué quiere decir la palabra *fila?* 5. ¿Cómo solía entretener a la reunión Angelina? 6. ¿Qué suceso distrajo la atención de la *fila* durante algunas noches? 7. ¿Qué señales indican la llegada de la primavera? 8. ¿Por qué le gustaba más a Angelina trabajar con su tío que con su tía? 9. ¿Cómo sembraron el maíz? 10. ¿De qué hablaron Juan y Angelina mientras descansaba el ganado?

B. Locuciones

173, 10, *se caen, they fall

12, a guisa de, like

14, de buen grado, willingly

174, 21, *aficionado a (ellas), fond of (them)

26, *gustaron de (tales narraciones), enjoyed (such narratives)

177, 8, *dar(nos) de comer, to feed (us)

13, en verdad, in fact

17, ¿a (qué) conduce? (what) does it lead to, tend to?

C. Composición (oral o escrita)

1. La vida de los labradores en el invierno.
2. Las esfoyazas.
3. Las *filas*.
4. Un suceso doloroso.
5. Se labran las tierras.

43

A. Preguntas

1. ¿Por qué estaba inquieto Juan al cuajarse de flor la pomarada? 2. Cuéntese cómo Angelina llegó a ser amada de todo el mundo. 3. ¿Qué solían escribirse padre e hija? 4. Cuando Quirós pidió a Angelina que le escribiese largo, ¿qué dijo ella de las vacas? 5. Según la carta, ¿qué hace Angelina cuando no hay lodo en el camino? 6. ¿Qué dice del trabajo en la vega? 7. ¿Qué se hace los días que llueve? 8. ¿Cómo se hace la colada? 9. ¿Qué suele hacer Angelina después de comer? 10. ¿Qué se hace por la tarde, si no se baja a la vega? 11. ¿Qué suele hacer Angelina en las *filas*? 12. ¿Qué escribe acerca de su peso? 13. ¿Qué dice Angelina de los Quirós? 14. ¿Qué hizo don Antonio al recibir la carta?

B. Locuciones

178,	6,	no tenga usted cuidado, don't worry	**179,**	13,	a las (siete) y media, at half past (seven)
	24,	(que no) se preocupase (por ella), (that) he (not) worry (about her)		15,	da gusto (hablar con él), it's a pleasure (to talk with him)
	31,	*la vida (que) haces, the life (that) you lead		22,	*claro que..., of course...
			180,	3,	en punto, exactly; sharp

C. Composición (oral o escrita)

1. La pomarada.
2. Angelina amada de todo el mundo.
3. Una carta larga.

44

A. Preguntas

1. ¿ Cómo ha cambiado Angelina desde la siega del año pasado?
2. Cuéntese lo de Facundo. 3. ¿ Qué propuso el tío Juan, medio en broma, a Angelina? 4. ¿ Cómo enseñó Angelina a Telesforo? 5. ¿ Qué no podía hacer bien Foro? 6. Exasperada Angelina, ¿ qué hizo un día? 7. ¿ Qué pasó cuando ella entró en la cocina? 8. ¿ Por qué comió aquel día con más apetito que otras veces?

B. Locuciones

183, 8, *se complacía en (hacer), she took pleasure in (doing)

184, 11, (si tú) estabas conforme, (if you) agreed

185, 1, en serio, seriously

7, (que él) se preste a (ello), (that he) submit to (it)

185, 10, no es para tanto, it isn't as serious as that

186, 27, lo mismo (tu tía) que (yo), both (your aunt) and (I)

C. Composición (oral o escrita)

1. Angelina en el tiempo de la siega.
2. Facundo quiere casarse.
3. Angelina enseña a Telesforo.
4. Un sonoro bofetón.

45

A. Preguntas

1. ¿ Cómo se mostró Angelina con su primo después de recibir permiso para pegarle? 2. ¿ Qué la hizo llorar un día? 3. ¿ Cómo se mostró Telesforo con su prima? 4. Descríbase la hora que pasó Angelina bajo el pomar. 5. Repítase lo esencial de la conversación de las dos niñas. 6. ¿ Cómo figura Sinforosa en lo que dicen? 7. ¿ Qué hizo Foro cuando su hermana le llamó? 8. ¿ Qué dijo Angelina a Telesforo cuando al fin le tuvo delante?

B. Locuciones

188, 10,   es el caso (*or* el caso
es) que, the fact is
that
10,   *a medida que, as
10,   **(le) iba (enseñando),
was (teaching
him)
17, **siempre que, when-
ever
27,   se iba (ligando), was
gradually (becom-
ing attached)
191, 9,   *al parecer, apparently
10, **al cabo, at last

191, 16,   *a (su) vez, in (her)
turn
30,   dieron la vuelta a (la
casa), they walked
around (the house)
32, **echó a (correr),
started to (run)
32, *hacia arriba, upward
192, 4,   a gritos, at the top of
(his) voice
9,   *daba miedo (verle),
it was terrifying
(to see him)
28,   *ten presente, bear in
mind

C. Composición (oral o escrita)

1. Bofetones, palizas, cariño.
2. Bajo un pomar.
3. Carmela habla por Foro.
4. Foro echa a correr.

46

A. Preguntas

1. ¿Cómo llegó a odiar a Angelina la familia del tío Atilano?
2. ¿Cómo se enteró Angelina del odio de esta familia? 3. ¿Por
qué era Angelina y no Carmela la que llevaba el ganado al río?
4. Dense los detalles de la lucha entre Angelina y Sinforosa.
5. ¿Qué hizo Angelina al llegar al establo? 6. Cuéntese lo que
pasó cuando Angelina fué al encuentro de Telesforo.

B. Locuciones

194, 11,   con respecto a, with
regard to
24,   *dando por (cierto),

considering (cer-
tain)
194, 30,   (al) dar(le ella

los buenos días),
(when) she wished
(him good morn-
ing)
196, 32, *estará para (llegar),

he is (probably)
about to (arríve)
197, 1, *a (su) **encuentro** or
al **encuentro de,** to
meet (him)

C. Composición (oral o escrita)

1. Sinforosa y su familia odian a Angelina.
2. Salta la chispa eléctrica.
3. Telesforo acude al socorro de Angelina.

47

A. Preguntas

1. ¿ Por qué quedaron sorprendidos Juan y Griselda de la hostilidad del tío Atilano? 2. ¿ Con qué motivo va Angelina a la Fontinica? y Telesforo, ¿ por qué va? 3. ¿ Qué hallaron en la Fontinica? 4. ¿ Por qué volvió Angelina a casa sin su primo? 5. Antes de volver ella, ¿ qué pasó en el prado? 6. ¿ Cómo figuran en el caso Joaco y Telva? 7. ¿ Cómo curaron a Telesforo? 8. Mientras tanto, ¿ cómo comentaron el lance?

B. Locuciones

199, 12, **lejos de, far from
26, *por ahí, around here; over there
200, 24, en ocasiones, at times

200, 30, *a un lado, aside
202, 17, *se asustó, was frightened
203, 10, (a) media noche, (at)
midnight

C. Composición (oral o escrita)

1. Rompimiento de relaciones y su efecto.
2. En la Fontinica: los castaños, la zanja.
3. Telesforo y el tío Atilano.
4. Foro recibe primera cura.

48

A. Preguntas

1. ¿ Qué hacían en casa de Quirós cuando llegaron los guardias civiles? 2. ¿ Cómo explicaron su visita? 3. ¿ Puede Vd. adivinar

por qué los guardias no aceptaron el vino? 4. ¿Qué indica en este
lance que Angelina vale más que las otras mujeres? 5. ¿Qué tal
tiempo hacía aquella noche? 6. ¿Qué dijo el cabo del tío Atilano?
7. En la Pola, ¿qué se hizo del preso? 8. ¿Qué pasó en la taberna
de Engracia? 9. Cuéntese lo que pasó en el Juzgado de la Pola.
10. ¿Cómo termina el capítulo?

B. Locuciones

203, 23, **servidor [de usted],** **206,** 21, **a mano,** at hand
        at your service   **207,** 7,   **te explicas,** you ex-
    23, **adelantándose,** com-   plain yourself
        ing forward   22, ***en vista de,** in view
205, 4, ***reparando en (la**   of
        venda),** noticing   30, ***(a poco) se desmaya,**
        (the bandage)   (almost) fainted
206, 18, ****se refería a (ella),** **208,** 3, ***para siempre,** forever
        she referred to (her)

C. Composición (oral o escrita)

  1. Los guardias civiles.
  2. A la cárcel.
  3. Se toman las declaraciones.

49

A. Preguntas

  1. ¿Qué hizo Gustavo Manrique al encontrarse frente a frente de
Angelina? ¿y qué hizo ella? 2. ¿Cómo iba vestido Manrique?
3. ¿De qué manera le recibió Angelina? 4. ¿Cómo explica
Manrique su silencio de año y medio? 5. ¿Qué dicen de la carta?
6. Cuando Angelina quedó convencida de la inocencia de Manrique,
¿qué le prometió éste? 7. ¿Por qué no se entusiasma mucho Angelina al hablar Manrique de salones y elegancia? 8. ¿Qué hizo
Carmela al ver alejarse a Manrique? 9. ¿De qué hablaron las dos
primas antes de ponerse a desgranar el maíz?

B. Locuciones

211, 10, **frente a frente,** face   **211,** 15, **varias veces,** several
        to face   times

212, 5,   se   irguió,   she
straightened up

21,   *mira, look here

23,   (le) volvió la espalda,
she turned away
from (him)

213, 1, **(pensé) volverme
(loco), (I thought I
would) become (in-
sane)

1,   poco faltó para que
(me diese un tiro),
I almost (shot my-
self)

13, **sí *or* sí que (puede
ser), it *can* (be)

214, 2,   (no me) pongas (esa)
cara (de inquisi-
dor), (don't) make
(that) face (of an
inquisitor at me)

14,   *(no me) tendrás por
(tal), (you won't)
consider (me as
such)

215, 25, **sin que, without

216, 20,   no tienen remedio,
can't be helped

22,   (debía) realizarse,
(was) to take place

C. Composición (oral o escrita)

1. Gustavo Manrique.
2. La carta certificada.
3. La mano endurecida de una aldeana.
4. Las dos primas bajo el pomar.

50

A. Preguntas

1. ¿Cómo era el marqués de Campollano? ¿y la marquesa?
2. ¿Qué hacían los marqueses y Manrique cuando fray Atanasio
González entró en el gabinete? 3. Compárense los hermanos
González. 4. ¿Qué dijo el marqués de Asturias y de los asturianos?
5. ¿Cómo le contestó fray Atanasio? 6. ¿Qué decía el marqués
cuando fray Atanasio soltó una carcajada? 7. ¿Cómo explicó fray
Atanasio que Quirós no se había arruinado? 8. ¿Qué dijeron de
Quirós y sus millones? 9. ¿Por qué no tomó parte en la conversación Gustavo Manrique? 10. ¿Cómo se despidió?

B. Locuciones

218, 8,   *tomando café, drink-
ing coffee

219, 2,   *a la sazón, at the
time

219, 6, adonde (a donde), to which

21, *parece mentira, it's hard to believe

220, 3, abrirse paso, to make (their) way

3, no hay más que (recordar), one need only (recall)

8, **¿ de (qué) se ríe usted? at (what) are you laughing?

220, 22, se resignó a (trabajar), became resigned (to cultivating)

221, 15, a la par, at par; equally

31, le da por (las monedas), he has a weakness for (coins)

222, 1, **¡ hombre ! man! man alive !

C. Composición (oral o escrita)

1. Los marqueses de Campollano.
2. Fray Atanasio.
3. Asturias.
4. Fray Atanasio explica la *comedia*.

51

A. Preguntas

1. ¿ Qué hizo Manrique así que llegó a casa? 2. ¿ Qué hizo en Oviedo la mañana siguiente? 3. Según lo que dijo Manrique al general Suárez, ¿ por qué iba a Laviana? 4. ¿ Cómo llegó con su maleta a la Pola? 5. ¿ Cómo logró Manrique disipar la desconfianza de Angelina? 6. ¿ Por qué no la veía más de media hora todas las tardes? 7. Mientras tanto, ¿ cómo lo pasaba Telesforo? 8. ¿ Qué dice Angelina de la vida campestre?

B. Locuciones

223, 7, de mañana, early in the morning

23, (le) convidó a (almorzar), invited (him) to (breakfast)

224, 23, se guardaba de (tomar), he took care not to (take)

225, 1, al paso, in passing

18, estuvo a punto de (dar un traspié), he was on the point of (erring)

226, 12, color de (rosa), (pink)

C. Composición (oral o escrita)

1. Manrique en Oviedo.
2. Manrique logra disipar la desconfianza de Angelina.
3. Angelina rechaza la compasión de Manrique.

52

A. Preguntas

1. ¿Qué decía la carta dirigida a Juan? 2. ¿Qué decía la carta dirigida a Angelina? 3. ¿Qué hicieron para convencerse de que las cartas eran auténticas? 4. ¿Cómo se enteró toda la aldea de la llegada de las cartas? 5. ¿Cómo le afectaron a Griselda las noticias? ¿a Conrada? ¿a Pinón? ¿a Pepa? 6. ¿Qué promete Angelina al cura? 7. ¿Qué hizo Manrique al leer la carta de Quirós? 8. ¿Por qué sabemos que la tristeza de que habla Manrique es fingida?

B. Locuciones

227, 16, (lo bien que) os habéis portado, (how well) you have behaved
228, 6, *(puedes) imaginarte, (you can) fancy, imagine
    15, **(no podían) darse cuenta de (la realidad), (they could not) realize (the truth)
228, 20, *se convencieron, they became positive
    26, *antes bien, rather
230, 3, me salí con la mía, I had my own way

C. Composición (oral o escrita)

1. Carta de Antonio Quirós a su hermano.
2. Carta de Quirós a su hija.
3. Efecto de las cartas en la vivienda de Juan Quirós.
4. Conrada. Pinón. Pepa. Don Tiburcio.
5. Gustavo lee la carta.

53

A. Preguntas

1. Repítase lo esencial de la conversación de Ramón y Telesforo.
2. Dense algunos detalles de la riña entre Telesforo y Manrique.

3. Después del lance, ¿ qué iba repitiendo en alta voz Argayadas?
4. ¿ Cómo llevaron a Manrique hasta la casa de Zapico? 5. Reconocido Manrique por el médico, ¿ qué pudo apreciar éste?
6. ¿ Por qué no dió Manrique parte al Juzgado? 7. ¿ Qué hizo el tío Juan al recibir la noticia? 8. Repítase lo esencial de la conversación entre Juan y Engracia.

B. Locuciones

233, 7, ****¡ vaya una (lotería)!**
my, what a (lottery)!

19, **se juntó (a él),** he joined (him)

236, 32, ***estaba (muy) malo, (malito),** was (very) ill

237, 2, **por si,** in case

6, ****a qué,** what for; why

C. Composición (oral o escrita)

1. Telesforo y el prestamista.
2. Telesforo y Gustavo Manrique.
3. Manrique llevado a la casa de Zapico.
4. Manrique no da parte al Juzgado.
5. Juan Quirós y su prima Engracia.

54

A. Preguntas

1. ¿ Cómo estaban las cosas en la casa de Juan Quirós? 2. Cuéntese todo lo que pasó en el cuarto de Gustavo hasta la llegada de fray Atanasio. 3. ¿ Qué le hizo toser a Manrique? 4. En vez de toser, ¿ qué hizo Angelina? 5. ¿ Qué decía la carta que escribió a Manrique? 6. ¿ Qué escribió a Telesforo? 7. ¿ Qué hizo Angelina después de entregar las cartas al tío Felipe? 8. Cuéntese lo que pasó en la cena aquella noche.

B. Locuciones

239, 1, **por demás,** moreover, besides

4, **(no podía menos de) darle la razón,**

(she couldn't help) agreeing with him

240, 18, **interesándose (por su salud),** taking

	an interest in (his health)		**bien**), good-bye; good luck
241, 4,	**ya lo sé,** of course	**242,** 23,	**te pondrás en camino,** you shall start on your way
5,	**de (todo) corazón,** heartily		
16,	***refugiarse,** to take refuge	**244,** 24,	***por fortuna,** fortunately
25,	**páselo usted bien** (*or* **que usted lo pase**	**245,** 8,	***es igual,** it's all the same

C. Composición (oral o escrita)

1. Situación difícil y triste.
2. Angelina visita al enfermo.
3. La tos de Gustavo.
4. Angelina escribe dos cartas.
5. Después de la cena.

55

A. Preguntas

1. A pesar de que Telesforo había vuelto, ¿ por qué era Angelina la única que se hallaba tranquila? 2. Descríbase la llegada de Antonio Quirós. 3. Ya que Angelina no quería almorzar en la Pola, ¿ qué se hizo? 4. Antes de sentarse a la mesa, ¿ por qué llamó Angelina aparte a Vigil? 5. Cuando hubieron tomado café, ¿ qué narró Angelina a su padre? 6. ¿ Qué pasó cuando Angelina dijo que pensaba casarse con su primo? 7. Según Angelina, ¿ qué podría hacer su padre para hacerla feliz? 8. ¿ Cuál de los dos tenía razón, padre o hija?

B. Locuciones

246, 2,	**se desarrolló,** developed		**dos),** (there would) be room for (all)
9,	***supo (que se había ido),** found out (that he had gone)	**248,** 2,	***(estaban) de vuelta,** (they were) back
247, 6,	****(hija) de mi alma,** my dear (daughter)	10,	***tirándole de(l bigote),** pulling (his mustache)
26,	***(podían) caber** (to-	**249,** 10,	**de niño,** as a child

C. Composición (oral o escrita)

1. Secreta zozobra.
2. La llegada de Antonio Quirós.
3. Comida en la solana.
4. Padre e hija quedan solos.

Locuciones

254, 3, **al momento,** at once

36, **(no) disponía de (otros recursos),** she did (not) have at her command (other means)

255, 13, **¡ dale !** *or* **¡ dale que dale !** keep it up ! again !

31, **desde lejos,** from afar

256, 26, ***enfrente de,** in front of

34, **(el cincuenta) por ciento,** (fifty) per cent

257, 17, **hoy día,** nowadays

19, **a más,** besides

23, ***olía a (cebolla),** smelled of (onion)

27, **unos y otros,** both; all of them

29, ***a lo menos,** at least

36, ***por entre,** among, between

258, 31, **a oscuras,** in the dark

259, 8, ***al contrario,** on the contrary

259, 9, ***hacía un papel (ridí-** culo), played a (ridiculous) part

260, 16, ***por lo demás,** furthermore

263, 33, **en camino de,** on the road to

264, 22, **(el mes) que viene,** next (month)

24, ***vale más (no segarlos),** it is better (not to cut them)

36, ***más allá,** farther on

267, 15, **transformarse en (una),** to change into (one)

268, 26, ***hacía (ya tiempo) que (era viudo),** (he had been a widower now) for (some time)

269, 5, **de enfrente,** opposite

270, 7, ****(no) se encuentra con,** (does not) meet

11, **en limpio,** clearly

12, **continuó (trabajando),** kept on (working)

271, 11, **¿ (cual ...) te gusta**

más? (which one . . .) do you prefer?

271, 25, se entrasen, get in; go in

273, 1, ****en busca de,** in search of

3, de allá, over there

275, 7, *a los (pocos) días, (a few) days later

30, a cambio de, in exchange for

277, 6, los más, most; the majority

279, 33, a última hora, at the last minute

280, 27, ¿ (qué) se le ofrecía? (what) did you want?

281, 1, (que no) se asom-

brase de(1 aumento), (that) he was (not) surprised at (the increase)

281, 31, *¡ allá voy ! I'm coming !

282, 29, **por cierto, certainly

283, 1, *en suma, in short; in all

9, darse tono, to put on airs

31, en calidad de, as

284, 16, *en adelante, from now on

285, 9, quítese (inmediatamente) de (mi presencia), get out of (my sight immediately)

VOCABULARIO

VOCABULARIO

With the exception of subject and object personal pronouns and a few place names, the vocabulary is intended to be complete. At least one form of verbs with irregular stems or with orthographical changes has been included.

A

a to, at, by, on, in

abajo under, underneath; below; down(stairs); **de** —, below; **hacia** —, below, downward; **parte de** —, lower part; **prado** —, down the field

abalanzar to balance; to dart; **—se,** to rush impetuously

abandonado –a negligent, shiftless; slovenly; forsaken, deserted

abandonar to leave; to forsake; to give up

abanico *m.* fan

abarrotado –a overstocked; overflowing

abastecedor *m.* caterer, provider, purveyor

abatimiento *m.* depression, low spirits

abatir to throw down; to discourage; **—se,** to be disheartened; to descend

abeja *f.* bee

abejorro *m.* bumblebee

abierto –a open; clear; frank

ablución *f.* ablution

abofetear to slap; to insult

abogado *m.* lawyer

abominación *f.* abomination

abonado –a rich; fertilized

abonar to bail; to improve; to guarantee, endorse; to give credit; to pay, settle

abono *m.* security; voucher; manure, fertilizer

aborrecer to hate

aborrecible hateful; abhorrent

aborrecido –a hated, abhorred

abotinado –a shaped like a gaiter

abrazar to embrace, hug; to contain, comprise; **—se,** to embrace

abrazo *m.* hug, embrace

abrigar to shelter, protect; to cover; to harbor (a desire); **—se,** to take shelter; to cover one's self

abrir to open; **—(se) paso,** to make (one's) way; **al —,** on opening

abrumador –a overwhelming, crushing

absolutamente absolutely

absoluto –a absolute

absorber to absorb

abstenerse to abstain, forbear; **— de,** to abstain from

abstuvo *see* **abstenerse**

absurdo *m.* absurdity, nonsense

abuelo *m.* grandfather; *pl.* grandparents

abundante abundant; abundantly

abundar to abound; to be plentiful

aburrido –a weary; tiresome, boresome; bored

aburrir to vex, annoy; to tire, bore; —**se,** to grow weary; to be bored

abusar to exceed; to go too far; to take undue advantage; — **de,** to abuse

acá here; hither

acabar to finish; to complete; to achieve, obtain; — **de,** to have just; **mas no acababa de llegar,** but it didn't arrive

acaecer to happen

acariciar to fondle, caress; to cherish

acarreado –a carried, carted, conveyed

acaso by chance; maybe, perhaps

acatarrado –a, **estar** —, to have a cold

acción *f.* action; stock, share; — **de gracias,** thanksgiving

acechar to lie in ambush for; to spy on

aceite *m.* oil

acento *m.* accent

acentuar to accentuate; to emphasize

aceptar to accept

acera *f.* sidewalk

acerca de about, relating to

acercar to bring *or* place near *or* nearer; —**se,** to approach

acertar to hit the mark; to succeed; to guess right; — **a,** to happen

aciago –a unfortunate, sad, fateful

acicalado –a polished; adorned

acierta *see* **acertar**

aclarar to clarify; to rinse

acoger to receive; to protect

acometer to attack; to assail; to rush on, go for; to undertake

acometida *f.* attack; assault

acometido –a attacked; tempted

acomodado –a well-to-do, wealthy

acomodar to arrange, accommo-date; to suit, please; —**se,** to be accommodated

acompañado –a accompanied

acompañar to accompany

aconsejar to advise; to counsel

acontecimiento *m.* event, happening

acordado –a agreed

acordar to resolve; to agree; to remind; —**se de,** to remember

acortado –a shortened; reduced; abashed

acostado –a stretched; lying (down)

acostar to lay down; to put to bed; —**se,** to lie down; to go to bed

acostumbrado –a accustomed, used

acostumbrar to accustom; to be accustomed; —**se,** to become accustomed, get used to

acre acrid

acrecer to increase; to promote

acreditado –a accredited; of good repute; distinguished

acreedor –a deserving; — **a,** worthy of

acróbata *m. and f.* acrobat

actitud *f.* attitude, position

actividad *f.* activity

activo –a active

acto *m.* act, action; — **continuo,** immediately afterward

actor *m.* actor, performer

acudir to be present; to go, come; to hasten; to respond; to go *or* come to the rescue; **sin** —, without (her) coming

acuerda *see* **acordar**

acumulado –a accumulated

acusar to accuse; to manifest; to acknowledge (receipt)

achacar to impute

achacoso –a sickly, ailing

achaque *m.* ailment; habitual indisposition

Adán Adam

ad Deum qui letificat juventutem meam (*Lat.*) to God who giveth joy to my youth

adaptación *f.* adaptation

adecuadamente adequately, fitly, properly

adecuado –a adequate

adelantado –a advanced

adelantar to progress; to grow; to improve; to gain; **adelante,** come in

adelante ahead; farther on; forward; **en —,** henceforth, in future

ademán *m.* gesture, look, manner; attitude

además moreover, besides

aderezado –a dressed; prepared; cooked

adiós good-bye; hello

aditamento *m.* addition

adivinar to foretell; to divine, guess

adjuntar to append; to enclose, attach

administrador *m.* administrator

administrar to administer

admirable admirable, excellent

admirablemente admirably

admiración *f.* admiration, wonder

admirado –a admired

admirar to admire

adonde where, whither; to which

adónde, where, whither

adorable adorable

adorado –a adored

adorador *m.* worshipper, admirer

adorar to adore

adormecedor –a soporiferous, soporific, sleep producing

adormecer to lull to sleep

adormecido –a drowsy, asleep

adornado –a adorned, embellished, decorated

adornar to adorn

adosado –a (*from* adosar: *Fr. adosser*) attached

adquirir to acquire, obtain

adulación *f.* adulation, fawning

adusto –a gloomy, austere, sullen

adversario *m.* adversary

advertir to take notice of, observe; to instruct, advise, warn; to acquaint

advirtió *see* advertir ·

afamado –a celebrated, noted

afán *m.* anxiety, eagerness

afanado –a laborious; eager

afectadamente affectedly, hypocritically

afectado –a affected

afectar to affect; to pretend

afecto *m.* affection, love

afectuosamente fondly, affectionately

afectuoso –a affectionate; dear

afición *f.* affection, fondness; taste

aficionado –a, — a, fond of, having a taste for

afilado –a sharp

afilar to whet, grind, sharpen; piedra de —, whetstone

afinidad *f.* affinity; resemblance

afirmación *f.* affirmation

afirmado –a fixed, secured; affirmed, asserted

afirmar to affirm, assert

afirmativo –a affirmative

aflautado –a flutelike; thin, shrill

aflicción *f.* affliction, sorrow

afligido –a afflicted, grieved

afluente affluent, tributary

afma. s. s. = afectísima segura servidora, very truly yours, *Lit.*, most affectionate (and) obedient servant

afortunadamente luckily

afortunado –a fortunate, lucky

agalla *f.* gallnut; *pl.* tonsils; courage, cheek, gall

agarrado –a clutched; — **a,** clutching

agarrar to grasp, seize; —**se,** to clinch; to hold on

agasajado –a regaled, entertained

agasajar to regale; to entertain

ágil nimble, fast, light

agilidad *f.* agility

agitación *f.* agitation; excitement

agitado –a agitated; excited

agitar to agitate; to stir; —**se,** to flutter, quiver

agobiado –a bent down; oppressed

agolpar to rush

agonía *f.* agony

agónico –a dying

agonioso –a eager, persistent

agosto *m.* August

agotamiento *m.* exhaustion

agotar to exhaust

agraciado –a graceful, pleasing, genteel

agradable agreeable, pleasing, pleasant

agradablemente agreeably, pleasantly

agradar to please, gratify, like; to humor

agradecer to thank for; to be grateful for

agradecido –a grateful; thankful

agradecimiento *m.* gratefulness, gratitude

agradezco *see* **agradecer**

agrado *m.* affability; pleasure

agraviada *f.* the injured *or* offended one

agravio *m.* offense, insult, affront; injury; **venga ese capítulo de** —**s,** let's have those charges, complaints

agregar to add; to collect, gather

agresión *f.* aggression, attack, assault

agresivo –a aggressive

agreste rustic; uncouth

agrupar to group; to cluster

agua *f.* water; rain; — **de Cara-baña,** a well known purgative, cathartic; — **de colonia,** cologne water; **huevo pasado por** —, soft-boiled egg

aguamanil *m.* washstand

aguardar to expect; to wait (for)

aguardiente *m.* brandy; whiskey

agudo –a sharp; witty

aguijada *f.* spur, goad

águila *f.* eagle; — **caudal,** royal (golden) eagle

agujero *m.* hole

¡ ah ! ah !

ahí there; **por** —, around here, there

ahogar to drown; to choke, smother; — **se,** to drown

ahora now; — **mismo,** at once, right now; **hasta** —, as yet, hitherto; **por** —, for the present

ahorcar to hang

ahorrillo *m.* slight economy; *pl.* little savings

ahuecar to make hollow; to give a tone of solemnity

ahumado –a smoked

airadamente angrily

airado –a angry, wrathful

aire *m.* air; wind; **al** — **libre,** in the open air; **poner** — **por medio,** to put distance (air) between them

airoso –a airy; graceful; lively

aislar to isolate

ajado –a garlicky, tarnished; jaded

¡ ajajá ! aha !

alado –a winged

alargar to lengthen; to extend; to stretch out

alarido *m.* howl, outcry, scream

alarma *f.* alarm; **voz de** —, warning

alarmado –a alarmed

alazán –a sorrel-colored (yellowish or reddish brown)

albañil *m.* mason, builder

albarda *f.* pack-saddle

alborotado –a restive; excitable; turbulent

alborozo *m.* merriment; gaiety, joy

alcaide *m.* jailer, warden

Alcalá, calle de —, one of the principal streets of Madrid starting from the *Puerta del Sol*

alcanzar to follow; to overtake; to reach; to strike; to obtain, attain; to comprehend

alcoba *f.* alcove; bedroom

aldea *f.* village

aldeanito *m.* little villager

aldeano –a rustic, uncultured

aldeano –a *m. or f.* villager, peasant

alegrar to make merry; to gladden, comfort; to enliven; **—se,** to rejoice; to be glad

alegre merry, lighthearted, lively; cheerful; funny, facetious; gay, happy

alegremente merrily, gaily, gladly

alegría *f.* mirth, gaiety, rejoicing

alejado –a separated; withdrawn; aloof

alejar to remove to a distance; to separate; to withdraw; **—se,** to recede, move away

¡ aleluya ! hallelujah !

Alemania *f.* Germany

alentado –a spirited, courageous; well

alerto –a vigilant, alert; **la voz de —a,** the cry of alarm

alevoso –a treacherous

alfombra *f.* rug, carpet

algarabía *f.* jargon, din, clamor

algazara *f.* din, clamor

algo some, something; somewhat, a little; rather; **es — ya,** it is something at least

alguacil *m.* constable

algún, alguno –a some, any; **—a vez,** sometimes; **—as veces,** sometimes, several times

alias (*Lat.*) otherwise, alias

alimentación *f.* feeding; meals; board; nutrition

alimentar to feed, nourish

alimento *m.* nourishment, food

alineado –a aligned; formed

alinear to align

aliviar to lighten; to mitigate (grief); to relieve; **—se,** to recover (one's health)

alma · *f.* soul; heart; vigor, strength; **hija de mi —,** my dear daughter

almibarado –a soft, endearing

almidonado –a starched

almohada *f.* pillow; bolster; cushion

almohadón *m.* large cushion *or* pillow

almorzar to breakfast; to lunch

almuerzo *m.* breakfast; lunch

alojado –a lodged

alojamiento *m.* lodging

alojar to lodge; **—se,** to take lodgings; to dwell

alquilado –a rented, hired

alquilar to let, rent; to hire

alquiler *m.* wages; rent; **mula de —,** hired mule

alrededor around; **— de,** about, around

alrededores *m. pl.* environs, outskirts, edges; border

altanero –a soaring; haughty, arrogant, insolent

altar *m.* altar

alterado –a altered, changed

alterar to alter, change; **—se,** to become altered, disturbed; to become angry altivo –a haughty, proud

alto –a high, elevated, tall; **con —as voces,** in a loud voice; **en lo —,** at the top; **en voz —a,** in a high tone, out loud; **tirar al —,** to throw into the air

¡ alto! halt! ¡ — allá! halt! stop there!

altura *f.* height; stature; **a la — de,** on a level with

alubia *f.* French bean

alumbrado *m.* lighting

Alvarado, Pedro de (died 1541), captain in the service of Hernán Cortés

alzar to raise, lift; **—se,** to rise

allá there; thither, to that place; far, beyond; **— arriba,** up there; **— van,** here they are; **— voy,** I'm coming; ¡ **alto —!** halt! stop there! **lado de más —,** farther side; **un poco más —,** a little farther on

allí there, in that place; **— mismo,** in that very place, right there; **por —,** around there

ama *f.* housekeeper

amabilidad *f.* amiability; kindness

amable amiable

amanecer *m.* dawn, daybreak

amanecer to dawn; to arrive (be, appear) at daybreak

amante loving

amapola *f.* poppy

amar to love

amargo –a bitter

amargura *f.* bitterness

amarillento *m.* yellowish color

amarillo –a yellow

amarrado –a tied, fastened

amarrar to tie, fasten

amasado –a kneaded

amasar to knead; to mould; to make (bread)

ambicionar to seek eagerly; to aspire to; to covet

ambiente *m.* atmosphere

ambiguo –a ambiguous

ámbito *m.* contour, boundary line; limit

ambos –as both

ambulante ambulant; roving

amedrentado –a frightened; discouraged

amenaza *f.* threat, menace

amenazador –a threatening

amenazar to threaten, menace

ameno –a pleasant, agreeable

amigo –a *m. or f.* friend; **ser muy —s,** to be very good friends

amiguita *f.* little friend

amistad *f.* friendship; *pl.* friends; **llevar una — con,** to be on friendly terms with; to enjoy a friendship with

amo *m.* master, lord; proprietor, owner

amonestación *f.* warning; *pl.* marriage banns

amontonar to heap, pile up; **—se,** to accumulate; to pile up

amor *m.* love; *pl.* love affair(s); **declaración de —,** proposal

amorío *m.* love making; love

amorosamente lovingly

amoroso –a affectionate, loving; **guerra —a,** conquest; **relaciones —as,** courtship, engagement

amparar to shelter; to protect, help

amplio –a ample, roomy, large; handsome

análisis *m. or f.* analysis; **pararse en —,** to stop to analyze

analizado –a analyzed

analizar to analyze

anciana *f.* old woman

anciano –a old

anciano *m.* old man

ancho –a wide, broad; tener —as
(buenas) tragaderas, to be
gullible; to be easy going (with
reference to morals)

Andalucía f. Andalusia, province
in the southern part of Spain;
principal cities, Seville, Cordova
and Granada

andaluz –a Andalusian

andaluz m. Andalusian

andante errant; — caballería,
knight errantry

andar to walk; to go, move; to
act; to be; — listo, to be wide
awake, quick; — malucho, to be
a bit sick; ¡ anda ! gracious !
goodness ! move on ! come now !
echar a —, to start to walk;
¡ pero anda ! but say !

andén m. sidewalk; platform;
— de los peatones, sidewalk

anduvo see andar

anemia f. anæmia

ángel m. angel; Ángel de la
Guarda, Guardian Angel

Ángela Angela

angelina f. little angel

Angelina Angelina

Angelus m. Angelus, bell marking
prayer in commemoration of the
incarnation of Christ; first said
only at sunset, later, morning,
noon and night

anguila f. eel

angustia f. anguish, affliction

angustiado –a grieved, worried

angustiosamente distressfully, sorrowfully

angustioso –a full of anguish

anhelante longed for, coveted;
eager

anhelo m. eagerness

anillo m. ring

ánima f. soul

animado –a lively, animated

animal animal

animal m. animal; dunce, blockhead

animar to animate, enliven; to
comfort, encourage

ánimo m. spirit, soul; mind; courage

animoso –a spirited, courageous

aniñado –a childish

aniquilado –a annihilated; consumed; exhausted

aniquilar to annihilate; to consume, waste away

anisete m. anisette

anoche last night

anochecer m. nightfall

anochecer to grow dark

anonadado –a annihilated; over-
whelmed

anotar to write notes; to comment
(on)

ansia f. anxiety; eagerness; long-
ing

ansiar to desire anxiously; to long
for

ansiosamente anxiously; eagerly

ansioso –a anxious; eager; greedy

ante m. elk; buffalo; buffalo skin

ante before; in the presence of;
— todo, first of all

anteayer day before yesterday

antedicho –a aforesaid

anteojos m. pl. spectacles; gog-
gles; —s de larga vista, field
glass

antepasado m. ancestor; prede-
cessor

anterior former; above; preceding

antes before; formerly; first;
rather; — bien, on the contrary; rather; — de, before;
— de poco, before long; — que,
before; rather than

anticipación f. anticipation

antigüedad f. antiquity

antiguo –a antique; ancient, old

antiguo m. aged member of a

community; **los —s,** the ancients

antipatía *f.* antipathy; dislike, aversion

antipático, –a displeasing, disagreeable

antojarse to desire earnestly; **lo que se le antoja,** what she takes a fancy to

antojo *m.* whim, fancy; will

Antón Anton

Antonio Anthony

anudado –a knotted

anudar to knot; **anudándosele la voz en la garganta,** getting a lump in his throat

anunciar to announce

anzuelo *m.* fishhook

añadir to add

añejo –a old; stale, musty

año *m.* year; **a los tres —s (días),** three years (days) later; **contar . . . —s,** to be . . . years old; **cumplir . . . —s,** to reach one's . . . birthday; **desde hacía —s,** for years; **el — pasado,** last year; **hace bastantes —s,** several years ago; **tener . . . —s,** to be . . . years old; **todos los —s,** every year

apagado –a submissive; dull; low (voice)

apagar to quench, put out; to efface; **—se,** to become extinguished, go out, die out

aparador *m.* side board

aparato *m.* apparatus; pomp, ostentation; circumstance

aparecer to appear

aparentar to feign, pretend; to appear

aparente apparent

aparición *f.* appearance

apariencia *f.* appearance, aspect

apartado –a separated; distant

apartar to part; to separate; to remove; **—se,** to withdraw

aparte separately; **— de,** aside from

apasionadamente passionately

apasionado –a passionate; impassioned; devoted

apatía *f.* apathy

apear to dismount; **—se,** to alight

apelar to appeal, have recourse to

apellido *m.* surname

apenado –a pained

apenas scarcely, hardly; no sooner than, as soon as

apero *m.* farm implements; tools

apetecer to desire, crave

apetezco *see* **apetecer**

apetito *m.* appetite

apetitoso –a appetizing, palatable

aplanchado –a ironed, pressed

aplastado –a flattened, flat; crushed

aplaudir to applaud

aplauso *m.* applause; praise

aplicar to apply

apoderar to empower; **—se de,** to possess one's self of, take possession of

apodo *m.* nickname

Apolo del Belvedere, considered one of the most perfect pieces of ancient statuary; now in the Vatican at Rome

aportar to arrive; to cause; to contribute

apostar to bet; **—se,** to place (station) one's self

apoyado –a, — en, leaning against, resting on

apreciar to appreciate; to estimate; to esteem

aprender to learn

aprensión *f.* apprehension, scruple; fear; suspicion

apresuradamente hurriedly

apresurar to hasten; —**se,** to make haste

apretado –a tightened; pressed down; squeezed; depressed

apretar to tighten; to clutch; to press; to pack down; to oppress; — **el paso,** to quicken one's step; —**se,** to swarm, crowd

apretón *m.* pressure; struggle; — **de manos,** handshake

aprietan *see* **apretar**

aprieto *m.* crush; scrape, difficulty; cramp

aprisionar to imprison

aprobar to approve; — **con la cabeza,** to nod assent

apropiar to appropriate, assume; to accommodate

aprovechado –a advanced, proficient; economical; profitable

aprovechar to be useful, profitable; to avail; to progress; to profit by; to make use of; —**se,** to avail one's self

aproximadamente approximately

aproximar(se) to approach; to move near

aprueban *see* **aprobar**

apuntar to aim; to point out; to note, jot down

apurado –a needy, in straitened circumstances; in difficulty

apurar to drain, exhaust; to hurry; —**se,** to worry, fret

apuro *m.* want, strait, difficulty

aquel, aquella, *pl.* **aquellos, aquellas** that, those (yonder)

aquél, aquélla he, she; that one, the former; *pl.* they, those

aquello that (idea or thing); — **de,** that matter of

aquí here

aquilatado –a assayed, examined

arado *m.* plow

aragonés –a Aragonese

arar to plow

árbitro *m.* arbitrator, arbiter

árbol *m.* tree

arboleda *f.* grove

arbolito *m.* arboret; small tree

arder to burn

ardiente ardent; passionate, fiery

ardientemente ardently, fervidly; fearlessly

ardimiento *m.* ardor, courage

ardor *m.* ardor; heat; dash

ardorosamente arduously

arduo –a arduous; ¡ **aquí estaba lo** —! here was the hard part !

área *f.* land measure, 143 square yards

aristocracia *f.* aristocracy

aristócrata *m. and f.* aristocrat

aristocrático –a aristocratic

aritmética *f.* arithmetic

arma *f.* weapon, arm; power

armado –a armed; ¿ **dónde la llevas** —**a** ? whither in search of trouble ?

armar to arm; to assemble; to set up

armario *m.* wardrobe; clothes-press

armarito *m.* little closet; little cabinet

armatoste *m.* hulk; unwieldy, cumbrous thing

árnica *f.* arnica

aro *m.* hoop; rim

aroma *m.* aroma; perfume

arrancar to pull out, draw out, tear off (out)

arranque *m.* impulse, fit; sudden start; **con un brío y** —, with a vigor and enthusiasm

arranque *see* **arrancar**

arrastrado –a dragged along; pulled

arrastrar to drag

arrear to drive

arrebatado –a rapid, violent; precipitate, rash

arreciar to increase; to grow stronger

arreglar to regulate; to arrange; to adjust; to fix; **—se con,** to settle, deal with

arreglo *m.* rule; order, remedy; **tener pronto —,** to be easily remedied

arrendado **–a** leased, rented, hired

arrendamiento *m.* renting; lease; rent, rental; **beneficiar en —,** to lease

arrendar to rent, lease, hire; (*in Asturias*) to thin out

arrepentido **–a** repentant

arriba above, high, overhead; upstairs; **¡ —!** Up! Get up!; **allá —,** up there; **hacia —,** up, upwards; **parte de —,** upper part; **pradín (prado) de —,** upper lot, field; **río —,** upstream

arribar to arrive; to put into a harbor in distress; to reach

arrimado **–a, — a,** near, against

arrimar to place near; **—se,** to lean on *or* against; to join

arriscado **–a** forward, bold; easy, free

arrodillarse to kneel

arrogancia *f.* arrogance

arrogante arrogant

arrojado **–a** made red-hot

arrojar to throw, cast, hurl; to make red-hot

arroyo *m.* rivulet, brook

arroyuelo *m.* rill, brook

arroz *m.* rice

arruga *f.* wrinkle; rumple, fold

arrugar to wrinkle; **—se,** to wrinkle, become wrinkled

arruinado **–a** ruined

arte *m. or f.* art; skill, cunning; trade, profession

artefacto *m.* contrivance, device, contraption

articular to unite; to articulate; to say

artículo *m.* article; *pl.* things, products

artificioso **–a** artificial

artístico **–a** artistic

arzobispal archiepiscopal

arzobispo *m.* archbishop

asado **–a** roasted

asalariado **–a** salaried; hired

asaltar to assail

asalto *m.* assault; attack

asar to roast

asaz enough, much

ascender to ascend, mount, climb

ascendiente *m.* ancestor; influence, power

asco *m.* nausea, loathing

ascua *f.* live coal, red-hot coal

asediar to besiege, blockade

asegurar to secure; to assert

asentado **–a** seated; situated

asentar to place, fix, seat; **—se,** to be located

aseo *m.* cleanliness, neatness, tidiness; **estuche de —,** toilet set; **juego para el —,** toilet set

asesino *m.* assassin, murderer

así so, thus; therefore; **— como,** just as; **— que,** as soon as, after; **— se hace,** you did well, *Lit.,* thus it is done; **— y todo,** nevertheless, even so

asido **–a** fastened, tied, attached

asiduidad *f.* assiduity

asiduo **–a** assiduous

asiento *m.* seat

asistir (a) to attend, be present (at); to assist

asnal asinine, stupid

asno **–a** stupid and stubborn

asno *m.* donkey, ass

asociado **–a** associated; **— a,** associated with, in partnership with

asomado **–a** at; looking out

asomar to begin to appear; to show; —se a, to look out of

asombrado –a astonished, amazed; frightened

asombrar to shade, darken; to frighten; to amaze; —se, to wonder, be astonished (at)

asombro m. dread, fear; amazement

aspaviento m. exaggerated fear, consternation

aspecto m. aspect, look

ásperamente rudely, harshly

aspereza f. roughness; harshness; keenness; asperity

áspero –a rough; harsh, gruff

aspirar to aspire; to covet; to breathe

asqueado –a, nauseated

astucia f. astuteness, cunning

asturianito m. little Asturian; fine little Asturian

asturiano –a Asturian

asturiano m. Asturian

astuto –a astute, cunning

asunto m. subject, matter; affair, business; — concluído, that's the end of it; the matter is closed

asustadizo –a easily frightened; shy

asustado –a frightened

asustar to frighten, scare

atacar to attack

atado –a tied, fastened

atajar to intercept, stop

Atanasio Athanasius

ataque m. attack; fit (of illness)

atar to tie, bind, fasten

atascar to stop; to obstruct; —se, to get stopped up; to get stuck

atasco m. obstruction; impasse

ataviado –a dressed; decked out

atavío m. dress; finery

atención f. attention; fijar la —

en, to notice; to take notice of; llamar la —, to attract attention

atender to attend; to pay attention; to show courtesy

atentamente attentively; politely

atento –a attentive

aterciopelado –a velvety

aterrado –a terrified, horrified

ático –a Attic, elegant

Atilano proper name

atizar to poke; to stir up

atmósfera f. atmosphere

átomo m. atom

atónito –a astonished, amazed; aghast

atracar to overtake; to cram

atracción f. attraction

atractivo –a attractive

atractivo m. charm, grace; attraction

atraer to attract; to charm

atrapar to overtake; to catch; to trap

atrás backward, behind, back; past; hacerse —, to step back; hacia —, backward

atravesar to place across; to pierce; to cross; to go through

atrever to dare; to venture; —se a, to dare; to venture

atrevido –a bold, daring; insolent

atrevido m. bold, insolent fellow

atribuir to attribute, ascribe, impute; —se, to assume

atrocidad f. atrocity

aturdido –a perturbed, stunned; harebrained

audacia f. audacity, boldness

augusto –a august, magnificent

aumentar to augment, increase, enlarge

aumentativo –a increasing

aumento m. increase; growth; — de carnes, increase in weight; ir en —, to increase gradually

aun even; still

aún yet, still; as yet

aunque though, notwithstanding, even if

aupar to help (a child) get up; to boost

aura *f.* gentle breeze

auscultar to auscultate; to examine with a stethoscope

Austria *f.* Austria

austríaco –a Austrian

auténtico –a authentic, genuine, indisputable

automóvil *m.* automobile

autopsia *f.* autopsy

autoridad *f.* authority

autorización *f.* authorization

autorizar to authorize, permit

auxilio *m.* aid, help, assistance

avanzado –a advanced

avanzar to advance

avaro *m.* miser

ave *f.* bird

avellana *f.* filbert, hazelnut

avellano *m.* hazelnut tree

¡ Ave María Purísima ! Good Heavens !

avenir to reconcile; —se, to agree

aventura *f.* adventure; chance

aventurar to venture, risk

avergonzado –a ashamed, abashed

avergonzar to shame

avergüenza *see* **avergonzar**

averiguado –a proved; well known

averiguar to inquire, investigate, ascertain, find out

averigüen *see* **averiguar**

aversión *f.* aversion, dislike, loathing

avidez *f.* covetousness, avidity

ávido –a eager, anxious; greedy

avino *see* **avenir**

avisado –a cautious, sagacious

avisar to inform, announce; to warn, advise; to give notice

avispado –a lively, brisk, vigorous

avistar to descry at a distance; —se, to have an interview

¡ ay ! alas !

ayer yesterday

ayuda *f.* aid, help

ayudar to help

ayuntamiento *m.* municipal government; town hall

azada *f.* hoe; spade

azahar *m.* orange (lemon) flower; orange tea

azoado –a nitrogenous

azúcar *m.* sugar; **ingenio de —,** sugar mill, sugar plantation

azul blue

azulado –a bluish

B

bachiller *m.* bachelor (degree)

¡ bah ! bah !

bailar to dance; **sacar a —,** to invite (a lady) to dance; to dance with

baile *m.* dance, ball; **— de trajes,** fancy-dress ball; **traje de —,** evening gown

bajar to descend, come *or* go down; to fall; to drop; to lower; to take down

bajito in an undertone, softly

bajo –a low; **— de color,** pale, pasty; **— de talle,** low waisted; **en voz —a,** in an undertone; **planta —a,** ground floor

bajo under, underneath, below

balancear to balance; —se, to roll, rock; to hesitate

balbucir to stammer

balcón *m.* balcony

banca *f.* bench; stand; banking; **casa de —,** brokerage house

bancario –a banking; financial

banco *m.* bank; bench

banda *f.* sash; scarf; ribbon; band

bandido m. bandit

banquero m. banker

banquete m. banquet

bañado –a bathed, washed

bañar to bathe, wash

baño m. bath; bathtub; bathroom; cuarto de —, bathroom

baranda f. railing; banister

barba f. beard; chin

bárbaramente barbarously

barbaridad f. barbarity; barbarous deed; atrocity

barbarie f. barbarousness; barbarians; cruelty

bárbaro –a barbarous; rude

barbilampiño –a smooth-faced, beardless

barco m. boat, ship; — de vela, sailing ship

barganal (varganal) m. stockade; fence made of stakes

barnizar to varnish

barquichuelo m. little boat

barrer to sweep; to sweep away

barriga f. belly; echar —, to become stout

barrio m. ward, precinct, quarter; suburb

barro m. clay; mud

base f. base, basis

bastante sufficient, enough; many; rather; hace —s años, several years ago

bastar to suffice; to be enough; ¡ basta ! that will do ! stop !

bastón m. cane, stick

batalla f. battle

batallar to battle, fight, struggle

batido –a beaten; whipped

bautizar to baptize, christen; to mix (wine) with water

bayeta f. baize, thick flannel

bazar m. bazaar; market place

beata f. pious, bigoted woman

beatería f. affected piety

beau (Fr.) beautiful; — crêpe de Chine, beautiful crêpe de Chine

bebé m. (Fr. bébé) baby

beber to drink

bella f. fair one

belleza f. beauty

bello –a beautiful, fair

bendecido –a blessed

bendecir to bless

bendición f. benediction, blessing

bendiga see bendecir

bendito –a blessed, holy

beneficiar to purchase; to employ; — en arrendamiento, to lease

beneficio m. benefit; profits; favor

benéfico –a beneficent, kind

benévolo –a benevolent, kind, gentle

bergante m. brazen-faced villain; rascal

berlina-clarens f. closed carriage

Bernardo Bernard

berza f. cabbage

besado –a kissed; touched

besar to kiss

beso m. kiss

bestia f. beast

Biarritz, fashionable French summer resort on the Bay of Biscay

bien well, very well; very; — dormida, sound asleep; antes —, on the contrary; rather; eso no está —, that isn't right; está —, very well, all right; estamos —, we are comfortable; más —, rather; pues —, very well, now then; well

bien m. good; dearest, darling; pl. property; estate

bienandanza f. happiness, prosperity

bienestar m. well-being, comfort

bigote m. mustache

billete m. note; ticket; (— de) primera, first-class ticket; (—

de) **tercera,** third-class ticket;
tomar —, to buy a ticket

bizcocho *m.* biscuit, hard-tack;
sponge cake

Blanca " Whitey "

blanco –a white; **— crema,** cream
colored; **ropa —a,** linen

blandamente softly, mildly,
smoothly

blanquecino –a whitish

blasfemia *f.* blasphemy, insult

bloqueo *m.* blockade

bobo *m.* dolt, fool, ninny

boca *f.* mouth

bocado *m.* morsel, mouthful, bite;
pegar un — a, to bite into, take
a bite of

bock *m.* (corruption of *Ger.* **ein-
becker**) bock beer

boda *f.* wedding

bodega *f.* wine vault, cellar; ware-
house; retail grocery

bofetada *f.* slap, box

bofetón *m.* cuff; hard slap

boga *f.* vogue, popularity

boina *f.* flat, round woollen cap;
beret

boj *m.* box tree; boxwood

bola *f.* ball, marble

bolera *f.* bowling alley

bolo *m.* one of the ninepins;
dunce; **jugar a los —s,** to play
at ninepins

bolsa *f.* purse, money; stock exchange

bolsillito *m.* little purse

bolsillo *m.* pocket; purse

bolso *m.* purse, money bag

bombilla *f.* electric lamp, light

bonachón –a good-natured, kind

bondad *f.* goodness, kindness;
tenga Vd. la — de, please;
kindly

bondadoso –a kind, good

bonete *m.* bonnet, cap

Bonifacio Boniface

Bonifaz Boniface

bonitamente prettily, neatly

bonito –a pretty

boquete *m.* narrow entrance

bordar to embroider; to border

borde *m.* border, edge

borona *f.* corn bread; loaf of corn
bread

borracho –a drunk, intoxicated

borracho *m.* drunkard

borrasca *f.* storm, tempest, squall

borrico *m.* ass, donkey

borriquito *m.* little donkey

bosque *m.* wood, forest; grove

bota *f.* boot, shoe; small leather
wine bag; **—s de montar,** riding
boots

botella *f.* bottle

botellita *f.* little bottle

botica *f.* drug store

botón *m.* button; **— de rosa,** rosebud

braga *f.* breeches; **pescar truchas
a —s enjutas,** to gain without
pain

brasa *f.* live coal; **en —s,** on pins
and needles

bravo –a fearless; wild, fierce;
rude; excellent, fine

brazo *m.* arm; **cruzado de —s,**
with arms crossed; **en —s,** in
his (her) arms

brega *f.* struggle; fight

breva *f.* early fruit of a fig tree;
large acorn; **poner como una —,**
to tame; to make as soft as a
glove

breve brief, short, concise

brevemente briefly, concisely

breviario *m.* breviary; prayer
book; epitome

bribón *m.* vagrant; imposter;
knave, rascal

brillante brilliant, bright; shining;
el oscuro y —, the glossy darkness

brillante *m.* brilliant, diamond
brillar to shine, sparkle
brincar to leap, jump, gambol
brinco *m.* leap, jump; **dar un —,**
to leap, jump
brindar to toast, drink to one's
health; to invite; to offer
brío *m.* vigor, enterprise, courage
brioche (*Fr. for* **torta**) *f.* cake
brioso –a vigorous, enterprising,
courageous
brisa *f.* breeze
broma *f.* gaiety, merriment; jest,
joke
bromear to jest, joke
bromista *m.* practical joker
brotar to bud; to come out, rush
out; to issue, appear; to bring
forth, produce
bruscamente rudely, harshly
brusco –a rude, rough
brusquedad *f.* rudeness; brusque-
ness
brutalmente brutally
bruto –a *m. or f.* brute; beast;
blockhead
buchada *f.* mouthful
buen(o) –a good; kind; well;
—as noches, good-night (evening); **—as tardes,** good afternoon; ¡ —! very well, all right;
—s días, good day, good morning; **— provecho,** may it benefit
you; *prosit;* de —, useful; **de
—a gana,** willingly; gladly;
de — grado, willingly; **echar
— color,** to acquire a good color;
el — de Faz, the good Faz
bueno well, very well, all right
buey *m.* ox; **días de —es,** land
measure (*in Asturias*), about
.37 of an acre
bufar to puff and blow with anger;
to snort
bufido *m.* bellow, roar, snort

bulto *m.* bulk, form; bundle,
parcel
bulla *f.* noise, fuss; crowd, mob
burato *m.* Canton crêpe; cloth of
silk or wool
burdo –a coarse; common
burgués –a bourgeois
burgués –a *m. or f.* bourgeois
(bourgeoise)
burguesía *f.* bourgeoisie
burla *f.* scoff, mockery, sneer; jest,
fun; **hacer — de,** to make fun
of, take advantage of; to play a
joke (trick) on
burlar to ridicule, mock; **—se de,**
to mock, laugh at, make fun of
burlón –a bantering, mocking,
scoffing
burlonamente banteringly, jest-
ingly, mockingly
burro –a stupid
burro *m.* donkey
bursátil relating to the (stock) exchange
busca *f.* search; pursuit
buscar to seek, look for; **ir a —,**
to go for
busque *see* **buscar**
butaca *f.* armchair; easy-chair
butaquita *f.* little armchair

C

caballería *f.* riding beast; saddle
horse; **andante —,** knight errantry
caballero *m.* knight; gentleman;
sir
caballo *m.* horse; **— de carrera,**
race horse; **a —,** on horseback;
coche de —, horse-drawn carriage; **montar a —,** to ride
horseback
cabecera *f.* beginning *or* principal
part; head of a bed
cabecita *f.* little head

cabello *m.* hair; *pl.* hair, locks

caber to go in *or* into; to fit; to have enough room; to fall (to one); **no le cupo duda,** she did not doubt

cabeza *f.* head; **aprobar con la —,** to nod assent; **inclinación de —,** bow; nod; **se le había metido en la —,** she had taken it into her head

cabizbajo –a crestfallen; pensive, downcast

cabo *m.* extreme, end, extremity; chief; **al —,** at last; after; **al — de muchas vueltas,** after beating about the bush

cacerola *f.* casserole

cacillo *m.* small dipper, ladle

cachetero *m.* short poniard; bull-fighter who administers the *coup de grâce;* " scrapper "

cada each, every; **— cazurro,** all kinds of churlish types; **— cual,** each one; **— paliza,** such beatings; **— vez que,** whenever

cadáver *m.* corpse

cadena *f.* chain

Cádiz, port city on the southern coast of Spain, founded by the Phœnicians; about 70,000 inhabitants

caer to fall; to fall ill; to drop; to fall to one's lot; **—se,** to fall; **dejarse —,** to sink down; **si a otra se le caía . . . ,** if another dropped . . .

café *m.* coffee; café

caía *see* **caer**

caída *f.* fall

caído –a lax, languid; downfallen; fallen; **de pico —,** with drooping brim or visor

caja *f.* box; case; cash box; cashier's office

cajón *m.* box, chest, drawer

cajoncito *m.* small box *or* drawer

calabaza *f.* pumpkin; squash; " head "; stupid person; **—s,** refusal; **dar (enviar) —s,** to refuse, " give the mitten "

calamidad *f.* calamity

calavera *m.* madcap, daredevil

calcar to trace; to trample on; **— coscorrones,** to raise bumps

calcular to calculate, figure

cálculo *m.* calculation; estimate

calderada *f.* caldronful

calderilla *f.* copper (coin); small change

caldo *m.* broth

calidad *f.* quality; rank; *pl.* conditions; **en — de,** as; in one's capacity as

caliente warm, hot; **leche —,** (*in Asturias*) sweet milk

calma *f.* calm; calmness; **— chicha,** dead calm

calmado –a calmed

calmante *m.* narcotic, sedative

calor *m.* heat; glow; warmth; **hacer —,** to be warm, hot

calzada *f.* paved highway

calzar to put on (shoes, gloves, etc.)

calzón *m.* **— corto,** knee breeches

callado –a silent; quiet

callar to keep silent; to shut up; to conceal; **—se,** to shut up, to hush; **le toca —,** it behooves you to keep silent

calle *f.* street

calloso –a callous; horny

cama *f.* bed; **salto de —,** dressing gown, kimono

camarada *m.* comrade; *Camarada,* name of Gustavo's dog

cambiar to change; to barter; to exchange; **— de,** to change

cambio *m.* change; barter; exchange; **en —,** on the other hand

caminar to walk, travel, go

caminito *m.* little road

camino *m.* road; highway; path; way; manner; llevar — de, to be on the road to

camisa *f.* shirt; chemise; en mangas de —, in shirt sleeves

camisón *m.* long, wide shirt; — de noche, nightgown

campana *f.* bell; oír —s, to hear without understanding

campanario *m.* belfry

campanilla *f.* small bell; hand bell

campaña *f.* campaign; level country; tienda de —, tent

campar to excel; to encamp; — por sus respetos, to act independently; to do as he pleased

campechano -a frank, hearty; cheerful; generous

campesino -a rural; rustic, peasant

campesino -a *m. or f.* countryman (-woman), peasant

campestre rural; country; farm

campiña *f.* field; country; landscape

campo *m.* country; field

canalla *f.* rabble; *m.* cur

canasto *m.* large basket; ¡ — de pillos ! pack of rascals !

canción *f.* song

cándido -a candid, guileless

candil *m.* oil lamp

candor *m.* candor

candoroso -a candid

cangilón *m.* bucket (of a water wheel); metal tankard

canónigo *m.* canon

cansado -a tired; weary; tiresome

cansar to weary, tire; to tease; to bore

cantar to sing

cantarina *f.* songstress, singer

cántaro *m.* large, narrow-mouthed

pitcher; moza de —, water-girl; fat, bulky woman

cántico *m.* canticle, hymn; song

cantidad *f.* quantity; amount

canto *m.* singing; song; front edge of a book

caña *f.* cane; fishing rod

cañada *f.* dell, ravine

capa *f.* cloak; layer; coat, coating

capa-esponja *f.* toga (a bathrobe of Turkish towelling for drying one's self after the bath)

capaz ample; capable, able

capillita *f.* little chapel; shrine

capita *f.* small cloak

capital *f.* capital (city)

capital *m.* capital

capitalista *m. and f.* capitalist

capitalito *m.* small capital

capitán *m.* captain

capitis deminutio (*Lat.*) loss of civil or political rights; loss of social standing

capítulo *m.* chapter; charges; venga ese — de agravios, let's have those charges, complaints

capote *m.* cloak with sleeves to keep off rain

capotón *m.* big cloak with sleeves to keep off rain

capricho *m.* whim, fancy

caprichosamente whimsically, capriciously

caprichoso -a capricious, whimsical

captar to captivate, attract, win

cara *f.* face; front; no me pongas — de..., don't look at me like...

Carabaña, agua de —, a well known purgative, cathartic

carácter *m.* character; temper, disposition; style (of speaking or writing)

caracterizar to characterize

carbón *m.* coal; charcoal

carbonero –a relating to coal or charcoal; **tren** —, coal-burning train

carcajada *f.* outburst of laughter; **reír a** —s, to laugh loudly; **soltar una** —, to burst out laughing

cárcel *f.* jail; prison

carcomido –a worm-eaten; decayed

cardenal *m.* cardinal

carecer (de) to lack; not to have

carga *f.* load, burden; freight, cargo

cargado –a charged, loaded, full; — **de espaldas,** round (stoop-) shouldered; —s **a la espalda,** slung over his shoulder

cargar to load

cargo *m.* burden, load; charge, duty; **hacerse** — **de,** to take into consideration; to realize

caricia *f.* caress

caridad *f.* charity

cariño *m.* love, affection

cariñosamente fondly, affectionately

cariñosísimo –a very affectionate

cariñoso –a affable, affectionate

caritativo –a charitable

carlista Carlist

Carmela Carmel

Carmen *proper name*

Carmen *m.* **Virgen del** —, Our Lady of Mount Carmel

carmín *m.* carmine color, red, crimson

carne *f.* meat, flesh; — **en cecina,** corned beef; dried beef; **aumento de** —s, increase in weight

carnero *m.* sheep

carnicería *f.* meat market, butcher's shop; slaughter house

caro –a dear

carpintero *m.* carpenter

carrera *f.* run; race; course; career; success; **caballo de** —, race horse

carretera *f.* cart road; drive

carretilla *f.* small cart; wheelbarrow; **decir de** —, to say by rote

carricoche *m.* ancient cart with a coachlike body; wagonette

carro *m.* cart; car

carruaje *m.* carriage

carta *f.* letter

cartera *f.* pocketbook; notebook; card case

cartita *f.* note, missive

cartucho *m.* cartridge

casa *f.* house; — **de banca,** brokerage house; — **de huéspedes,** boarding house; — **de mala vida,** house of ill repute; — **habitación,** dwelling house; — **vivienda,** dwelling house; **en** —, at home; **en** — **de,** at (the home of)

casado –a married; — **con,** married to

casar to marry; —**se,** to get married; —**(se) con,** to marry

cáscara *f.* rind, peel, shell, hull, husk; — **de nuez,** walnut shell

casería *f.* outbuilding for farmhands; (*in Asturias*) property, lands and buildings

caserío *m.* group of houses, small village

casero –a domestic; homemade

caserón *m.* big house

casi almost, nearly

casimir *m.* cashmere

Casino *m.* — **de Madrid,** fashionable club in the *Calle de Alcalá*

casita *f.* little house; hut

caso *m.* case; occurrence, event; **es el** —, the fact is that; **hacer** — **(de),** to pay attention (to); **vamos al** —, let's come to the point

castaña *f.* chestnut
castañar *m.* chestnut grove
castaño *m.* chestnut tree
Castellana *f.* Paseo de la —, a beautiful, wide avenue in Madrid extending from the *Plaza de Colón* to the *Hipódromo*
castellano *m.* Castilian, Spaniard; Spanish
castigar to punish
castigo *m.* punishment
Castilla *f.* Castile
casualidad *f.* chance, accident; coincidence
casualmente accidentally; by chance
catar to taste, sample
catarata *f.* cataract, cascade
catarroso –a catarrhal; subject to *or* troubled with a cold
catástrofe *f.* catastrophe
catedral *f.* cathedral
categoría *f.* category, class
catequizar to catechise; to persuade
catorce fourteen
catre *m.* small bedstead; cot
caudal caudal (having a tail-like appendage) águila —, royal (golden) eagle
caudal *m.* fortune, wealth; volume (of water); abundance
caudaloso –a of great volume
causa *f.* cause, motive, reason; a — de, on account of
causar to cause
cayese *see* caer
Cayetano Cajetan, Gaetan
cayó *see* caer
caza *f.* hunting; game; pursuit
cazar to hunt; to chase
cazuela *f.* earthen cooking pan; stewing pan, crock; meat dressed in an earthen pan
cazurro *m.* churlish, sulky fellow; unsociable person

cebolla *f.* onion
cecina *f.* corned beef; dried beef; carne en —, corned beef; dried beef
ceder to transfer, convey, yield
Cefera *proper name*
Ceferino Severin
cejijunto –a having eyebrows that meet; frowning, grim, gruff
celda *f.* cell
celebrado –a celebrated, praised
celebrar to celebrate; to praise, applaud; —se, to be held
célebre famous, renowned
celebridad *f.* celebrity
Celedonia *proper name*
celemín *m.* dry measure (about a peck)
celeste celestial, heavenly; delightful
célibe unmarried; celibate
celo *m.* zeal, ardor; —s, jealousy; suspicions; dar —s, to excite suspicions; to make jealous
celoso –a zealous; jealous
cena *f.* supper
cenador *m.* summerhouse in a garden; arbor, bower
cenar to sup, have supper; to eat; hora de —, supper time
ceniza *f.* ashes, cinders
censura *f.* censorship, censure
censurable blamable, reprehensible
centenar *m.* hundred
centinela *m. or f.* sentry, sentinel; hacer la —, to stand sentry; to be on guard
centro *m.* center
centuplicado –a multiplied a hundredfold
ceñido –a girded, surrounded
ceñir to gird, surround, bind
ceñudo –a frowning; grim, gruff
cepillar to plane; to brush; to polish

cera *f.* wax; beeswax; wax taper, candle

cerca near; — **de,** near; nearly; **de** —, close at hand

cercado –a inclosed, fenced in

cercado *m.* garden or field fenced in; inclosure, fence

cercanía *f.* proximity; *pl.* neighborhood, vicinity

cercano –a near, neighboring

cercar to circle, gird; to surround; to fence in

cerciorar to assure, affirm; —**se,** to make sure

cerdito *m.* little pig

cerdo *m.* hog

cerebral cerebral; **conmoción** —, concussion of the brain

cerebro *m.* brain

ceremonia *f.* ceremony; pomp, display; formality; compliment

ceremonial *m.* ceremonial; rites

ceremoniosamente ceremoniously

cereza *f.* cherry

Cereza " Cherry "

cerezo *m.* cherry tree; cherry wood

cerner to sift; to bolt (remove the bran)

cerquita very near

cerrado –a closed, sealed; incomprehensible; obstinate

cerradura *f.* lock; **ojo de la** —, keyhole

cerrar to close, shut, lock; — **la marcha,** to bring up the rear

cerril mountainous; rough; boorish

certificado –a registered

certificar to certify, attest; to register (a letter)

cerveza *f.* beer

cesar to cease, stop; to desist; **sin** —, ceaselessly

césped *m.* turf, sod, grass

cesta *f.* basket, hamper

cestillo *m.* small basket; hand basket

cetro *m.* scepter

ciegamente blindly

cielo *m.* sky; heaven(s); **tocinillo del** —, confection of eggs and sugar

cien, ciento (one) hundred; **por** —, per cent

ciencia *f.* science; knowledge

cierra *see* **cerrar**

cierre *m.* flap (of envelope)

ciertamente certainly, surely

cierto –a certain; sure, positive; true; **es lo** —, it is true; **por** —, certainly, surely

cifra *f.* figure, number

cigarrillo *m.* cigarette

cigarro *m.* cigar

cima *f.* summit, peak; top; **por** — **de,** above; at the very top of

cimero –a apical; **en lo** —, at the apex

cinco five

cincuenta fifty

cintarazo *m.* slap with a sword

cintura *f.* waist; girdle, belt

ciñó *see* **ceñir**

circo *m.* circus; amphitheatre

circulación *f.* circulation; traffic

círculo *m.* circle; club, casino; **Círculo Mercantil,** Commercial Club

circundado –a surrounded, encircled

circundar to surround

circunstancia *f.* circumstance, incident; condition

cirial *m.* processional candleholder

cirio *m.* thick and long wax taper

ciruela *f.* plum

ciruelo *m.* plum tree

citado –a cited, quoted; summoned

citar to make an appointment with; to quote; to summon

ciudad *f.* city

ciudadano *m.* citizen; *pl.* city folk

civil civil; **guardia —,** member of rural police; **la Guardia Civil,** the rural police

clamar to utter loud cries; to whine; to clamor

claridad *f.* brightness; light; clearness, distinctness

clarividente clairvoyant; clearsighted, sagacious

claro —a evident; clear, bright; light; fair; ¡—! of course! obviously! — **(está),** of course; **— que,** of course; **noches en —,** sleepless nights

clase *f.* class, kind

clásico —a classical, classic

claudia *f.* greengage plum

clavado —a nailed; fastened

clavar to nail; to fasten in, drive in; **— una mirada (en),** to stare at, look at

clavel *m.* pink, carnation

clavo *m.* nail; spike

Clemente Clement

clérigo *m.* clergyman

cliente *m. and f.* client

clientela *f.* patronage; clientele

clima *m.* climate

clínico *m.* clinic; clinician

club *m.* club

cobarde cowardly; faint-hearted

cobardón *m.* big coward

cobertizo *m.* shed

cobijar to cover; to shelter, protect

cobrador *m.* collector, receiving teller

cobrar to collect

cocer to boil; to cook; to burn, bake

cocido —a boiled; cooked; baked

cocina *f.* kitchen

cocinero —a *m. or f.* cook

coche *m.* carriage, coach; **— de caballo,** horsedrawn carriage; **— de punto,** hackney coach; carriage (for hire)

cochero *m.* coachman, driver

cochinito *m.* little pig

cochino *m.* hog

codicioso —a covetous

codo *m.* elbow; **charlar por los —s,** to chatter, prattle

coercitivo —a coercive, restraining

coger to catch; to seize, grasp; to fetch, gather; **no tiene el diablo por donde —le,** he is too slippery for the devil himself

cognac *m.* (*Fr.; Span.* **coñac**) cognac, brandy

cogulla *f.* cowl, monk's habit

cohibido —a restrained

cola *f.* tail; train (of a gown)

colada *f.* wash, washing; lye or suds for washing clothes

colar to strain, percolate; to bleach clothing; **—se,** to steal into

colcha *f.* coverlet, quilt, bedspread

colchón *m.* mattress

colección *f.* collection; set

coleccionista *m. and f.* collector

colegio *m.* school, academy, seminary

cólera *f.* anger, rage, fury; **montar en —,** to fly into a rage

colérico —a angry

colgado —a suspended, hanging

colgar to hang (up), suspend

colina *f.* hill, knoll

colindante contiguous, adjacent, abutting

colmar to heap up, fill to the brim; to fulfill, make up

colmo *m.* heap; completion; height

colocar to place; to arrange

colonia *f.* colony; **agua de** —, cologne water

color *m.* color, coloring; dye, paint; rouge; pretext; **bajo de** —, pale, pasty; **echar buen** —, to acquire a good color

coloradito –a red; colored; **pececito** —, little goldfish

colorado –a red; colored

colorear to make plausible; to excuse; to grow red; to redden

colosal colossal, huge

columna *f.* column

collar *m.* collar; necklace

comandante *m.* commandant, leader; major

combatir to combat, fight; to oppose

comedia *f.* comedy; play; farce

comedor *m.* dining room

comensal *m. and f.* member of a household; table companion

comentar to comment (on), explain

comentario *m.* commentary

comenzar to begin

comer to eat; —**se**, to eat; to consume; **dar de** —, to feed; **la hora de** —, dinner time

comerciante *m.* trader, merchant

comercio *m.* trade, commerce; business; intercourse; association; store, shop

comestibles *m. pl.* victuals, provisions; **tienda de** —, grocery store

cometer to commit

cómico –a comic; ludicrous, funny

comida *f.* meal; dinner; **hacía sus** —**s**, he took his meals

comido –a fed; **mal** —, ill nourished

comience *see* **comenzar**

comienzo *m.* beginning

comitiva *f.* suite, retinue, followers; company

como how; since, as; if; **así** —, just as; **tanto** . . . —, both . . . and

cómo how? why? ¿ — **no**? why not? of course; surely; ¿ — **sigue**? how is (are)?

cómoda *f.* chest of drawers; bureau

comodidad *f.* comfort, convenience

compadecer to pity; to sympathize with

compadre *m.* friend, old chap

compañero –a *m. or f.* companion, friend, pal; — **de taller,** fellow workman; — **de escuela,** schoolmate

compañía *f.* company; society; **dama de** —, companion, chaperon

comparación *f.* comparison

compartimento *m.* compartment

compartir to divide; to share

compás *m.* measure, time; **a** —, keeping time; rhythmically

compasión *f.* compassion, pity

compasivo –a compassionate

compatriota *m. and f.* compatriot, fellow citizen

compensación *f.* compensation; reward

competir to vie, contend, compete

compinche *m.* bosom friend, comrade, pal

complacencia *f.* pleasure, satisfaction; complacency

complacer to please, humor; —**se en,** to take pleasure in

complacido –a pleased

completamente completely, entirely

completo –a complete; finished; **por** —, completely

componer to compose; to construct; to repair

componga *see* **componer**

comportamiento *m.* behavior, deportment

composición *f.* composition

comprador *m.* buyer

comprar to purchase, buy

comprender to embrace, comprise; to understand, comprehend

compresa *f.* compress

compromiso *m.* compromise; obligation

compuesto *see* **componer**

compungido –a repentant

comunicación *f.* communication; **poner en** —, to communicate

comunicar to commdnicate, make known; to announce

con with; — **esto,** herewith, thereupon; — **que,** and so, then, so then; — **todo,** nevertheless

concebir to conceive, have an idea of; to comprehend

conceder to give, bestow; to concede, admit

concejal *m.* councilman

concejo *m.* municipal council; townhall; (*in Asturias*) a district composed of several parishes with one common jurisdiction

concentrado –a concentrated

conceptuoso –a witty, sententious

concertado –a arranged, agreed upon; well chosen

concertar to arrange by agreement; to agree on; to adjust

conciencia *f.* conscience; **en** —, in good earnest, in truth

concienzudo –a conscientious, thorough

concierto *m.* good order and arrangement; concert; agreement

concisión *f.* conciseness

concluído –a finished, ended; **asunto** —, that's the end of it; the matter is closed

concluir to conclude, end, finish, close

concluyó *see* **concluir**

concurrido –a frequented; attended

conde *m.* earl, count; **los** —s, counts; count and countess

condenada *f.* confounded (woman)

condesa *f.* countess

condescendencia *f.* condescension, compliance

conducir to convey, carry; to lead, guide, direct

conducta *f.* conduct, behavior

condujo *see* **conducir**

conejo *m.* rabbit

conferencia *f.* conference; conversation

confesar to confess

confiado –a confident, trusting

confianza *f.* confidence; **hombre de** —, confidant, counsellor; **persona de** —, trustworthy person

confiar to rely (on); to trust (in)

confidencialmente confidentially

confidente *m. and f.* confidant; confidante

confirmar to confirm, verify

confitado –a candied, sugared

confite *m.* sugarplum; *pl.* dainties, bonbons

confitería *f.* confectionery

confitero *m.* confectioner

conflicto *m.* conflict, struggle

conformar to conform, adjust; to fit; —**se,** to comply; to yield, submit

conforme alike, corresponding, suitable; — **a,** consistent with, agreeable to; **estar** —, to agree

confusión *f.* confusion, disorder

confuso –a confused, mixed; obscure

Congreso de los Diputados, House of Representatives

conmigo with me, with myself; ¿qué tiene Vd —? what have you against me?

conmoción *f.* commotion, excitement; — **cerebral,** concussion of the brain

conmovedor –a touching, sad

conmovido –a touched; moved

conocedor –a, — **de,** familiar with; expert in

conocer to know; to experience, perceive; to be acquainted with; to meet

conocido –a prominent, well known

conocido –a *m. or f.* acquaintance

conocimiento *m.* knowledge, understanding; consciousness; *pl.* acquaintances

conque *see* **con que**

conquistador –a conquering

conquistar to conquer

Conrada *proper name*

consabido –a already known, alluded to, aforesaid

consecuencia *f.* consequence; **a** — **de,** because of; **por** —, as a result

consecutivo –a consecutive

conseguir to attain, get, obtain; to succeed

consejero *m.* counsellor, adviser

consejo *m.* advice, counsel

consentir to allow, permit; — **en,** to consent to

conservar to conserve, maintain, keep; to guard; to keep up; to hold

considerable considerable, large

consideración *f.* consideration, respect

considerar to consider

consigna *f.* watchword, countersign; instructions

consigo with one's self, with himself, herself, etc.

consigo *see* **conseguir**

consiguieron *see* **conseguir**

consintió *see* **consentir**

consistir to consist

consolar to console, comfort, cheer

consorte *m. and f.* consort; companion, mate

constante constant

constantemente constantly

consternación *f.* consternation; horror, panic

consternado –a horrified; amazed

constipar to bind; to cause a cold; —**se,** to catch cold

constituir to constitute; to erect; to establish; to appoint

construcción *f.* construction, building

construir to construct, build

construyó *see* **construir**

consuegro –a *m. or f.* relationship between parents whose children have married

consulta *f.* consultation

consultar to consult; to advise

consumado –a consummate, complete, perfect

consumir to consume; to waste away; to grieve

consumo *m.* consumption (of goods)

contacto *m.* contact

contado *m.* scarce, rare; **por de** —, of course

contar to count; to relate; — ... (**años**), to be ... years old; — **con,** to depend on, rely on; to reckon with; to include

contemplar to contemplate, examine, study; to look upon

contener to contain, hold; to restrain; to check, stop; —**se,** to keep one's temper, refrain

contenido *m.* contents; inclosure

contentar to satisfy, please

contentísimo –a greatly pleased, very content

contento –a glad, pleased, contented, satisfied

contestación f. answer

contestar to answer

contextura f. texture; context; frame and structure of the human body

contiene see **contener**

contigo with you

contiguo –a contiguous, close, adjacent

continuar to continue

continuo –a continuous; uninterrupted; constant; **acto —,** immediately afterward

contra against

contraer to contract; to tighten; **— matrimonio,** to marry (get married)

contrahecho –a humpbacked; counterfeit; fictitious, false

contraído –a contracted

contraria f. opposition, contradiction; **llevar a uno la —,** to oppose, contradict

contrariado –a contracted, distorted; disappointed

contrariar to contradict, oppose, thwart; to disappoint; to vex

contrariedad f. contrariness; opposition; disappointment; trouble, vexation

contrario –a contrary, opposite; **al —,** on the contrary; **por el (lo) —,** on the contrary

contrario m. opponent, rival

contrastar to contrast, oppose; to contradict

contraste m. contrast

contratar to contract for; to engage, hire

contratista m. contractor, lessee

contribución f. contribution; tax

contrición f. contrition, repentance

contrincante m. competitor, rival, opponent

contristado –a saddened, grieved

contusión f. contusion, bruise

convencer to convince; **—se,** to become convinced

convencido –a convinced

convenido –a settled; agreed (upon)

conveniencia f. conformity; fitness; **guardar las —s,** to observe the conventions

convenir to agree; to coincide; to fit, suit; **—se,** to agree

convento m. convent; monastery

conversación f. conversation

convertir to convert; to change; **—se,** to be converted, changed

convicción f. conviction

convidar to invite

convino see **convenir**

convirtió see **convertir**

convulso –a convulsed

cónyuge m. and f. spouse, husband or wife

copa f. goblet, wine glass, cup; top, treetop; **sombrero de —,** silk hat

copiosamente copiously

copita f. little glass; wine glass

copudo –a tufted, bushy, thicktopped

coqueta f. coquette, flirt; vanity, dressing table

coquetilla coquettish

coral m. coral; pl. string of corals

corazón m. heart; benevolence; **de todo —,** heartily, sincerely

corbata f. necktie

corderito m. little lamb

cordero m. lamb

cordial cordial, affectionate

cordialidad f. cordiality

Córdoba, city in the province of Andalusia; about 70,000 inhabitants

cordura *f.* prudence; sanity

corola *f.* corolla (petals of a flower)

corona *f.* crown; seal

coronado –a crowned; capped

corporal corporal, bodily

corpulento –a corpulent, fat

correa *f.* leather strap

correctamente correctly

correcto –a correct; regular

corredor *m.* corridor, gallery

correo *m.* mail; letter carrier; post office; **empleado de —s,** postman

correr to run; to go; to pass; **sin — nada,** without hurrying

corresponder to correspond; to match; to respond; to be one's duty; **— a,** to return (a favor, love)

corrida *f.* course, run, race; **— de toros,** bullfight

corriente current; ordinary, usual; **poco —,** unusual

corriente *f.* current; course

corroborar to corroborate; to agree

corsé *m.* corset

cortar to cut, cut up, cut off

cortés courteous, civil, polite

cortesano –a courteous, obliging; courtly

cortesía *f.* courtesy; compliment

corteza *f.* bark; peel, skin

cortina *f.* curtain

cortinilla *f.* small screen, shade; (carriage) curtain

cortísimo –a very short, very small

corto –a short; small; **calzón —,** knee breeches

cosa *f.* thing; affair; **— de risa,** laughable thing; **— mayor,** a great deal; **otra —,** something else, anything else; **poca —,** a trifling sum; very little

coscorrón *m.* contusion; bump on the head

cosecha *f.* harvest, crop; yield

cosechar to reap, gather

coser to sew

Cosme Cosmas

costa *f.* cost; expense; coast; **a — de,** at the cost of

costado *m.* side

costalera *f.* wife of a porter

costalero *m.* porter who carries goods

costar to cost

coste *m.* cost

costilla *f.* rib; chop; cutlet; wife, better half

costillón –a (*in Asturias*) fond of lying down; lazy

costoso –a costly, dear

costumbre *f.* custom, habit; **cuadro de —s,** genre writing, on every day life; **de —,** usual

costurera *f.* seamstress

cotejado –a compared, confronted

cráneo *m.* skull

creación *f.* creation

creado –a created, begotten, made; **salir del orden —,** to be out of the ordinary

crecer to grow; to increase; to swell

crecido –a grown, increased; large, swollen

creciente growing, increasing

credo *m.* creed; **en un —,** in a trice

creencia *f.* belief; creed

creer to believe; **creo que sí (no),** I think so (not); **tan pronto se creía . . . ,** she was as quick to believe herself . . . ; **¡ ya lo creo !** of course !

crema *f.* cream; cream colored; **blanco —,** cream colored

crêpe de Chine (*Fr.*) *crêpe de Chine* (a silk fabric)

crestería *f.* battlement; crest

creyó *see* creer

cría *f.* the young of an animal; breeding; rearing

criada *f.* servant, maid

criadillo *m.* (insignificant) little servant

criado –a reared

criado *m.* servant, groom, valet

crianza *f.* nursing; breeding; manners, education

criar to create; to breed; to raise, rear

criatura *f.* creature; baby; child

criminal criminal

crisis *f.* crisis

cristal *m.* crystal; flint glass

cristalino –a crystalline, clear

Cristianismo *m.* Christianity

cristiano –a Christian

cristiano *m.* Christian

Cristo Christ

crítico –a critical, critic, decisive

crítico *m.* critic

crucifijo *m.* crucifix

cruel cruel

cruelmente cruelly

cruz *f.* cross; **hacerse cruces,** to cross one's self

cruzado –a crossed; crosswise; — **de brazos,** with arms crossed

cruzar to cross; to lash, cut

cuaderno *m.* memorandum book; check book

cuadra *f.* stable

cuadrado –a square; perfect

cuadro *m.* picture; — **de costumbres,** genre writing, on everyday life

cuadrúpedo *m.* quadruped

cuajadito –a filled; ornamented; quiet, motionless

cuajado –a ornamented with; loaded

cuajar to coagulate, curdle; —**se,** to fill, become full

cual (*pl.* **cuales**) which, such as, as; — **si,** as if; **cada** —, each one; **el** —, **la** —, **los** —**es, las** —**es,** which, who; **hecho lo** —, after which; this having been done

cuál which, what; how

cualidad *f.* quality

cualquier –a any; anyone, someone

cuando when; **de vez en** —, from time to time

cuándo when

cuanto –a as much as, all the; *pl.* as many as, all the; — **más,** the more; — **más tiempo mejor,** the longer the better; **en** —, as soon as; **en** — **a,** as for; **otras** —**as,** a few more; **todo** —, all that; **unas** —**as,** a few

cuánto –a how much; how long; how far; *pl.* how many; — **tiempo,** how long

cuarenta forty

cuartel *m.* quarter; district; barracks

cuarto –a fourth

cuarto *m.* room; apartment; quarter; *a coin worth four maravedís; pl.* money; — **de baño,** bathroom; — **de estudio,** study; — **trastero,** storeroom, garret; **otros dos** —**s,** another cent's worth

cuatro four; **a las** —, at four o'clock

cubierto –a covered

cubierto *m.* cover, place for one at the table; napkin

cubrir to cover

cuca *f.* (*in Asturias*) shock (of corn)

cuchara *f.* spoon; ladle, dipper

cucharada *f.* spoonful

cuchillo *m.* knife

cuecen *see* cocer

cuello *m.* neck, throat; collar; **a voz en** —, loudly; at the top of one's lungs

cuenta *f.* calculation, count; account; bill; bead; **dar** —, to report, give an account; **darse** — **de,** to realize

cuenta *see* **contar**

cuento *m.* tale, story

cuerdo –a prudent, sensible, wise, sane

cuerno *m.* horn

cuero *m.* leather

cuerpecito *m.* little body

cuerpo *m.* body

cuestión *f.* question, dispute, quarrel; matter, problem, affair

cuidado *m.* care; attention; heed; charge, trust; carefulness; remedy; fear, apprehension; ¡ —! look out! beware! **estar al** —, to be on guard; **le tenía sin** —, didn't interest (worry) him; **no tener** —, not to worry; **perder** —, not to worry; **tener** — **(con),** to be careful (about)

cuidadosamente carefully

cuidar to care for, look after, keep; to take care of

cuitado –a unfortunate, wretched

culpa *f.* fault, offence; blame; guilt; **tener la** — **(de),** to be to blame (at fault)

cultivar to cultivate, till

cultivo *m.* cultivation; tillage

culto –a cultivated; elegant, correct; cultured, educated

culto *m.* worship; cult

cultura *f.* urbanity, politeness; culture

cumplido –a full, complete, thorough; large

cumplir to execute, perform, fulfill; to keep (a promise); —... **años,** to reach one's ... birthday; — **con,** to fulfill, perform

cuñada *f.* sister-in-law

cuñado *m.* brother-in-law

cupo *see* **caber**

cura *f.* cure, healing; **primera** —, first aid

cura *m.* parish priest, curate; — **párroco,** parish priest

curación *f.* cure, healing

curadito –a well cured

curar to cure; — **de,** to take care of; —**se,** to recover

curatería *f.* the priesthood

curia *f.* bar, the legal profession; lawyers

curiosidad *f.* curiosity

curiosito –a curious; careful, diligent

curioso –a curious, inquisitive; neat, clean; careful; odd, rare

curso *m.* course

cuyo –a which, of whom, whose

Ch

chafarrinón *m.* blot, stain

chaiselongue *f.* (*Fr. for* long chair) a kind of elongated seat or couch

chalina *f.* cravat, scarf

Chamartín fine residential district in the outskirts of Madrid

chancero –a jocose, merry

chaparro *m.* evergreen oak (a short tree with many branches); corpulent person; " tub "

chapín *m.* woman's clog with a cork sole

chapotear to wet with a sponge; to splash along (in snow, water, etc.)

chaqueta *f.* jacket; sack coat

charla *f.* prattle, chat, talk

charlar to chat, prattle; — **por los codos,** to chatter, prattle

charolado –a varnished, enameled; polished

chascarrillo *m.* spicy anecdote, gossipy story

chasqueado –a fooled; disappointed; cheated

cheque *m.* check, draft

chica *f.* little girl, lass

chico –a, little, small

chico *m.* little boy, lad; — de los periódicos, newsboy; de —, as a child; as a little lad

chicuelo *m.* little boy

chicha, calma —, dead calm

chiquillo –a *m. or f.* small child; little one

chiquito –a small, little; tiny

chirrido *m.* chirping of birds; chattering; creaking

chismografía *f.* gossip

chispa *f.* spark; ember; sparkle

chispazo *m.* flying off of a spark; flash

chiste *m.* witty saying; joke, jest

chistoso –a funny, witty

chocar to strike, collide, clash; to meet; to provoke; to surprise

chocolate *m.* chocolate

chochez *f.* dotage; *pl.* weaknesses

choque *m.* impact; collision; clash

chorizo *m.* pork sausage

choza *f.* hut, hovel, cabin

chulapa *f.* woman of low class, loud in manners and dress

chupetón *m.* big puff

chupón –a greedy

chupón *m.* sponge, parasite

D

dado *see* dar; given, granted

¡ dale ! expression of displeasure at obstinacy. Again !

dama *f.* lady, dame; — de compañía, companion, chaperon

damisela *f.* young woman

dandy *m.* (*Eng.*) dandy, fop

danés –a Danish

danés *m.* Dane

daño *m.* damage, hurt, loss; harm; hacer — (a), to harm, hurt

dar to give; to grant; to bear, yield (fruit); to cause; to strike (the hour); — (enviar) calabazas, to refuse, " give the mitten "; — celos, to excite suspicions; to make jealous; — con la puerta en las narices, to slam the door in one's face; — cuenta, to report, give an account; — de comer, to feed; — en, to persist in; — en el rostro, to reproach, throw in one's face; — la razón a, to agree with; — las gracias, to thank; to express one's thanks; — la vuelta a, to turn, go (ride) around; — los buenos días, to say good morning; — los primeros pasos, to take the first steps; to learn to walk; — miedo, to be terrifying; — noticia, to notify; — palabra, to give one's word; — parte, to inform, notify; — por, to take for, consider; — que temer, to give cause for fear; — un brinco, to leap, jump; — un paseo, to take a walk; — un paso, to take a step; — un salto, to jump, leap; — un traspié, to stumble; to err; — una vuelta, to take a stroll; — vaya a, to jest with; to play a joke on; — vergüenza, to make (to be) ashamed; — voces, to cry, scream, shout; — vuelta a, to go around; — vueltas, to turn; to walk to and fro; —se cuenta de, to realize; —se maña, to contrive, manage; —se por enterado, to show signs of having understood; —se por vencido, to surrender, give up; —se tono, to put on airs; —se vida de, to live the life of; da pena, it's pitiful; it grieves; le da por, he has a weakness for; me las tiene dado soberanas, gave me some superb ones; poco faltó para que me diese un tiro, I almost shot myself; si no te diese más, if you don't mind

dato m. datum; pl. data

de of; from; by; with; — a, at the rate of

dé see dar

debajo beneath; underneath; — de, under, beneath; por — de, under, underneath

debate m. debate

deber m. duty; obligation; en el —, under the obligation

deber to owe; must; ought; to have to

debido –a due, owing

débil weak

debilidad f. weakness

débilmente weakly, lamely

decadencia f. decadence, decline

decaecer see decaer

decaer to decay, fail, fade

decaído –a decayed; run down

decepción f. disappointment, disillusionment

decidir to decide, determine, resolve; —se, to decide

decir m. a saw, proverbial or familiar saying; witty remark; es un —, it is a mere saying

decir to say, tell; to speak; to name, call; — al oído, to whisper; — de carretilla, to say by rote; al — de, according to (the word of); es —, that is to say; querer —, to mean; vamos al —, it is a mere saying; as we say; ¡y que lo digas! "you said it!"

decisión f. decision

decisivo –a decisive, final

declamatorio –a declamatory

declaración f. declaration; statement; proposal; — de amor, proposal; nada de —es, nothing in the way of proposals

declarar to declare, state; —se, to propose; to manifest itself, break out

declinar to decline; to bend, slope; to draw to a close

declive m. declivity; descent, slope

decorado –a decorated, adorned

decorar to decorate, adorn

dechado m. model

dedicar to dedicate, devote; —se a, to devote one's self (to)

dedo m. finger; toe

defender to defend

defensa f. defense

deficiente deficient

definitivamente definitively

defraudar to defraud; to rob of

degollar to behead; a medio —, half beheaded

dejar to leave; to let, allow; — de, to fail, stop, neglect; —se caer, to sink down; ¿ me dejarás mal? are you going to disappoint me? no — (a uno) a sol ni a sombra, to molest or pursue a person constantly

delantal m. apron

delante before, ahead; — de, before, in the presence of; por — (de), in front (of)

deleitar to delight, please

deleite m. delight

delgadito –a thin; delicate

delgado –a thin, lean; slender; más grueso que —, stout rather than thin

delicadamente delicately

delicado –a delicate

delicia *f.* delight, satisfaction

delicioso –a delicious, delightful

demandar to demand, ask, solicit

demás other; los (las) —, the others; por —, moreover, besides; por lo —, aside from this; as to the rest

demasía *f.* excess, surplus; audacity, insolence; en —, excessively

demasiado –a too many, too much

demasiado too; too much, too many; too well

Demetria *proper name*

demudar to alter, change; —se, to be changed; to change color suddenly

denodadamente bravely, resolutely

dentro inside, within; — de, inside of, within

denuesto *m.* affront, insult

denunciar to advise, give notice; to denounce

departamento *m.* department; compartment, section

departir to chat, talk, converse

depender (de) to depend, rely (on)

deporte *m.* sport

depositar to deposit; to intrust

derecha *f.* right hand, right side; a la —, on the right, right hand side

derecho –a straight; right; just, lawful

derecho *m.* right; law; privilege

derramar to pour out; to spill; to scatter; to shed

derretido –a melted

derretir to melt

derribar to throw down, knock down; to overthrow

derruído –a demolished; in ruins

des *see* dar

desagarrado –a unfastened, loosened

desagradable disagreeable

desagrado *m.* displeasure

desagraviar to apologize to; **to** indemnify

desahogadamente comfortably, easily

desahogar to ease the pain of; to alleviate, relieve; —se, to express one's feelings

desalado –a hasty, impatient; anxiously; hurriedly

desaparecer to disappear

desaparición *f.* disappearance

desarrollar to develop; to unroll, unfold; to promote; —se, to develop

desarrollo *m.* development

desasnar to polish (one's manners); to render less boorish

desatar to untie, undo, unfasten, loose

desayunarse to breakfast

desayuno *m.* light breakfast, morning meal

desazón *f.* insipidity; uneasiness; displeasure, vexation

desbordar to overflow; —se, to overflow

descalabrar to wound slightly in the head; to hurt, injure

descalzo –a barefooted

descansar to rest; to be quiet; to rest, lean upon

descanso *m.* rest, repose; sleep; *pl.* rest, leisure

descargar to unload; to ease, lighten; to free; to fire; to strike; to discharge

descascarillado –a peeled; scaled

descender to descend; to go down

descompasado –a excessive, extravagant, loud

descomponer to disarrange, upset, disturb; to disable, destroy

descompuesto –a impudent, insolent; indisposed; ill; distorted; out of temper

desconfiado –a distrustful

desconfianza *f.* distrust; suspicious fear

desconfiar to distrust; to doubt; — **de,** to distrust

desconocido –a ungrateful; unknown, unrecognizable

descontento –a discontented, dissatisfied, displeased

descortés impolite, uncivil, discourteous

descotado –a with neck and shoulders exposed; **zapato** —, low-cut shoe, pump

descoyuntar to disjoint

descripción *f.* description

descubierto –a exposed, bare, uncovered

descubrir to discover; to disclose, show; to uncover

descuidado –a careless, thoughtless; unaware; carefree

descuidar to neglect, forget, overlook; to be careless

desde since, from, after; — **hace un año,** for the past year; — **hacía años,** for years; — **luego,** immediately; at once; of course; — **que,** since, ever since; — (*or* **de**) **lejos,** from afar

desdén *m.* disdain, scorn, contempt

desdeñoso –a disdainful, contemptuous

desdicha *f.* misfortune, ill-luck, misery

desdichado –a unfortunate; unhappy, wretched

desear to desire, want; to wish

desembarazado –a free; clear; unrestrained

desembarazar to disembarrass, free, ease

desembocar to flow (into); to end (at)

desenredar to disentangle; to unravel

desenvuelto –a free, easy

deseo *m.* desire

desesperación *f.* despondency, despair, desperation; anger

desesperado –a desperate, hopeless; furious

desesperanzado –a discouraged

desesperar to lose hope; to despair; —**se,** to despair; to be vexed

desfallecido –a weakened; faint

desfigurar to disfigure; to disguise

desflorado –a tarnished, damaged

desgañitarse to shriek; to become hoarse

desgarrado –a dissolute; shameless; torn

desgracia *f.* misfortune; accident; affliction

desgraciadamente unfortunately

desgraciado –a wretched, unfortunate, unhappy

desgraciado –a *m. or f.* wretched, unfortunate person

desgraciar to displease; to spoil; —**se,** to die young

desgranar to shell (corn, beans, etc.)

deshacer to undo; to destroy; to shell (corn)

deshecho –a undone, destroyed; exhausted

deshojar to husk

deshonra *f.* dishonor, disgrace; seduction

deshonrado –a dishonored, disgraced

deshonrar to dishonor, disgrace

designado –a designated, appointed

designar to purpose; to designate, name, appoint

desigual unequal, uneven

desinfectante disinfecting

desinteresado –a disinterested, impartial

desistir to desist, cease, give up

deslizar to slip; —se, to shirk; to evade

deslomar to break the back of

desmayado –a pale; dismayed, discouraged, dispirited

desmayar to be dispirited, discouraged; to discourage; —se, to faint, swoon; a poco se desmaya, she almost fainted

desmayo m. swoon, fainting fit

desmentido –a contradicted; relaxed, abated

desmirriado –a lean, emaciated; exhausted; melancholy

desnudar to strip, undress, uncover; to fleece; —se, to undress

desnudo –a naked, bare

desobedecer to disobey

desobediencia f. disobedience

desolación f. desolation, havoc

desolado –a desolate

despabilar to trim or snuff (a candle); to rouse

despacio slowly

despacho m. office

despavorido –a terrified, aghast

despechado –a enraged; indignant

despecho m. spite; despair; indignation

despedida f. leave-taking, farewell

despedir to discharge, dismiss; —se (de), to take leave (of); to say good-bye (to)

despegar to detach, separate; to open; — los labios, to speak

desperfecto m. blemish, imperfection

despertado –a awakened

despertar to awaken; to excite; —se, to awaken

despiadado –a unmerciful, pitiless

despierten see despertar

despierto –a awake; bright, wide awake

desplegar to unfold, display; to spread

desplomar to cause to lean; —se, to get out of plumb; to tumble down, collapse

despojar to despoil; to deprive of; — de, to undress, strip; —se de, to divest one's self of; to take off

desposada f. newlywed

déspota m. despot, tyrant

despótico –a despotic

despreciable contemptible

despreciar to despise, scorn; to ignore

desprecio m. scorn, contempt

desprovisto –a unprovided, lacking

después after, afterward, later; next, then; — de, after; — que, after

desterrado m. exile, outcast

destinado –a destined, devoted to, allotted

destinar to destine; to appoint; to assign

destruir to destroy, ruin

desuncir to unyoke

desusado –a unusual

desvalido –a helpless, destitute

desván m. garret, loft

desvergonzada f. shameless one (thing)

desvergonzado –a impudent, shameless

desvergüenza f. impudence; shamelessness; shame, disgrace

desvío m. deviation, turning away; aversion, displeasure

detalle m. detail

detendré *see* **detener**

detener to stop, detain; to arrest; —**se,** to stay; to stop, halt; to pause

detenimiento *m.* care, thoroughness

determinar to determine, decide

detestar to detest, abhor

detrás behind, after; back; in the rear; **por** —, from the rear, from behind; behind one's back; **(por)** — **de,** behind

detuvo *see* **detener**

deuda *f.* debt; fault, offence; relative

deudo *m.* relative, kindred

devanar to reel, spool, wind

devoción *f.* piety, devoutness; prayer, devotion

devocionario *m.* prayer book

devolver to return

devorar to devour, consume

devota *f.* devotee

devotamente devoutly, piously

devuelto *see* **devolver**

di *see* **dar** *or* **decir**

día *m.* day; — **de bueyes,** land measure (*in Asturias*), about .37 of an acre; — **de fiesta,** holiday; — **festivo,** holiday; —**s de yerba,** haying; harvesting of hay; **al** — **siguiente,** on the following day; **buenos** —**s,** good day, good morning; **dar los buenos** —**s,** to say good morning; **de** —; by day; **el** — **de hoy,** today; **el** — **menos pensado,** when least expected, " some fine day "; one of these days; **hace** —**s,** for days; **hoy** —, today, nowadays; **por aquellos** —**s,** about that time; **quince** —**s,** two weeks; **santos** —**s tenga usted,** good morning

diablo *m.* devil; **no tiene el** — **por dónde cogerle,** he is too slippery for the devil himself; **para qué** —**s,** for what earthly purpose

diariamente daily

diario –**a** daily

diatriva (diatriba) *f.* diatribe

dibujar to draw, sketch; —**se,** to appear

diciendo *see* **decir**

dictado –**a** dictated

dicha *f.* happiness, good fortune

dicho *see* **decir; mejor** —, rather

dichoso –**a** happy; fortunate

diente *m.* tooth

dieron *see* **dar**

diese *see* **dar**

diestro –**a** right; able, skilful

dietético –**a** dietetic

diez ten; **sobre las** —, after ten o'clock

diferencia *f.* difference

diferente different

difícil difficult, hard

difícilmente with difficulty

dificultad *f.* difficulty; trouble

difunto –**a** dead

difunto *m.* the deceased; corpse

dignarse to condescend, deign

digno –**a** meritorious, worthy; suitable, appropriate

dijese *see* **decir**

dijo *see* **decir**

dilatado –**a** large, extended; happy

diligente diligent; prompt

dimensión *f.* dimension; extent, size

dinamita *f.* dynamite

dinerillo *m.* small sum of money

dinero *m.* money

dió *see* **dar**

diócesis *f.* diocese

Dios God; — **mío,** Heavens! dear me! **a** — **gracias,** thank goodness; **así Dios me salve,** may Heaven help me; **no es-**

taba de —, it was not God's will; **por —,** for Heaven's sake; **¡ vaya por —!** God bless you! Well, for Heaven's sake! **vete (vaya Vd.) con —,** goodbye; off with you

diosa *f.* goddess

diplomático –a diplomatic

diplomático *m.* diplomat

diputado *m.* deputy, representative

dirá *see* **decir**

dirección *f.* direction; address

directamente directly

dirigido –a addressed

dirigir to direct; to address; **— la palabra (a),** to address, speak to; **—se,** to go (to *or* toward); **—se a,** to address; to make one's way toward

discordante discordant

disculpar to excuse; to apologize; **—se,** to excuse one's self; to apologize

discurso *m.* discourse; speech, oration; conversation

discutir to discuss; to dispute

diseminado –a disseminated, scattered

disfrazar to disguise

disfrutar to benefit by; to enjoy

disgustado –a displeased; vexed; grieved

disgustar to displease; to dislike; to offend; to anger; **—se,** to be displeased, angry

disgusto *m.* disgust; displeasure; sorrow

disimular to dissimulate; to conceal; to feign, pretend; to overlook, let pass

disimulo *m.* dissimulation; tolerance

disipado –a dissipated; dissolute

disipar to dissipate; to squander; to disperse, drive away

disolución *f.* dissolution

dispensar to dispense, distribute; to excuse

displicencia *f.* disagreeableness; lukewarmness

displicente disagreeable; peevish

disponer to dispose; to arrange; **— de,** to command, have; **—se,** to prepare (for death), get ready; **—se a,** to get ready, prepare

disposición *f.* disposition, arrangement, disposal

dispuesto –a disposed, ready

dispusiera *see* **disponer**

disputa *f.* dispute, quarrel

disputar to dispute, contend, debate; to argue; to fight for

distante distant, far, remote

distar to be distant; to be different; **— de,** to be far from

distinguido –a distinguished

distinto –a distinct; clear; different

distracción *f.* absent-mindedness; oversight; diversion, amusement

distraer to distract; to perplex; to amuse; **—se,** to amuse one's self, have a good time

distraídamente absent-mindedly

distraído –a inattentive, heedless; absent-minded; **hacerse la —a,** to pretend to be distracted, not to notice

distrajo *see* **distraer**

distribuído –a distributed, divided

distribuir to distribute

disuadir to dissuade, deter

diván *m.* divan, low cushioned sofa

diverso –a diverse, different; various, several

divertido –a amused, amusing; humorous, funny

divertir to divert; to amuse; **—se,**

to amuse one's self, have a good
time

dividir to divide; —**se,** to divide;
to split; to be divided

divino –**a** divine

divisar to descry at a distance; to
perceive indistinctly; to catch
sight of

doblado –**a** bent, bowed;
folded

doblar to double; to fold; to bend

doble double

doblez *m.* crease, fold

doblilla *f.* little dobla (an ancient
Spanish gold coin or its equivalent)

doblón *m.* doubloon, an old Spanish gold coin

doce twelve; **a las — en punto,**
at twelve o'clock sharp

docena *f.* dozen

doctor *m.* doctor

doctrinar to teach; to instruct

documento *m.* document

dolencia *f.* aching, ache; disease,
ailment

doler to pain, ache; to hurt

doliente aching, suffering; sick

dolor *m.* pain, ache; sorrow, affliction; **— de estómago,** stomach ache

dolorido –**a** doleful, afflicted; painful; sore, tender

Dolorosa = Mater —, Sorrowing
Mother

doloroso –**a** painful; regrettable;
pitiful

doméstica *f.* domestic, servant

doméstico –**a** domestic

domingo *m.* Sunday; **todos los
—s,** every Sunday

dominicano –**a** Dominican

dominico –**a** Dominican

dominico *m.* Jacobin friar

dominio *m.* dominion; domination,
rule

don *m.* Mister (before Christian
name, generally not translated)

donaire *m.* grace, elegance; wit-
ticism

doncella *f.* maid

donde where; in which; wher-
ever; **por —,** through which

dónde where

donoso –**a** gay, witty; graceful

doña *f.* Miss *or* Mrs. (before Christian name, generally not translated)

dorado –**a** gilded

dormido –**a** asleep; **bien —a,**
sound asleep

dormir to sleep; —**se** to go to
sleep; ¡ **qué he de dormir !**
the idea ! of course (I'm) not
(asleep) ! **quedar(se) dormida,**
to fall asleep

dormitar to doze, nap

dormitorio *m.* bedroom

dos two; **los —,** both

doscientos –**as** two hundred

dotado –**a** endowed

doy *see* **dar**

dramático –**a** dramatic

dubitativamente doubtfully

duda *f.* doubt; **no le cupo —,** she
did not doubt; **no ofrece —,**
there is no doubt; **sin —,** no
doubt, doubtless

dudar to doubt; **— de,** to doubt;
to distrust

duele *see* **doler**

duelo *m.* sorrow, grief; duel

dueño *m.* owner, proprietor; master

duermas *see* **dormir**

dulce sweet, pleasant

dulce *m.* sweets; candy

dulcemente sweetly; gently

dulcificar to sweeten

dulzura *f.* sweetness; comfort,
pleasure

duplicar to double

duque *m.* duke

duración *f.* duration

durante during

durar to last; to endure; to wear

durmiendo *see* dormir

duro –a hard; solid; firm; unjust, unkind

duro *m.* dollar

E

e and (before i, hi)

¡ ea ! well then ! there !

eco *m.* echo

economía *f.* economy

económicamente economically

económico –a economical; thrifty; miserly

economizar to economize; to save

echar to cast, throw, hurl; to bear, produce; — a andar, to start to walk; — barriga, to become stout; — buen color, to acquire a good color; — de menos, to miss; — mano a, to reach for; to lay hold of, seize; — orgullo, to become proud; — un párrafo, to converse, chat; —(se) a, to start, begin; lo echaban a risa, they laughed at it

edad *f.* age

edificar to edify; to build

edificio *m.* building

educado –a educated; trained

educar to educate

efectivamente really, actually, in fact

efecto *m.* effect; end, purpose; al —, to that end; en —, as a matter of fact, actually

efectuar to effect, carry out, do, make

eficaz efficacious, effective

eficazmente effectively

efusión *f.* effusion

efusivamente effusively

efusivo –a effusive; demonstrative

egipcio –a Egyptian

égloga *f.* eclogue, pastoral poem

egoísmo *m.* selfishness, egoism

¡ eh ! eh ! here !

ejecutar to execute, perform

ejemplo *m.* example

ejercer to exercise

ejercicio *m.* exercise

ejército *m.* army

el (la, los, las) the; el (la, etc.) de, that of, the one of; el (la, etc.) que, he (she, etc.) who, the one who; el que . . . , that, the fact that

electricidad *f.* electricity

eléctrico –a electric

elegancia *f.* elegance

elegante elegant, tasteful; mundo —, fashionable society

elegante *m.* fashionable person; *pl.* the élite

elemental elementary; fundamental

elevar to raise, elevate

Elisita Betty

ello it; por —, therefore, as a result

emancipar to emancipate; —se, to free one's self; to become independent

embadurnado –a besmeared, bedaubed

embajada *f.* embassy, legation

embalsamado –a perfumed

embarcar to embark

embargar to impede, restrain; to seize, attach

embargo *m.* sin —, notwithstanding, nevertheless, however

embelesado –a charmed, fascinated

emberrenchinarse to fly into a violent passion

emborrachar to intoxicate; —**se,** to become intoxicated

embozo *m.* muffler; fold in upper part of bed clothing

embrionario –a embryonic

embrollado –a entangled, muddled

embuste *m.* lie, trick; fraud

embustero –a *m. or f.* liar; tale-bearer; cheat; hypocrite

emigrante emigrant

emigrante *m.* emigrant

Eminencia, Su —, Your Eminence

eminente, eminent, prominent

emitir to emit, send forth; to utter, express

emoción *f.* emotion

emolumento *m.* emolument, fee, perquisite

empalidecer to make pale; to become *or* grow pale

empapado –a saturated, soaked

emparejado –a abreast

emparejar to match; to put abreast; —**se con,** to join

emparentado –a related by marriage

emparentar to become related by marriage

empeñado –a engaged, involved; determined

empeñar to pawn; to pledge; to engage; —**se,** to bind one's self; to persist

empeño *m.* pledge, pawn; determination; firmness; **tener** — **en,** to be very anxious

emperatriz *f.* empress

empezar to begin

empiece *see* **empezar**

empleadillo *m.* little (insignificant) employee, officeholder

empleado *m.* employee, officeholder; — **de correos,** postman

emplear to employ, use; **eso te está bien empleado,** that serves you right

empleo *m.* employment, occupation; public office

empolvado –a dusty

emprender to undertake, engage in

empresa *f.* enterprise, undertaking

empréstito *m.* loan

empujado –a pushed, impelled

empujar to push, impel, shove

empuñar to clutch, grip

en in, on

enamorado –a in love, enamored, lovesick

enamorar to inspire love in; to make love to; —**se (de),** to fall in love (with)

enano *m.* dwarf

enardecer to fire with passion; to inflame; —**se,** to become inflamed with passion

enardecido –a inflamed, incensed; enthused

encajar to drive in; to tell

encaje *m.* lace

encaminar to guide; to direct; —**se,** to make one's way

encantado –a enchanted, charmed

encantador –a charming

encantar to enchant, charm; to bewitch

encapotado –a cloudy, overcast

encaprichado –a stubborn; infatuated

encaramar to raise; to climb; —**se,** to climb

encarar to face; —**se con,** to face

encarcelar to imprison

encarecidamente exceedingly, highly; earnestly

encargado –a in charge

encargar to entrust; to advise, warn; to order; to request; — **a,** to order from; —**se de,** to take charge of

encargo *m.* charge, commission

encarnado –a reddish, red

encarrilar to put on the right track; to set right; to direct, guide

encasquetar to clap on, pull down (one's hat); to convince; —se, to persist in

encender to kindle, light; —se, to take fire; to burn; to become flushed

encendido –a inflamed; red; lighted

encerrado –a locked up, shut up; included

encerrar to lock up, shut up; to include; to store, stow away

enciende see **encender**

encima above; over; at the top; overhead; **por** — **de,** over; **quitárselo de** —, to rid themselves of it

enclenque weak, feeble, sickly

encoger to contract, shrink; —se, to be low-spirited, bashful; —se de hombros, to shrug one's shoulders

encolerizado –a angry, provoked

encomendar to recommend, commend; to entrust; —se, to put one's self in the hands of

encomiendas see **encomendar**

encontrar to find; to meet; —se, to meet; to find (one's self); to be

encopetado –a presumptuous, haughty

encrespar to curl; to set (the hair) on end; to ruffle; —se, to become incensed

encuentra see **encontrar**

encuento m. encounter, meeting; clash; **a su** —, to meet him

endeble feeble, weak

enderezar to straighten; to right; — **los pasos,** to make one's way; —se, to straighten up

endiablado –a devilish, diabolical

endilgar to direct, guide; to assist; to deal (a blow)

endurecido –a hard, hardened; obdurate

enemiga f. enmity, hatred, ill-will

enemigo –a m. or f. enemy

enemistar to make enemies of; —se (con), to fall out (with)

energía f. energy

enérgicamente energetically

enérgico –a energetic, lively

enero m. January

enervado –a enervated; weakened

enervar to enervate; to weaken

enfadar to vex, anger; —se, to fret, become angry

enfado m. vexation, anger

enfático –a emphatic

enfermar to fall ill

enfermedad f. illness, sickness

enfermito –a somewhat ill; sickly

enfermo –a ill, sick; sickly

enfermo m. patient

enfrascado –a entangled; involved

enfrente opposite, in front; — **de,** opposite

enfurecer to enrage; —se, to rage, grow furious

enfurecido –a irritated, enraged

enganchar to hitch, hitch up; to entrap

engañar to deceive; to cheat; —se, to deceive one's self; to make a mistake

engañoso –a deceitful

engendrar to beget, engender; to produce, bear

engordar to fatten; to become fat

Engracia Grace

engrasado –a greased, oiled

enguantado –a begloved, wearing gloves

engullir to devour

enhiesto –a erect, upright; raised, held aloft

enhorabuena *f.* congratulation;
¡ sea —! congratulations!

enjalbegado –a whitewashed

enjambre *m.* swarm; crowd

enjugar to dry; to wipe off moisture from

enjuto –a dry, dried; lean; austere

ennegrecido –a blackened

enojado –a angry, cross

enojar to make angry, vex; to annoy; —se, to become angry

enojo *m.* anger; trouble

enojoso –a vexatious, troublesome

enorme enormous

enormemente enormously

Enrique Henry

enriquecer to enrich; to adorn; —se, to become rich

enriquecido –a enriched

enristrar to string (corn, onions, etc.)

enrojecer to redden; to make redhot; —se, to turn red

enrojecido –a reddened; red-hot

ensanchar to widen, extend, enlarge; —se, to expand, enlarge

enseñanza *f.* teaching, instruction

enseñar to teach; to show

enseres *m. pl.* chattles; accessories

entender *m.* understanding, opinion

entender to understand; —se con, to come to an understanding with; se entiende, of course; obviously

enterado –a informed, posted; darse por —, to show signs of having understood

enteramente entirely, fully, completely; quite

enterar to inform, report, advise; —se de, to become informed of, aware of; to learn of

enternecer to soften; to touch, move to pity

enternecido –a softened; touched

entero –a entire, whole, complete

entierro *m.* burial, interment, funeral

entonces then; **hasta** —, up to that time

entorpecer to benumb; to stupefy

entrada *f.* entrance, door, gate; admission; arrival; entry

entrado –a advanced

entrambos –as both

entrante entering, coming, next

entrañas *f. pl.* entrails; kindness; heart; affection

entrañablemente dearly; deeply

entrar to enter; to come (go) in; **entró en relación con,** began to associate with; **entró pidiendo,** he began by asking; **llegó a** —, she got to the point of entering

entre between, among; — **los unos y los otros,** among them, between them; ' — **manos,** on hand, in the process of carrying on *or* out; **por** —, through

entreabierto –a half-open, ajar

entrecejo *m.* space between the eyebrows; frowning; **fruncir el** —, to frown

entrecortado –a confused, hesitating; **con palabra** —a, in a hesitating voice

entrega *f.* delivery, surrender

entregado –a delivered; surrendered

entregar to deliver; to give (up), surrender; to hand (over)

entretanto meanwhile

entretejido –a interwoven, intertwined

entretener to amuse; to entertain; to delay; —se, to amuse one's self

entretenimiento *m.* amusement, entertainment, pastime

entretuvieron *see* **entretener**

entristecer to sadden, grieve

entristecido –a saddened

entumecido –a benumbed

entusiasmado –a enthusiastic

entusiasmo *m.* enthusiasm

envanecido –a conceited, vain

enviar to send

envidia *f.* envy

envidiar to envy

envidioso –a envious

envolver to wrap, envelop

envuelto *see* **envolver**; enveloped, wrapped

Epifania *proper name*

episcopal episcopal

episodio *m.* episode

época *f.* epoch; time, age

equipaje *m.* baggage, luggage; equipment

equitación *f.* horsemanship, riding; **traje de** —, riding habit

equivocado –a mistaken

equivocar to mistake; —**se**, to be mistaken; to make a mistake

equívoco –a equivocal, ambiguous

era *see* **scr**

erguir to erect; —**se**, to straighten up; to stand *or* sit erect

erizar to set on end; to bristle; —**se**, to stand on end

error *m.* error, mistake

esbeltez *f.* tall and elegant stature

escalera *f.* staircase; stair; ladder; — **de mano**, ladder

escanciar to pour, serve; to drink (wine)

escanda *f.* spelt-wheat; **pan de** —, whole wheat bread

escándalo *m.* scandal

escandaloso –a scandalous

escaño *m.* bench with a back

escapar to escape, flee; to run away; —**se**, to escape, flee; to slip

escapatoria *f.* escape, flight; excuse

escape *m.* escape, flight; **a todo** —, in great haste

escapulario *m.* scapulary

escasez *f.* scarcity; want

escasísimo –a very small; very scanty

escaso –a small; scarce, scanty

escena *f.* scene

esclarecer to lighten, illuminate; to enlighten; to clear up

esclarecido –a illustrious; illuminated

escoger to choose, pick out, select

escoltar to escort, convoy, guard

esconder to hide, conceal

escosa dry (not giving milk)

escribano *m.* notary public; clerk

escribir to write; to correspond; **recado de** —, writing materials

escrito –a *see* **escribir**; written

escritorio *m.* writing desk

escrupulosamente scrupulously; precisely

escrupuloso –a scrupulous; exact, thorough

escrutador –a examining, scrutinizing, inquiring

escrutar to scrutinize

escuchar to listcn; to heed

escudero *m.* squire

escudilla *f.* bowl, large cup

escuela *f.* school; **compañero de** —, schoolmate

escupir to spit

ese, esa, that; **ni por** —**as**, under no circumstances; even so

esforzar to strengthen; to encourage; —**se**, to exert one's self, try hard; —**se en**, to strive to

esfoyaza *f.* (corn) husking bee

esfuerzen *see* **esforzar**

esfuerzo *m.* courage, spirit, vigor; effort

esgrimidor *m.* fencer

eslabón *m.* link of a chain; steel for striking fire

esmaltado —a enameled; adorned

esmeralda *f.* emerald

esmero *m.* careful attention; niceness, accuracy

eso that (that thing, fact, idea); — **de** that matter of; ¡ — (es)! that's right ! — **que**, in spite of the fact that; **por** —, therefore, that's why

espacio *m.* space

espacioso —a spacious, roomy

espalda *f.* back, shoulders; *pl.* back, back part; **cargado de** —**s**, round (stoop) shouldered; **cargados a la** —, slung over his shoulder; **volver la** —, to turn one's back on

espantable frightful, horrid

espantado —a scared, frightened

espantar to scare, frighten; to drive away; —**se**, to be astonished

espanto *m.* fright, dread, terror; wonder

España *f.* Spain

español *m.* Spaniard

esparcido —a scattered

esparcir to scatter, spread

espasmo *m.* spasm

especie *f.* kind, sort; event; affair; piece of news; **en** —, in kind (produce)

espectáculo *m.* spectacle, sight

especulación *f.* speculation

espejillo *m.* little mirror

espejo *m.* mirror

espera *f.* waiting; stay, pause; **en** — **de**, waiting for; expecting

esperado —a awaited, looked for

esperanza *f.* hope

esperar to hope; to expect; to wait for

espesar to thicken

espeso —a dense, thick; dirty; dull, heavy

espesura *f.* thickness, density; thicket

espetar to spit; to skewer; to spring (something) on (one)

espetera *f.* kitchen rack

espina *f.* thorn; spine; splinter

espinazo *m.* spine, backbone

espinoso —a thorny

espíritu *m.* spirit; soul; mind

espiritual spiritual

espléndido —a splendid, magnificent

esplendor *m.* splendor

esplendoroso —a splendid, radiant

esponja *f.* sponge

espontáneo —a spontaneous; willing

esposa *f.* wife

esposo *m.* husband

espuela *f.* spur; **picar** — **a**, to spur

espuma *f.* froth, lather, foam

establecer to establish, found

establecimiento *m.* establishment

establo *m.* stable; cattle barn

estaca *f.* stake

estacazo *m.* blow (with a club)

estación *f.* station; — **del Norte**, North Station (for points north and northwest via *Medina del Campo*)

estado *m.* state; condition

estafeta *f.* post, express; post office; general delivery office

estallar to explode, burst

estallido *m.* crack, snap; *pl.* cracking, snapping

estambre *m. or f.* worsted, woollen yarn

estameña *f.* serge

estancia *f.* stay, sojourn; dwelling; living room, bed room

estanco *m.* repository; files; case

estanque *m.* pond, pool

estantería *f.* shelving, set of shelves

estar to be; — acatarrado, to have a cold; — al cuidado, to be on guard; — conforme, to agree; — de parto, to be in childbed; — de siega, to be ready for mowing; — de vuelta, to be back; — en fe, to be confident; — listo, to be ready; — pagado de, to be conceited about; — para, to be about to; —se, to be, to stay; ¡ aquí estaba lo arduo! here was the hard part! eso no está bien, that isn't right; eso te está bien empleado, that serves you right; está bien, very well, all right; estaba visto, it was to be expected; estamos bien, we are comfortable; ¿ estás en tu juicio? are you in your right mind? no estaba de Dios, it was not God's will

estático –a static, motionless

estatua *f.* statue

estatura *f.* stature, height (of a person)

este, esta, this; *pl.* estos, estas, these; —a noche, tonight; de — modo, in this way

éste, ésta, this, this one; the latter; *pl.* éstos, éstas, these, the latter

estela *f.* wake, track of a ship

estertor *m.* rattle in the throat; death rattle

estilo *m.* style

estimado –a esteemed

estimar to esteem

estimulante *m.* stimulant

estío *m.* summer

estipendio *m.* stipend, salary, pay

esto this (fact, idea); — es, that is; that is so; a todo —, during all this time; en —, at this point; por —, for this reason

estómago *m.* stomach; dolor de —, stomach ache

estorbar to hinder; to obstruct

estrategia *f.* strategy

estratégico –a strategic

estratégico *m.* strategist

estrechamente narrowly; tightly, closely; penuriously, economically

estrechar to tighten; to narrow, contract; to press; —(se) la(s) mano(s), to shake hands

estrecho –a narrow, tight

estrella *f.* star; — filante, shooting star

estrellar to dash to pieces, shatter; —se, to butt, dash (against)

estremecer to shake; —se, to shake, tremble, shudder

estrenado –a inaugurated; used *or* done for the first time

estrenar to use *or* do for the first time; (of clothes) to wear once

estrepitosamente noisily, obstreperously

estridente obstreperous; strident

estropear to maim, cripple; to damage, spoil, ruin

estrujar to press, crush, jam

estuche *m.* case; box; — de aseo, toilet set

estudiar to study

estudio *m.* study; investigation; cuarto de —, study

estupefacción *f.* stupefaction, numbness

estupefacto –a motionless, stupefied

estupendo –a stupendous, wonderful

estupidez *f.* stupidity

estúpido –a stupid

estupor *m.* stupor; amazement

estuvo *see* estar

etc. (etcétera) and so forth

éter *m.* ether; the sky

eterno –a eternal, everlasting

Eterno = Padre Eterno, the Eternal Father

etiqueta *f.* etiquette; label

evacuado –a emptied; transacted, done

evidente evident, obvious

evitar to avoid; to shun; to spare

evocar to call out; to evoke

exactamente exactly

exactitud *f.* exactness; accuracy; correctness

exacto –a exact, accurate

exageradamente exaggeratedly

exagerar to exaggerate

exaltación *f.* exaltation

exaltado –a hot-headed, wrought up

examinar to examine

exánime spiritless, weak, lifeless

exasperado –a exasperated

excelente excellent

excepcional exceptional

excepto except, with the exception of

excesivamente excessively

excesivo –a excessive

excitado –a excited; roused

excitar to excite, move, stir up, rouse; —se, to become excited

exclamación *f.* exclamation

exclamar to exclaim

excluir to exclude

exclusivamente exclusively

excursión *f.* excursion, trip

exhalar to exhale, emit; to utter

exhibir to exhibit, expose; to show

exigente exacting

exigir to require; to exact; to need; to urge; to demand

exiguo –a small

existencia *f.* existence

existir to exist; to be

éxito *m.* issue, result, end; success

expansión *f.* expansion, extension; expansiveness

expansivo –a expansive; communicative

expedito –a prompt, expeditious, quick

expensas *f. pl.* expenses, charges, costs; a — de, at one's expense

experiencia *f.* experience

experimentar to experience, experiment; to try

experto –a expert

explicación *f.* explanation

explicar to explain

explique *see* explicar

explorador –a exploring

exponer to expose, show; to explain; to put in danger

expongas *see* exponer

expresar to express

expresión *f.* expression

expresivo –a expressive

exprimir to squeeze, press out

exquisito –a exquisite

extasiado –a enraptured, delighted

extático –a ecstatic

extender to extend, stretch out, enlarge; to make out (a prescription)

extendido –a extended; spacious

extensión *f.* extension; extent, length; size

extenso –a extended, extensive, spacious

extenuado –a emaciated, wasted

externo –a external, outward; exterior

extraer to extract

extrajo *see* extraer

extranjero –a foreign

extranjero *m.* stranger, foreigner;

al (por el) —, abroad; to a foreign country

extraño –a strange; foreign

extraordinario –a extraordinary

extraviado –a stray; mislaid, missing; bewildered

extraviar to mislead; to misplace; —**se,** to go astray

extremadamente extremely

extremado –a extreme; consummate

Extremadura, province in the southwestern part of Spain

Extrema Unción *f.* Extreme Unction

extremidad *f.* extremity

extremo –a extreme, last; furthest; greatest

extremo *m.* extreme, utmost point; end

exuberante exuberant, luxuriant

F

fabada *f.* (*in Asturias*) pork and beans

fábrica *f.* factory; — **de la iglesia,** income of the church

fabricado –a built, constructed, made

fabricar to fabricate; to build, construct; to make

fabriquita *f.* little factory

facción *f.* faction; *pl.* features

fácil easy; — **es,** it is likely

facilidad *f.* ease, facility

fácilmente easily

facultad *f.* faculty; power, authority

Facundo *proper name*

faena *f.* work, labor, task

faja *f.* band; sash

falda *f.* skirt; incline, slope

faldita *f.* little skirt

falsamente falsely

falso –a false

falta *f.* lack, want, absence; offense, misdeed; fault; error; **hacer** —, to be in want of; to need

faltar to be wanting; to need, lack; **poco faltó para que me diese un tiro,** I almost shot myself

fallar to give sentence, pass judgment on; to fail, be wanting

fallecer to die

fama *f.* fame; report, rumor; **gozar** — **de,** to enjoy a reputation for being; **tener buena** —, to be well thought of; **tener** — **de,** to be reputed

familia *f.* family

familiar familiar

familiar *m.* servant, especially of the clergy

famoso –a famous, notorious

fanega *f.* grain measure (about 1.6 bushels); land measure (about 1.59 acres)

fantasía *f.* fantasy, imagination; caprice, conceit

fantástico –a fantastic, fanciful; conceited

fardo *m.* bale, parcel, bundle

farol *m.* lantern

farsante *m.* humbug, fraud

fascinador –a fascinating, charming

fase *f.* phase, aspect

fastuosamente pompously, ostentatiously; magnificently

fastuoso –a pompous, ostentatious

fatal fatal

fatídico –a fatidical, oracular

fatiga *f.* fatigue

fatigadito –a a little tired; rather tired

fatigado –a tired

fatigar to fatigue, tire; to vex

favor *m.* favor; **hazme el** — **de,** please

favorable favorable

favorablemente favorably
favorecer to favor; to help, befriend
faz *f.* face
Faz *proper name*
fe *f.* faith; testimony; **estar en —,** to be confident
fecundar to fertilize
fecha *f.* date; **a la —,** to date
Federico Frederick
felicidad *f.* felicity, happiness; good fortune
Felicidad Felicia
felicitar to congratulate, felicitate
feligrés *m.* parishioner
Felipe Philip
Felisa Felicia
feliz happy, fortunate
felizmente happily
femenino –a feminine
fementido –a false, unfaithful; perfidious; bad
fenomenal phenomenal
fenómeno *m.* phenomenon
feo –a ugly, homely
feo *m.* ugly, homely fellow
feroz ferocious, fierce; ravenous
ferozmente ferociously
férreo –a iron; stern, severe
ferrocarril *m.* railroad, railway
fertilísimo –a very fertile
fertilizar to fertilize, enrich
fervorosamente fervently
fervoroso –a fervent; active, efficient
fesoria *f.* (*in Asturias*) hoe; spade
festejar to entertain; to feast; to celebrate
festivo –a festive, gay; **día —,** holiday
fiado –a on trust, credit
ficha *f.* chip, counter, marker
fiebre *f.* fever
fiel faithful, loyal
fieltro *m.* felt
fiera *f.* wild beast

fiero –a fierce, cruel; ferocious
fiesta *f.* feast, entertainment; festivity, holiday; **— onomástica,** name day; **día de —,** holiday
figura *f.* figure; shape
figurar to shape, fashion; to represent; to feign; to figure; **—se,** to fancy, imagine
fijamente firmly; fixedly, steadfastly
fijar to fix, fasten; **— la atención en,** to notice; to take notice of; **—se (en),** to notice
fijeza *f.* firmness; steadfastness
fijo –a fixed, firm
fila *f.* tier, row, line; (*in Asturias*) gathering of women for the purpose of spinning; spinning bee
filante, estrella —, (*Fr. étoile filante*), shooting star
filial filial
filosóficamente philosophically
filtrar to filter; **—se,** to leak out, filter through
fin *m.* end; object, purpose; **a — de que,** so that; **al —,** at last; **en —,** finally, in short; **por —,** finally, at last; **tocaba a su —,** was drawing to a close
final *m.* end
financiero –a financial
finca *f.* land; country property, farm
fingido –a feigned
fingir to feign, pretend, affect
fino –a fine, perfect; sagacious, cunning; delicate
firmamento *m.* firmament, sky
firmar to sign; **—se,** to sign (one's self)
firme firm, stable, solid; **de —,** steadily; hard; **pararse en —,** to stop short
firmeza *f.* firmness
físicamente physically

físico –a physical

fisonomía f. appearance, features

flaco –a thin, lean

flamante flaming, bright; fresh; new

flaqueza f. thinness, emaciation, weakness

flaquina thin; frail

flecha f. arrow

flojedad f. weakness, laxity; laziness, negligence

flojo –a loose, lax; weak; lazy

flor f. flower; a — de tierra, flush (on a level) with the ground

floreado –a flowered, figured

florecer to bloom; to flourish

florecita f. floweret; small flower

flotar to float

flote m. floating; salir a —, to get out of difficulties

fogosamente vehemently, ardently

fogoso –a fiery, vehement, impetuous

follaje m. foliage

fonda f. inn

fondo m. bottom; depth; en el —, at bottom, at heart

forastero m. stranger

Forín *proper name*

forma f. form, shape; method; manner

formado –a formed, made

formal formal, regular; proper; serious; well behaved

formalizado –a formulated

formalizar to put in final form; to execute; to formulate; —se, to open; to organize

formar to form

formidable formidable

fornido –a robust, stout

Fornos, formerly a café in the *Calle de Alcalá,* famous as a rendezvous of artists and writers. It is now a cabaret.

Foro *proper name*

forrado –a lined, covered

fortalecer to fortify, strengthen

fortaleza f. fortitude; firmness; courage, vigor

fortuito –a fortuitous, accidental

fortuna f. fortune, wealth; hacer —, to make one's fortune; por —, fortunately

forzadamente forcibly, violently; forcefully

forzado –a forced, compelled

forzar to force; to compel

fotógrafo m. photographer

frac m. dress coat

fracasado –a ruined

fracasar to fail, come to naught

fracaso m. downfall, ruin; calamity; failure

fractura f. fracture, breaking

fracturar to fracture, break

fraganti, in — (*Lat.*) in the act (of committing a crime)

frágil fragile; frail

fragoso –a craggy, rough; noisy, roaring

fraguado –a forged; planned; plotted

fraile m. friar, monk

francés –a French

Francia f. France

franco –a frank, open; free

franja f. fringe, band, trimming

franqueza f. frankness

frasco m. flask, vial, bottle

frase f. phrase

fray m. contraction of **fraile,** used as title before names of clergymen

frecuencia f. frequency; con —, frequently

frecuentar to frequent, repeat

fregadero m. scullery, sink

fregona f. kitchen-maid; dishwasher

frente in front, opposite, across the way; — a, opposite, in

front of, facing; — **a** —, face
to face; **al** — **de,** in front of;
de — **con,** confronting; **hacer**
—, to face, resist, oppose

frente *f.* forehead; countenance;
front, head

frentecita *f.* little forehead

fresa *f.* strawberry

fresca *f.* cool air, fresh air

frescachón –**a** robust and fresh-
looking

fresco –**a** fresh; cool; ruddy;
calm; bold; ¡ **noticia** —**a !**
that's (not) news !

frescura *f.* freshness; coolness;
frankness; tranquility, uncon-
cern

fresno *m.* ash tree

frialdad *f.* coldness

fricción *f.* friction, rubbing

frío –**a** cold; **leche** —**a,** (*in Asturias*) buttermilk; **sangre** —**a,**
calmness, composure

frío *m.* cold

frívolo –**a** frivolous

frondoso –**a** leafy, luxuriant

frotar to rub

fructífero –**a** fruit-bearing; fruitful

frugal frugal, thrifty

fruncido –**a** shirred, gathered;
wrinkled; frowning

fruncir to gather; to pucker; to
contract; — **el entrecejo,** to
frown

fruta *f.* fruit

frutal fruit-bearing, fruit

fruto *m.* fruit; profit; *pl.* produce

fué *see* **ir** *or* **ser**

fuego *m.* fire

fuente *f.* spring; fountain; source;
dish, platter

fuera out, outside; — **de sí,** beside
one's self

fuere *see* **ser**

fuerte strong; intense; loud;
severe

fuertemente strongly; firmly; vehemently; loudly

fuerza *f.* force; strength; violence;
firmness; *pl.* strength; **a la** —,
forcibly, by force

fuese *see* **ir** *or* **ser**

fuí *see* **ir** *or* **ser**

fulgurante flashing, blazing

fulminante fulminating, thunder-
ing; explosive

fumar to smoke; **papel de** —,
cigarette paper

función *f.* function; religious
ceremony

fundado –**a** founded; established;
based

fundamento *m.* foundation; basis;
reason

fúnebre funereal, mournful, sad;
dark

funesto –**a** doleful, lamentable;
mournful, sad

furia *f.* fury, rage

furibundo –**a** furious, enraged

furiosamente furiously

furioso –**a** furious, mad, raging

furor *m.* fury, rage

fusil *m.* rifle, musket

G

gabinete *m.* cabinet; reception
room, sitting room; boudoir

gacetillero *m.* newspaper re-
porter

gaita *f.* bagpipe

gaitero *m.* piper, one who plays
the bagpipe

galán(o) –**a** gallant; smartly
dressed

galán *m.* gallant, courtier; lover

galante gallant

galantería *f.* gallantry, compliment

galería *f.* gallery; art museum

Galicia Galicia, province in the

northwestern part of Spain; a
fertile, mountainous country
gallardía *f.* gracefulness; gallantry,
bravery
gallardo –a graceful, elegant;
brave, gallant
gallego –a Galician; **viento** —,
northwest wind
gallina *f.* hen
gana *f.* appetite, hunger; desire;
mind; **de buena** —, willingly,
gladly; **tener** —(s) **de,** to desire;
to feel like
ganado *m.* live stock; cattle; —
vacuno, cattle
ganancia *f.* gain, profit
ganar to gain; to win; to earn;
—**se el pan,** to earn one's
living
gandul *m.* idler, loafer, tramp
garabato *m.* hook; grapple; (*in
Asturias*) rake
garantía *f.* guarantee; guaranty,
security
garganta *f.* throat, gullet; **anudándosele la voz en la** —, getting a
lump in his throat
garra *f.* claw; talon; hook, fang
garrote *m.* club, cudgel
gas *m.* gas
gasolina *f.* gasoline
gastar to spend; to waste, use;
to wear out; —**las,** to act, behave
gasto *m.* expense; waste; **wear**
gástrico –a gastric
gata *f.* she-cat
gemir to groan, moan; to grieve;
to howl
generación *f.* generation
general general; common, usual;
por regla —, as a (general) rule
general *m.* general
generalmente generally
género *m.* class, kind; manner,
way; cloth, stuff

generosidad *f.* generosity
generoso –a generous
genial temperamental; pleasant,
cheerful
genio *m.* genius; temperament,
nature, disposition
gente *f.* people, folk, crowd
gentil genteel, graceful
geografía *f.* geography
Germán *proper name*
gestión *f.* conduct; effort, action
gesto *m.* face; grimace, gesture
gigante *m.* giant
gimiendo *see* gemir
gimnasta *m.* gymnast, athlete
gloria *f.* glory; bliss
glorioso –a glorious; ostentatious
gobernador *m.* governor, ruler
gobernar to govern, rule
gobierno *m.* government; **Gobierno Militar,** Military Head-
quarters
goce *m.* enjoyment
golosina *f.* delicacy; sweet
golpe *m.* blow; crowd, throng;
— **de gracia,** finishing stroke,
coup de grâce; **de** —, suddenly
golpear *m.* knocking, pounding
golpecito *m.* light blow
goma *f.* rubber; **perita (perilla)
de** —, rubber bulb
gordinflona *f.* chubby, fat person;
husky one
gordo –a fat, stout
gorjeo *m.* warble, trilling
gorrino *m.* small pig, suckling pig
gorro *m.* cap
gota *f.* drop; gout
gotear *m.* dropping; dripping
gozar to enjoy; to have possession
of; — **de (con),** to enjoy, have;
— **fama de,** to enjoy a reputation
for being; —**se,** to rejoice
gozo *m.* joy, pleasure
gracejo *m.* winsome way
gracia *f.* grace; gracefulness;

cleverness; kindness; courtesy; jest; *pl.* thanks; **acción de —s,** thanksgiving; **a Dios —s,** thank goodness; **dar las —s,** to express one's thanks; **golpe de —,** finishing stroke, *coup de grâce;* **muchas —s,** thank you; **tener —,** to be funny

gracioso –a graceful, pleasing, accomplished; witty, funny

grado *m.* step (of a staircase); will, pleasure; degree; **de buen —,** willingly

gramática *f.* grammar

gran, grande large, big; great

grande *m.* grandee

grandeza *f.* greatness; grandeur

grandioso –a grandiose, grand, magnificent

grandísimo –a great; big

granizada *f.* hailstorm; deluge

Granizo *proper name*

grano *m.* grain; cereal

granuja *m.* little rogue; rascal

grasiento –a greasy; filthy

gratitud *f.* gratitude

grato –a pleasing, pleasant

grave grave, serious

gravedad *f.* gravity, seriousness

gravemente gravely, seriously

gravísimo –a very weighty; very grave, serious

gravoso –a costly; onerous, vexatious

grillo *m.* cricket

gris gray

Griselda Griselda

gritar to shout, cry; to scream

griterío *m.* outcry, shouting, uproar

grito *m.* shout, cry; **a —s,** in a loud voice, shouting at the top of one's voice

groseramente grossly, coarsely, roughly

grosero –a coarse, rough; plain, homespun; thick, fat

grotesco –a grotesque

grueso –a thick; stout; heavy; **más — que delgado,** stout rather than thin

gruñido *m.* grunt

grupo *m.* group

guadaña *f.* scythe

guante *m.* glove

guapa *f.* pretty one; beauty

guapamente bravely, courageously; handsomely, neatly

guapina pretty

guapísimo –a extremely good-looking, very handsome; very neat

guapo –a brave; good-looking

guarda *f.* custody, trust, wardship; **Ángel de la Guarda,** Guardian Angel

guardado –a guarded; kept

guardar to keep; to keep secret; to guard; to observe, respect; **— las conveniencias,** to observe the conventions; **—se de,** to take care not to; **— parecido con,** to resemble; **— silencio,** to keep silent

guardia *f.* guard; defence, protection; watch; **la Guardia Civil,** the rural police

guardia *m.* soldier belonging to the guards; **— civil,** member of rural police; **— municipal,** policeman

guarnecer to adorn; to border, line

guarnecido –a adorned

guerra *f.* war, warfare; **— amorosa,** conquest

guerrero –a martial, warlike

guerrero *m.* warrior

guía *m. and f.* guide; *f.* guidebook

guiño *m.* wink

guisa *f.* manner, fashion; **a — de,** like, in the manner of guisado –a cooked; prepared

guisado *m.* stew; fricassee

guisar to cook; to arrange, prepare

guiso *m.* (cooked) dish; seasoning

gustar to taste; to try; to be pleasing; to like; to love; **no le gustaba,** he did not like

Gustavito Gus

Gustavo Gustavus

gusto *m.* taste; pleasure; liking; a —, at will, willingly; to one's taste; comfortably; ¡ qué —! what fun! tener — en, to be glad to

gustoso –a savory; tasty; cheerful; pleasing

H

haba *f.* horse bean; bean

Habana *f.* Havana

haber to have; **poco hemos de poder,** we shall know the reason why, *Lit.,* we shall be able (to do) little; ¡ qué había de soltar! nonsense! ¿ qué he de tener con Vd.? what could I have against you? **se le había metido en la cabeza,** she had taken it into her head

había. (*used impersonally*) there was, there were

habichuela *f.* French bean, kidney bean

hábil able, capable

hábilidad *f.* ability, skill; *pl.* accomplishments

hábilmente ably, skillfully

habitación *f.* dwelling, residence; room, apartment; **casa —,** dwelling house

habitante *m.* inhabitant, resident

habitar to inhabit, live, reside

hábito *m.* habit, custom

habitual habitual, usual

habituar to accustom; —se, to become accustomed, get used

habla *f.* speech

hablar to speak; to talk; to discuss; — al oído, to whisper in one's ear; — para sí mismo, to talk to one's self; por — algo, (in order) to say something

hacendado *m.* landholder, farmer

hacer to do, make; — burla de, to make fun of, take advantage of; to play a joke (trick) on; — calor, to be warm, hot; — caso (de), to pay attention (to); — daño (a), to harm, hurt; — falta, to be in want of; to need; — fortuna, to make one's fortune; — frente, to face, resist, oppose; — la centinela, to stand sentry; to be on guard; — papel, to play a rôle, part; — provisión, to gather a supply; — saber, to make known; — traición a, to betray; — un viaje, to take a trip; — una pregunta, to ask a question; —se, to become; —se atrás, to step back; —se cargo de, to take into consideration; to realize; —se con, to obtain; to purchase; —se cruces, to cross one's self; —se la distraída, to pretend to be distracted, not to notice; —se lenguas de, to speak in praise of; —se rico, to become rich; **así se hace,** you did well, *Lit.,* thus it is done; **desde hacía años,** for years; **desde hacía dos semanas,** for two weeks; **hace bastantes años,** several years ago; **hace días,** for days; **hace dos horas,** two hours ago; **hace tiempo,** for some time; **hace un instante,** a moment ago; **hace un mes,** a month ago; **hace (un)**

rato, a (little) while ago; **hacía poco,** shortly before; **hacía sus comidas,** he took his meals; **hazme el favor de,** please; **hecho lo cual,** after which; this having been done; **la vida que haces,** the life that you lead; **llegó a —se,** became

hacia toward; near, about; **— abajo (arriba),** below, down (up); **— atrás,** backward

hacinado –a piled, heaped up

hada f. fairy

hago see **hacer**

halagado –a flattered

halagar to flatter

halagüeño –a alluring; flattering

hálito m. breath; vapor

hallar to find; **—se,** to be; to feel

hambre f. hunger; appetite; **matar de —,** to starve

hambriento –a hungry; starved; greedy

han see **haber**

harás see **hacer**

hartar to stuff, gorge; to satisfy

harto enough, sufficiently, very; too

harto –a satiated, full; sufficient; **— de sufrir,** tired of suffering

hasta till, until; as far as; as many as; even; to, up to; **— ahora,** as yet, hitherto; **— entonces,** up to that time; **— la noche,** until tonight; **— la última hora,** till the last moment; **— la vista,** au revoir, goodbye; **— luego,** so long; see you later; **— primeros,** until the beginning; **— que,** until; **llegar —,** to go as far as

hastío m. loathing, disgust

hay there is, there are; **— que,** it is necessary; **¡ — que ver la rapaza !** just look at the lass ! **no — inconveniente,** I don't mind; there is no objection;

no — más que, one need only; **no — más remedio,** there is nothing else to do; **no — que ser,** one must not be; **¿ qué —?** what's the news? what's the matter? **¡ qué —!** what of it ! **¿ qué — de bueno?** what's the good news?

haya see **haber**

haz f. face; surface

haz m. fagot, bundle, bunch

hazaña f. feat, exploit, heroic deed

he aquí behold ! lo ! here is

hechizado –a bewitched; charmed

hechizo m. fascination; delight; bewitchment

hecho m. fact; event; act

hecho see **hacer**

hediondo –a stinking, fetid

helada f. frost

helar to freeze

helenista m. Hellenist; one skilled in the Greek language and literature

hemos see **haber**

henchido –a filled; stuffed

heno m. hay

hercúleo –a herculean

heredar to inherit

heredera f. heiress

heredero m. heir

herencia f. inheritance

herida f. wound

herido –a wounded

herido m. wounded person

herir to wound; to hurt, harm; to strike

hermana f. sister; **prima —,** first cousin

hermanita f. little sister

hermanito m. little brother

hermano m. brother; *pl.* brother(s) and sister(s)

hermoso –a beautiful, handsome

hermosura f. beauty

héroe m. hero

heroicamente heroically

heroico –a heroic

heroína *f.* heroine

herrada *f.* pail, bucket

hervir to boil; to seethe

hice *see* hacer

hidalgo *m.* hidalgo, nobleman, — de poco pelo, poor nobleman

hiel *f.* gall, bile; bitterness

hierro *m.* iron

higiénico –a hygienic, sanitary

higo *m.* fig

higuera *f.* fig tree

hija *f.* daughter; — de mi alma, my dear daughter

hijo *m.* son; *pl.* children

hilado –a spun

hilar to spin

hilo *m.* thread

hiperbólico –a hyperbolical

hipócrita hypocritical

historia *f.* history; tale, story

histórico –a historical

historieta *f.* short story

hizo *see* hacer

hocico *m.* snout, muzzle

hoja *f.* leaf; sheet; — de lata, tin plate

¡ hola ! hello !

holganza *f.* leisure, ease

holgazán –a idle, lazy, indolent

holgazán *m.* idler, loiterer

holgura *f.* frolic; ease, comfort

hombre *m.* man; ¡ — ! man alive ! — de confianza, confidant, counsellor; — de negocios, business man; — de suerte, lucky man

hombro *m.* shoulder; encogerse de —s, to shrug one's shoulders; le pasó sobre los —s, put over her shoulders

homero *m.* alder tree

hondamente deeply

hondo –a deep; low

honor *m.* honor

honrado –a honest, honorable

hora *f.* hour, time; a estas —s, at this time of day; now; a la — presente, at the present time; a (las) primera(s) —(s), earlier; at an early hour; hace dos —s, two hours ago; hasta la última —, till the last moment; (la) — de cenar (comer), supper (dinner) time

horca *f.* gallows, gibbet

horcado *m.* pitchfork

horizonte *m.* horizon

horno *m.* oven; furnace

hórreo *m.* granary (built on pillars)

horrible horrible, terrible

horrísono –a horrifying

horror *m.* horror, hideousness

horrorosamente horribly, hideously

horroroso –a horrible; hideous

hortera *f.* wooden bowl; (*in Madrid*) *m.* drygoods clerk

hostil hostile

hostilidad *f.* hostility

hotel *m.* hotel; villa

hotelito *m.* little hotel; little villa

hoy today; — día, today, nowadays; el día de —, today

hoz *f.* sickle

hubieran *see* haber

hueco *m.* hole; hollow; opening

huérfano *m.* orphan

huerta *f.* large vegetable garden

huerto *m.* orchard

hueso *m.* bone; stone, core

huésped –a *m. or f.* guest, lodger; host(-ess), innkeeper; casa de —es, boarding house

huevo *m.* egg; — pasado por agua, soft-boiled egg

huído –a evasive

huir to flee, escape; to run away

humano –a human; humane

humeante smoking, fuming

humedad *f.* humidity, dampness
húmedo –a humid, wet, damp
humildad *f.* humility; meekness
humilde humble
humilde *m.* humble *or* meek person; *pl.* the humble
humillación *f.* humiliation
humillante humiliating
humillar to humiliate; to humble; to subdue
humo *m.* smoke
humor *m.* humor; disposition; temper
humorismo *m.* humor, subtle irony
hundido –a sunk, buried
hundir to submerge, sink; to crush; —se, to sink; to fall down
huracán *m.* hurricane
¡ **hurra** ! hurrah !
hurtar to steal
huye *see* **huir**

I

iba *see* **ir**
ida *f.* departure, going
idea *f.* idea
idear to conceive the idea of; to plan
idéntico –a identic, identical
idilio *m.* idyll
idioma *m.* language
idiota *m.* idiot
ido *see* **ir**
idolatrado –a idolized
iglesia *f.* church; **fábrica de la —,** income of the church
Iglesia = Santa Iglesia Católica Apostólica y Romana
ignorado –a unknown
ignorar to be ignorant of, not to know
igual equal; level, even; equal to; **es —,** it's all the same

igualar to equalize; to match
igualmente equally; likewise
¡ **ijuju** ! a cry of approval or challenge
iluminado –a illumined, lighted
ilusión *f.* illusion
ilustre illustrious
imagen *f.* image
imaginación *f.* imagination
imaginar to imagine; to think, suspect
imitar to imitate
impaciencia *f.* impatience
impacientar to vex, irritate
impaciente impatient
impávido –a dauntless, calm
impedir to impede, hinder, prevent
imperativo –a imperative, commanding
imperial imperial
imperiosamente imperiously
imperioso –a imperious, overbearing
impermeable *m.* raincoat
impertinente impertinent; meddlesome
imperturbable imperturbable
impetuosamente impetuously
impetuoso –a impetuous, impulsive
implorar to implore, entreat, beg
imponente imposing
imponer to impose; to administer; —se, to assert one's self; to command respect
importancia *f.* importance
importante important; amounting to; to the value of
importar to be important; to concern; ¿ qué **importa?** what difference does it make ?
imposibilitado –a helpless, powerless; poor; disabled
imposible impossible
imprescindible indispensable
impresión *f.* impression; stamp

impresionado –a impressed, influenced

impresionar to impress; to affect

imprevisto –a unforeseen, unexpected

improperio m. insult

improvisado –a improvised

improvisar to improvise

impudencia f. impudence, insolence

impulsado –a impelled, actuated

impulso m. impulse

impuso see imponer

in nigris (Lat.) in black

inadvertencia f. inadvertency, oversight

inadvertidamente inadvertently

inalterable unalterable, changeless

incandescencia f. incandescence

incansable indefatigable, untiring

incapaz incapable; unable

incensar to incense; to bestow fulsome praise

incesante unceasing, continual

incesantemente incessantly, continually

incidente m. incident, occurrence

inclinación f. inclination; tilt; attraction; bow; — de cabeza, bow, nod

inclinado –a inclined, bent; sloping; disposed, minded

inclinar to incline; to tilt; —se, to incline, slope; to lean (over); to bow

incluir to include; to inclose

incluso including

incluyo see incluir

incoherente incoherent

incomodar to disturb, inconvenience, trouble; —se, to be vexed; to trouble one's self

incómodo –a inconvenient; uncomfortable; troublesome

incomprensible incomprehensible

inconsciencia f. unconsciousness

incontrastable invincible, insuperable

inconveniente m. difficulty, objection; disadvantage; no hay —, I don't mind; there is no objection

incorporar to incorporate, unite, embody; —se, to sit up (in bed)

increíble incredible

incurrir, — en, to incur

incursión f. incursion

Indalecio proper name

indecente m. cad

indecible inexpressible, unutterable, unspeakable

indefectiblemente indefectibly; without fail

indemne undamaged, unhurt

indiano m. nabob, one who returns rich from America

indicado –a indicated

indicar to indicate, suggest, point out

indiferencia f. indifference

indiferente indifferent; trivial

indigencia f. indigence, destitution

indignación f. indignation

indignado –a indignant, angry

indirecta f. innuendo, hint

indiscreción f. indiscretion, imprudence

indisoluble indissoluble

indispensable indispensable

indispuesto –a indisposed

individuo m. individual

indulgencia f. indulgence; forbearance; kindness

indumento m. garment, vestment; wearing apparel

ineptitud f. ineptitude, incompetency, inability

inevitable inevitable, unavoidable

inexplicable inexplicable

inexpugnable impregnable; firm, obstinate

inextinguible inextinguishable; perpetual

infame infamous

infantil infantile, childlike

infatigable indefatigable, untiring

infeliz unhappy, wretched; unfortunate

infeliz *m. and f.* poor devil; unhappy one

infernal infernal

infiel unfaithful

infierno *m.* hell

infinito –a infinite, countless

inflado –a inflated

inflamado –a inflamed, flushed

influencia *f.* influence

informar to inform, advise; —se de, to acquaint one's self with; to inquire into

informe *m.* information; report; advice; *pl.* information, data; tomar —s, to investigate, secure information

infundir to infuse; to inspire with; to instil

ingeniero *m.* engineer

ingenio *m.* talent; mind; skill; — de azúcar, sugar mill, sugar plantation

ingenioso –a ingenious

ingente very large, huge, prodigious

ingerir to insert, introduce; to swallow

Inglaterra *f.* England

inglés –a English

ingreso *m.* entrance; *pl.* revenue, receipts

iniciar to initiate; to begin; —se, to be initiated; to begin

injuria *f.* offense, wrong, insult; vomitar —s, to break out into insults

injurioso –a injurious; insulting

injusticia *f.* injustice

injusto –a unjust; lo —, the injustice

inmaculado –a immaculate

inmediatamente immediately

inmemorial immemorial

inmenso –a immense; unbounded, infinite

inmoble motionless

inmoderado –a immoderate; excessive

inmortal immortal

inmotivado –a without reason *or* cause; unreasonable

inmóvil motionless; fixed

inocencia *f.* innocence

inocente innocent; harmless; simple

inocentón *m.* simpleton

inodoro –a odorless

inquietar to disquiet, worry; to vex; to stir up

inquieto –a restless; anxious, uneasy

inquietud *f.* restlessness, anxiety

inquirir to inquire; to investigate

inquisidor *m.* inquisitor

insaciable insatiable; greedy

insano –a insane

insinuación *f.* suggestion, hint

insinuar to insinuate, hint; to suggest

insistente persistent

insistir to insist; — en, to insist (on); to persist (in)

insolencia *f.* insolence

insolente insolent

insoportable unbearable, intolerable

inspector *m.* inspector, examiner; supervisor

inspiración *f.* inspiration

inspirado –a inspired

inspirar to inspire

instalar to install; to put in, set up

instancia *f.* instance; memorial;

prosecution, process (of a suit); entreaty, request; **juzgado de primera** —, civil court of primary jurisdiction

instantánea *f.* snapshot

instante *m.* instant; second; **hace un** —, a moment ago

instar to press, urge

institutriz *f.* governess; instructress

instrucción *f.* instruction; education; learning

instrumento *m.* instrument; tool

insultar to insult; to call names

integridad *f.* wholeness; integrity, honesty

íntegro –a entire, complete

intelectu (*Lat.*) understanding, intellect

intelectual intellectual

inteligencia *f.* intelligence

inteligente intelligent

intempestivo –a unseasonable, inopportune

intención *f.* intention

intendente *m.* subtreasurer; quartermaster general

intensamente intensely

intensidad *f.* intensity; vehemence

intenso –a intense, vehement, ardent

intento *m.* intent, purpose, design

interceder to intercede

interés *m.* interest; advantage; income; —es, money matters; **de** —es, financially; **por** —, for advantage, for money

interesado –a interested, concerned

interesar to interest; —se, to be interested, concerned; —se por, to take an interest in

interior interior, inner, inside; **ropa** —, underclothes

interiormente internally; inwardly

interjección *f.* interjection

intermedio *m.* interval; intermission

internar to enter; —se en, to go into the interior of

interpretar to interpret

interrumpido –a interrupted, broken

interrumpir to interrupt

intervención *f.* intervention

intervenir to intervene

intestado –a intestate

intimar to intimate, indicate, suggest; — con, to become intimate with

intimidad *f.* intimacy

íntimo –a intimate

intolerancia *f.* intolerance

intranquilo –a uneasy, restless

introducir to introduce; to put in, insert; —se en, to get in

introdujo *see* **introducir**

introduzcas *see* **introducir**

introibo ad altare Dei (*Lat.*) I will go unto the altar of God

inundar to inundate, flood

inusitado –a unusual

inútil useless; fruitless, needless

invencible invincible

inventado –a invented

invernal winter

invernizo –a winter; winterbeaten

inverosímil unlikely, improbable, unbelievable

investigador –a investigating, searching

invierno *m.* winter

invitación *f.* invitation

invitado *m.* guest

invitar to invite; to entice

involuntariamente involuntarily

involuntario –a involuntary

ir to go; to be; — **a buscar,** to go for; — **de tiendas,** to go shopping; — **en aumento,** to increase gradually; —**se,** to go, go away; —**se por el mundo,** to leave home; to lead a worldly life; **a eso vamos,** we are about to (do it); **allá van,** here they are; here goes; **allá voy,** I'm coming; ¿ **cómo te va?** how goes it? ¿ **quién va?** who is it? who goes there? **vámonos,** let's go, come; **vamos,** come; **vamos al caso,** let's come to the point; **vamos al decir,** it is a mere saying; as we say; **vamos a ver,** let's see; ¡ **vaya por Dios!** God bless you! well for Heaven's sake! **vete (vaya Vd.) con Dios,** goodbye; off with you

ira *f.* ire, anger, wrath

iracundo –a wrathful; angry

irguió *see* **erguir**

irónicamente ironically

irreflexivo –a thoughtless, impulsive

irresistible irresistible

irrespetuoso –a disrespectful

irrigador *m.* irrigator; atomizer

irritación *f.* irritation, vexation

irritado –a irritated, exasperated

Isabel la Católica (1451–1504) queen of Castile and with Ferdinand (after 1479) of Aragón

isla *f.* island

Islas Filipinas Philippine Islands

ite misa est (*Lat.*) go, the mass is ended

izquierdo –a left; left-handed

J

jabón *m.* soap

jabonar to soap

jaca *f.* pony; — **de silla,** saddle pony

Jacinto *proper name*

jactancia *f.* boasting; arrogance

jaculatoria *f.* ejaculation, short prayer

jadeante panting

jamás never; ever

jamón *m.* ham

jarcia *f.* tackle, rigging

jardín *m.* flower garden

jardinero *m.* gardener

jardinillo *m.* small garden

jarrito *m.* small jug *or* pitcher

jarro *m.* pitcher, jug, pot

jatina *f.* (*in Asturias*) little calf

jato –a *m. or f.* calf

jaula *f.* cage; bird cage

jerarquía *f.* hierarchy

jergón *m.* straw bed; large coarse mattress

Jerónimo Jerome

Jesucristo Jesus Christ

Jesus Jesus

jinete *m.* horseman, rider

Joaco *proper name*

Joaquín Joachim

jofaina *f.* washbasin, washbowl

jornada *f.* day's work; day's journey; occasion

jornalero *m.* day laborer

jota *f.* an Aragonese dance and tune

joven young

joven *m. and f.* youth; young man; young woman

jovenzuelo *m.* youngster

joya *f.* jewel

Juan John

júbilo *m.* glee, joy, merriment

judía *f.* bean, string bean; Jewess

juega *see* **jugar**

juego *m.* game; set; play, gambling; — **para el aseo,** toilet set

jueves *m.* Thursday

juez *m.* judge; justice

jugada *f.* play, act of playing; a throw, move

jugador *m.* player; gambler

jugar to play; to gamble; — **a los bolos,** to play at ninepins

jugo *m.* sap, juice; — **metálico,** cash, money

jugué *see* **jugar**

juguetón –a playful, frolicsome

juicio *m.* judgment; decision; ¿ **estás en tu** —? are you in your right mind ?

julio *m.* July

juncoso –a rushy

junio *m.* June

juntar to join, unite; to assemble; to amass, collect; —**se,** to join, meet

junto –a united, joined; together

juramento *m.* oath

jurar to swear; to take an oath

jurisprudencia *f.* jurisprudence, law

justicia *f.* justice; judge; court of justice

justillo *m.* corset cover

justo –a just; correct

juvenil youthful

juventud *f.* youthfulness, youth; young people

juzgado *m.* court of justice; — **de primera instancia,** civil court of primary jurisdiction

juzgar to judge

juzgues *see* **juzgar**

K

kilo (*for* **kilogramo**) *m.* kilogram (2.2 lbs.)

kilómetro *m.* kilometer

L

la *see* **el**

La Aldea perdida, novel (1903) of Palacio Valdés

labio *m.* lip; **despegar los** —**s,** to speak

labor *f.* labor, work; needlework, fancywork; **mozo de** —, handy man, man of all work

labrado –a wrought; hewn

labrador –a industrious

labrador –a *m. or f.* farmer; peasant

labranza *f.* tillage; farming; farm land

labrar to work; to manufacture; to till, cultivate; to build, make

labriego *m.* rustic, peasant, farmer

lacayo *m.* lackey, groom, footman

lacón *m.* (*in Galicia*) shoulder of pork

lacrimosamente tearfully

lacrimoso –a tearful

lado *m.* side; margin, edge; — **de más allá,** farther side; **al** — **de,** beside

ladrar to bark

ladrillo *m.* brick, tile

ladrón *m.* thief

lagarero *m.* wine presser; cider presser

lágrima *f.* tear; **llorar a** — **viva,** to weep bitterly

Lalita *proper name*

lamentar to lament, bemoan

lamer to lick

lámpara *f.* lamp; light

lance *m.* cast, throw; incident, episode; quarrel

landó (*Fr. landau*) *m.* landau, a four-wheeled carriage with convertible top

lanzar to throw, hurl; to utter; —**se,** to rush, dart

lápiz *m.* lead pencil

lar *m.* fireplace; *pl.* household gods, hearth, home

largamente largely; frankly; for a long time

largo –a long; **anteojos de** —**a vista,** field glass

lástima *f.* pity; compassion; ¡ —

de yerba! what a pity about that hay!

lastimeramente sadly, sorrowfully

lata *f.* tin plate; tin can; can of preserved victuals; **hoja de —,** tin plate

latido *m.* beat, throb

latigazo *m.* lash, whipping; crack of a whip

látigo *m.* whip

latiguillo *m.* small whip

latín Latin

latir to palpitate, throb, beat

latón *m.* brass

Laureano *proper name*

lavar to wash

lavativa *f.* enema

lazo *m.* bow, loop; **trap;** lasso, lariat; tie

leal loyal

lección *f.* lesson; **—es de primeras letras,** primary lessons (the three R's)

lector –a *m. or f.* reader

lechar milk-producing; **muy —,** a heavy milker

leche *f.* milk; **—** caliente, (*in Asturias*) sweet milk; **— con pan migado,** bread and milk; **— fría,** (*in Asturias*) buttermilk; **vaca de —,** milch cow

lecho *m.* bed, couch

leer to read

legitimidad *f.* legitimacy, legality

legítimo –a legitimate

legua *f.* league

legumbre *f.* vegetable

lejano –a distant, far

lejía *f.* lye

lejos far; **a lo —,** in the distance; far off; **(de) desde —,** from afar

lengua *f.* language; tongue; **hacerse —s de,** to speak in praise of; **sacar la —,** to scoff, make

fun (of); **tirar de la — a uno,** to " pump " one

lengüecita *f.* little tongue

lentamente slowly

lento –a slow

leña *f.* firewood

león *m.* lion

Leoncio *proper name*

letanía *f.* litany; list of things

letárgico –a lethargic

letra *f.* letter; hand; draft, check; *pl.* letters, learning; **lecciones de primeras —s,** primary lessons (the three R's); **maestro de primeras —s,** primary school teacher

levantar to raise; to lift; **—se,** to get up

leve light, slight

levemente lightly, slightly

leyó *see* **leer**

liar to tie, do up; to roll (a cigarette)

libar to suck, sip; to taste

libertad *f.* liberty, freedom

librar to free; **—se de,** to escape, be free from; to get rid of

libre free; easy; **al aire —,** in the open air

librea *f.* livery, uniform

librillo *m.* little book; booklet

librito *m.* small book

libro *m.* book

licencioso –a licentious, dissolute

liebre *f.* hare; coward

lienzo *m.* linen cloth; linen

ligado –a tied, bound

ligar to tie, bind, fasten

ligereza *f.* lightness; swiftness; fickleness

ligerito –a very light

ligero –a light; thin; swift, active

limitar to limit; to restrict

límite *m.* limit; boundary, border

limítrofe bounding; neighboring

limosna *f.* alms; **de** —, through charity
limpiar to clean; to wipe
límpido –a limpid, crystal-clear
limpio –a clean; **sacar en** —, to make out; to gather
lindamente prettily, neatly
lindar to border, abut
linde *m. or f.* landmark; boundary, limit
lindo –a pretty
línea *f.* line
lirón *m.* dormouse; sleepyhead
lisonja *f.* flattery
lisonjear to flatter; to delight
listo –a ready; bright, witty; **andar** —, to be wide awake; **estar** —, to be ready
literalmente literally
lívido –a livid; black and blue
lo (neuter article used before an adj.) the; — **mismo**, the same (thing); — **primero**, the first thing; — **que**, that which, what; **te pasa** — **que a mí**, you're having the same trouble as I
loar to praise, eulogize
lobo *m.* wolf
lóbrego –a murky, obscure, lugubrious
loco –a mad, insane, crazy; **volverse** —, to become crazy, lose one's mind
locuaz loquacious, talkative
locución *f.* phrase, idiom
lodo *m.* mud
lograr to gain; to procure; to attain; — (+ *inf.*), to succeed in
Lohengrin, famous opera of Wagner produced in 1850; **marcha de** —, wedding march from Lohengrin
lomo *m.* loin; back of an animal

longaniza *f.* choice pork sausage
lontananza *f.* distance; background; **en** —, far off, in the distance
losa *f.* slab, flagstone
lotería *f.* lottery; raffle
lozano –a luxuriant; sprightly; spirited
lucero *m.* morning star; any bright star; *pl.* bright eyes
lucido –a magnificent, splendid, brilliant
lucha *f.* struggle, fight
luchador *m.* wrestler; fighter
luchar to struggle, fight
luego presently, immediately; afterwards; next; later; — **de,** after; **desde** —, immediately, then; of course; **hasta** —, so long; see you later
lugar *m.* place, spot; city, town, village; space
lugarcito *m.* small place; little village
lúgubre sad, gloomy, dismal
Luis Louis; — XV (1710–1774) king of France (1715–1774)
Luisón Louie
lujo *m.* luxury
lumbre *f.* fire; light; splendor; **sacar** —, to strike (make) fire
luminoso –a luminous
luna *f.* moon, mirror; — **de miel,** honeymoon
lunch (*Eng.*) *m.* luncheon, lunch
lunes *m.* Monday
lustroso –a lustrous, shining
luz *f.* light; **ver la** —, to be published, come out

LL

llama *f.* flame
llamada *f.* call; knock

llamado –a called; named
llamar to call; to knock; — la atención, to attract attention; —se, to be named
llameante blazing
llano *m.* plain
llave *f.* key; faucet
llegada *f.* arrival
llegado –a closed (but not locked); arrived
llegar to arrive; to come; to reach; — a ser, to become; — hasta, to go as far as; llegó a entrar, she got to the point of entering; llegó a hacerse, became; mas no acababa de —, but it didn't arrive
llegué *see* llegar
llemir (*in Asturias*) to gather, harvest; to beat down chestnuts with a pole
llenar to fill
lleno –a full, filled, replete
llevar to carry; to bear; to have; to wear; to take, take away; (of time) to be; to spend; to lead; — a término, to carry out; — a uno la contraria, to oppose, contradict; — camino de, to be on the way, road; — la mano a, to reach for; — una amistad con, to be on friendly terms with; to enjoy a friendship with; — ventaja a, to have advantage over; to be ahead of; —se, to take along, carry off; ¿ dónde la llevas armada? whither in search of trouble?
llorar to weep, cry; — a lágrima viva, to weep bitterly
lloroso –a mournful, tearful
llover to rain
llueve *see* llover
lluvia *f.* rain
lluvioso –a rainy

M

macilento –a lean, emaciated
machacar to pound; to harp on
madame (*French title of courtesy for a married woman*) = señora
madeja *f.* skein; lock of hair
madera *f.* wood
madre *f.* mother
madreselva *f.* honeysuckle
Madrid, capital of Spain with about 900,000 inhabitants
madrileña *f.* Madrilenian
madrileño –a pertaining to Madrid; Madrid
madrina *f.* godmother; bridesmaid
maduro –a ripe; mature
maestro –a masterly, great, main; obra —a, masterpiece
maestro *m.* master; teacher; — de primeras letras, primary school teacher
magnánimo –a magnanimous
magnético –a magnetic
magnífico –a magnificent
magra *f.* rasher, slice of ham
maire (*Fr.*) *m.* mayor
maíz *m.* maize, corn
majadero *m.* whippersnapper; simpleton
majestuoso –a majestic, grand
majo –a gay, spruce; handsome
mal(o) –a bad; evil; ill, sick; ¡ — rayo ! hang it all ! confound it ! casa de —a vida, house of ill repute
mal badly; ill; — comido, ill nourished; a —, ill-humoredly
maldecir to damn, curse; to defame
maldito –a perverse, wicked; damned, accursed

maleante roguish

malestar *m.* indisposition

maleta *f.* valise, portmanteau

malhumorado –a ill-humored

malicia *f.* malice; suspicion; cunning

maliciosamente maliciously; suspiciously

malicioso –a malicious; wicked, knavish

malito –a ill; bad

malsano –a unhealthy, sickly; unhealthful, unwholesome

malucho –a rather bad; ailing somewhat; **andar** —, to be a bit sick

malvado –a *m. or f.* villain, knave

mamar to suck, suckle

mamón –a suckling

mancebo *m.* youth, young man; clerk

mancha *f.* stain, spot

mandar to command, order, direct; to send

mandato *m.* mandate, command

mandíbula *f.* jawbone; jaw

mandil *m.* coarse apron

manejar to manage, wield, handle; to conduct

manera *f.* manner, way, mode

manga *f.* sleeve; **en** —s **de camisa,** in shirt sleeves

mango *m.* handle, haft

manía *f.* mania

manifestar to manifest, show; to state, declare; to tell

Manín *proper name*

manina *f.* (*in Asturias*) little hand

manjar *m.* food, dish, victuals

mano *f.* hand; **a** —, nearby; at hand; **apretón de** —s, handshake; **echar** — **a,** to reach for; to lay hold of, seize; **entre** —s, on hand, in the process of carrying on *or* out; **escalera de** —,

ladder; **estrechar(se)** **la(s)** —(s), to shake hands; **llevar la** — **a,** to reach for; **petición de** —, formal request for the hand (of a lady)

manojito *m.* small bundle; bouquet

mansión *f.* habitation, mansion

manso –a tame, gentle, mild; calm; meek

manta *f.* woollen blanket

manteca *f.* lard; fat; butter; **tosta de** —, buttered toast

mantelillo *m.* little tablecloth

mantener to support; to maintain; —**se,** to remain

mantenga *see* **mantener**

mantequero –a butter-producing

mantequilla *f.* butter

mantilla *f.* mantilla; slip, infant's frock; **en** —s, in infancy

mantuviese *see* **mantener**

Manuel Emanuel

manzana *f.* apple

manzano *m.* apple tree

maña *f.* skill, dexterity; cunning; **darse** —, to contrive, manage

mañana tomorrow; later

mañana *f.* morning, morrow, forenoon; **de la** —, in the morning; **de** —, early in the morning; **por la** —, in the morning

maquiavélico –a Machiavellian (political cunning)

máquina *f.* machine, engine

mar *m. or f.* sea; flood

maravilla *f.* wonder, marvel; **a** —, marvelously; **pincha que es una** —, it hurts like anything

marcado –a marked

marcar to mark, stamp; to observe

Marcelo Marcellus, Marcel

marcha *f.* march, progress, course; (of a vessel) speed; — **de Lohengrin,** wedding march from

Lohengrin; **cerrar la —,** to bring up the rear; **en —,** let's go; **ponerse en —,** to start out

marchar to march, go; to go away, leave; to walk; to be (of health); **— viento en popa,** to sail before the wind; to be prosperous; **—se,** to go away

marchitar to wither, fade

mareado -a seasick; dizzy

marfil *m.* ivory

margen *m. or f.* margin, border; side

María Mary

Mariano Marion

marido *m.* husband

maritornes *f.* homely, ungainly maid of all work

marqués *m.* marquis

marquesa *f.* marchioness

marquesita *f.* little marchioness

marrana *f.* sow, hog

martes *m.* Tuesday

martillar (*or* **martillear**) to hammer

martirizar to martyr; to torment

marzo *m.* March

mas but

más more; most; plus; **— bien,** rather; **— grueso que delgado,** stout rather than thin; **— que,** rather than; **a — (de),** besides, in addition to; **los —,** the majority; **no — que,** only

masera *f.* kneading trough; cloth for covering the dough

masticar to masticate; to chew

mastuerzo *m.* dolt, simpleton

matar to kill; **— de hambre,** to starve

material material; coarse

maternal maternal

matinal morning

matiz *m.* tint, hue, shade

matizar to variegate, blend; to tint

matrimonial matrimonial

matrimonio *m.* marriage, matrimony; married couple; **contraer —,** to marry (get married)

matrona *f.* matron

mayo *m.* May

mayor greater; greatest; larger; largest; older; oldest; **cosa —,** a great deal; **la — parte de,** most of

mayor *m.* superior; chief clerk

mayordomo *m.* steward; manager

mayoría *f.* majority; superiority; **en su —,** principally

mayormente principally; exactly; **— perdida,** practically ruined

mazacote badly wrought

mazar to churn

mazorca *f.* ear of corn

mecer to stir; to rock

mecido -a rocked, swayed

media *f.* stocking; hose

mediado -a half-filled, half-loaded

medianamente moderately

mediano -a moderate, medium

medicamento *m.* medicine

médico *m.* doctor

medida *f.* measure; **a — que,** as, while

medio -a half; partial; middle; halfway; **—a noche,** midnight; **a — degollar,** half beheaded; **a — vestir,** half dressed; **poner aire por —,** to put distance (air) between them

medio *m.* middle, center; means; *pl.* means, method; **de por —,** between (us); **por — de,** by means of; through

mediodía *m.* noon, midday; south

medir to measure; to compare, weigh

meditación *f.* meditation

medroso -a timorous, cowardly; terrible

Méjico *m.* Mexico

mejilla *f.* cheek

mejor better, best; — **dicho,** rather; or rather; **cuanto más tiempo** —, the longer the better

mejorcito, lo —, the very best

melancolía *f.* melancholy

meloso –a honeylike, sweet; gentle

memo *m.* silly fellow

memoria *f.* memory; **de** —, by heart

mención *f.* mention

mendigo *m.* beggar

menester *m.* need, want; **ser** —, to be necessary

menestral *m.* mechanic; workman

menor smaller, less; smallest, least

menos less; least; except, but; **a (al, por) lo** —, at least; **echar de** —, to miss; **ni mucho** —, much less; **no puedo** — **de,** I can't help; **poco más o** —, more or less, about

mentar to mention, name

mentecata *f.* fool

mentir to lie; to deceive

mentira *f.* lie, falsehood; **parece** —, it's hard to believe

mentirijillas *f. pl.* **de** —, in jest

menudito –a little, small

menudo –a small, little; fine; insignificant; **a** —, frequently; **por** —, minutely, in detail

mequetrefe *m.* jackanapes, coxcomb; conceited fellow

mercader *m.* merchant

mercado *m.* market; market place

mercancía *f.* trade; merchandise, goods, wares

mercantil mercantile; **Círculo Mercantil,** Commercial Club

mercar to buy, purchase

Mercedes Mercedes

merecedor –a deserving, worthy

merecer to deserve, merit; to be worth

merecimiento *m.* merit, desert

merendar to lunch

merezco *see* **merecer**

merino *m.* merino sheep; merino wool, cloth

mermado –a decreased, reduced; shrunken

mermar to decrease, be consumed, shrink

mes *m.* month; **hace un** —, a month ago

mesa *f.* table; **poner la** —, to set the table

mesilla *f.* little table

mesita *f.* small table; stand

metal *m.* metal; brass

metálico –a metallic; **jugo** —, cash, money

metálico *m.* specie, hard cash

meter to put in, insert; enclose; — **miedo,** to inspire fear; —**se,** to go in; **se le había metido en la cabeza,** she had taken it into her head

metido –a placed; put in

método *m.* method

metro *m.* meter

mezcla *f.* mixture

mezclado –a mixed, mingled

mezclar to mix, mingle; —**se,** to mix; to take part

mezquino –a stingy, mean, miserly; needy; puny

Micaela *proper name*

miedo *m.* fear, dread; **dar** —, to be terrifying; **meter** —, to inspire fear; **tener** —, to be afraid; to be suspicious of

miel *f.* honey; **luna de** —, honeymoon

miembro *m.* member; limb

mientras while; meanwhile; — **tanto,** meanwhile

miga *f.* crumb, soft part of bread; bit

migado –**a** crumbed; **leche con pan** —, bread and milk

migar to crumb (bread)

Miguel Michael

mijita *f.* (*in Asturias*) bit, little bit

mil thousand

milagro *m.* miracle; wonder

militar military

millón *m.* million

millonario –**a** *m. or f.* millionaire

mimado –**a** spoiled, overindulged, pampered

mimar to pet, indulge; to spoil; to humor, pamper

minero *m.* miner

mínimo –**a** minimum

minorar to lessen, diminish

minuciosamente minutely, thoroughly

minuto *m.* minute

mío –**a** mine

mirada *f.* glance; gaze; **clavar una** — (**en**), to stare at; **pasear la** — **por,** to look around

miradita *f.* little glance

mirar to look, look at; to gaze, gaze upon; — **de reojo,** to look askance; ¡ **mira** ! look here !

mirlo *m.* blackbird

misa *f.* mass

misal *m.* missal, Mass book

miserable wretched

miserable *m. and f.* wretch, cur

miserablemente miserably, stingily

miseria *f.* misery, wretchedness; poverty

misiva *f.* missive

mismo –**a** same; similar, like; equal; himself, herself, itself; **ahora** —, at once, right now; **allí** —, in that very place, right there; **del** — **modo,** in the same way; **hablar para sí** —, to talk to one's self; **lo** —, the same (thing); **lo** — ... **que** ..., both ... and ...; **pagar en la** —**a moneda,** to return like for like; to return in kind

misterio *m.* mystery

misterioso –**a** mysterious

mitad *f.* half; middle, center; **partir la** —, to split the difference

mocedad *f.* youth; youthfulness

mocita *f.* lassie; little girl

moda *f.* fashion, mode, style

modernista modern

moderno –**a** modern

moderno *m.* modern

modestamente modestly

modestia *f.* modesty

modestísimo –**a** very modest

modesto –**a** modest

módico –**a** reasonable, economical; moderate

modista *f.* dressmaker, modiste

modo *m.* mode, way, manner, form; **a** — **de,** in the same manner as; like; **de este** —, in this way; **de** — **que,** so that; **de ningún** —, under no circumstances, by no means; **de tal** —, so that; so; **de todos** —**s,** nevertheless, at all events; **de un** —, in a manner, way; **del mismo** —, in the same way

mohín *m.* grimace, gesture

mohoso –**a** rusty; mouldy

mojado –**a** wet, drenched; moistened

mojar to wet, drench; to moisten; —**se,** to get wet

mojicón *m.* bun; fisticuff

moler to grind, pulverize, mill

molestar to disturb; to trouble; to annoy

molestia *f.* annoyance, bother; trouble

molesto –a annoying, vexatious; troublesome; annoyed; uncomfortable

molinero *m.* miller

molino *m.* mill

mollera *f.* crown *or* top of the head, head

momento *m.* moment; **al** —, immediately, at once; **por** —**s**, continually; every minute; any moment, soon

monada *f.* delicate little thing; ¡ **qué** — **de niña** ! what a pretty child !

monaguillo *m.* acolyte

Moncloa *f.* the *Paseo de la Moncloa,* near the *Parque del Oeste,* is a favorite promenade

moneda *f.* coin; money; **pagar en la misma** —, to return like for like; to return in kind

monísimo –a very neat; very pretty

monólogo *m.* monologue

monosílabo *m.* monosyllable

monstruo *m.* monster, monstrosity

monstruoso –a monstrous, hideous

montado –a mounted

montaña *f.* mountain

montar to mount; to set up, establish; — **a caballo,** to ride horseback; — **en,** to mount; to board; — **en cólera,** to fly into a rage; **botas de** —, riding boots

monte *m.* mountain, mount; wood, forest

montera *f.* cloth cap

montón *m.* heap, pile

montoncito *m.* little heap, pile

montura *f.* riding horse, mount

moño *m.* topknot

moral moral

moral *f.* ethics, morality

morcilla *f.* blood pudding

mordaz biting; sarcastic; keen

morder to bite

morenita *f.* brunette

moreno –a brown; swarthy; brunette

morir to die; to stop

moro *m.* Moor

mortal mortal; very seriously ill, at the point of death

mortecino –a pale, subdued

Moruca " Blackie " (from **mora,** blackberry)

mosca *f.* fly; cash; money in hand; **soltar la** —, to give (spend) money

mostrar to show; to point out; —**se,** to appear

mote *m.* motto; nickname

motivo *m.* motive, reason

mover to move; to shake; —**se,** to move

movimiento *m.* movement

moza *f.* young girl, lass; — **de cántaro,** water-girl; fat, bulky woman

mozalbete *m.* lad, youth

mozallón *m.* young, robust laborer; strapping young fellow

mozo *m.* youth; waiter, porter; — **de labor,** handy man, man of all work; **buen** —, goodlooking

muchacha *f.* girl

muchacho *m.* boy

muchísimo –a very much, exceedingly

muchito *m.* (a coined word) a good deal, " heap," " plenty "

mucho –a much, a great deal (of); long (time); *pl.* many; —**as gracias,** thank you; —**as veces,** frequently, often; — **tiempo,** a long time; **ni** — **menos,** much less; (**ni**) **poco ni** —, (not) at all

mudo –a dumb; silent; mute

mueble *m.* piece of furniture; *pl.* furniture, household goods

mueca *f.* grimace, wry face
muela *f.* tooth; molar
muelle *m.* spring; pier, wharf
muerda *see* **morder**
muero *see* **morir**
muerte *f.* death; **de** —, intensely
muerto *see* **morir**
muestra *f.* specimen, sample; sign, indication
muestra *see* **mostrar**
mugido *m.* lowing of cattle, moo
mugir to low, bellow, moo
mugriento –a dirty, filthy
mujer *f.* woman, wife
mujercita *f.* little woman
mujerina *f.* (*in Asturias*) little woman
mujeruca *f.* little old woman; old hag
mula *f.* mule; — **de alquiler,** hired mule
mulo *m.* mule
multiplicar to multiply
multitud *f.* multitude
mundano –a mundane, worldly
mundo *m.* world; — **elegante,** fashionable society; **irse por el** —, to leave home; to lead a worldly life; **pagarlo con todo el** —, to make everybody suffer for it; **todo el** —, everybody
municipal municipal; **guardia** —, policeman
municipio *m.* municipality
muñeca *f.* wrist; doll
murmuración *f.* gossip
murmurar to murmur; to grumble; to mutter; to whisper; to gossip
muro *m.* wall
música *f.* music
mutismo *m.* muteness, silence
muy very, greatly, most

N

nabab *m.* nabob
nacer to be born
nacido –a born
nacional national
nada nothing, anything; not at all; — **de declaraciones,** nothing in the way of proposals; — **entre dos platos,** much ado about nothing; **de** — **le servían,** availed her nothing
nadie nobody, no one, none; anybody
Napoleón, Napoleon Bonaparte (1769–1821), emperor of France (1804–1814 and March-June, 1815)
napoleónico –a Napoleonic
nariz *f.* nose; nostril; *pl.* nose, nostrils; **dar con la puerta en las narices,** to slam the door in one's face
narración *f.* narration, narrative, account
narrar to narrate, relate, tell
narvaso *m.* (*in Asturias and Santander*) cornstalks (as fodder)
natal natal, native
natural natural; native; **al** —, without art or affectation
naturaleza *f.* nature
naturalidad *f.* naturalness
naturalista naturalistic; *m. and f.* naturalist
naturalmente naturally; of course
náufrago *m.* shipwrecked person
nauseabundo –a nauseating
navaja *f.* razor; clasp knife
nave *f.* ship; nave
Nazario *proper name*
neblina *f.* mist, fog
necesario –a necessary
necesidad *f.* necessity; need, want; **tener** — **de,** to be obliged

necesitado –a poor, needy; **verse
— a,** to find it necessary
necesitar to need
necio –a *m. or f.* fool
negar to deny; to refuse; to forbid, prohibit; **—se a,** to refuse
negativo –a negative
negociar to trade, do business
negocio *m.* occupation, business; affair; *pl.* business; **hombre de —s,** business man
negrísimo –a very black
negro –a black; dark; **vómito —,** yellow fever
negrura *f.* blackness
nena *f.* infant, baby; darling
nervio *m.* nerve
nerviosidad *f.* nervousness
nervioso –a nervous; vigorous
neurasténico –a neurasthenic
nevada *f.* snowfall
ni neither, nor; not even; **— siquiera,** not even
niebla *f.* fog, mist, haze
niega *see* negar
nieta *f.* granddaughter
nieto *m.* grandson
nieve *f.* snow
ninfa *f.* nymph; young lady
ningún(o) –a, no, none, not one, not any; **de — modo,** under no circumstances, by no means
niña *f.* child, girl; **¡ qué monada de —!** what a pretty child !
niñez *f.* childhood, infancy
niño *m.* child; **de —,** as a child
nivel *m.* level
no, no, not
noble noble
noblemente nobly, generously
nobleza *f.* nobility
nocturno –a nocturnal, night; lonely and sad
noche *f.* night; **—s en claro,** sleepless nights; **buenas —s,** good night (evening); **camisón de —,**

nightgown; **de —,** by night; **esta —,** tonight; **hasta la —,** until tonight; **media —,** midnight; **por la —,** during the night; at night; in the evening; **traje de —,** evening gown
nogal *m.* walnut tree
Nolo *proper name*
nombrado –a named; appointed
nombrar to name; to appoint
nombre *m.* name
norte *m.* north
nostalgia *f.* homesickness
nota *f.* note
notable remarkable, notable, striking, conspicuous; distinguished
notablemente notably, strikingly
notar to note, notice
noticia *f.* news; notice; **¡ — fresca !** that's (not) news ! **dar —,** to notify
noticiar to notify, inform
notificar to notify
novedad *f.* novelty; latest news; danger, trouble
novela *f.* novel
novelesco –a novelistic
novelista *m. and f.* novelist
novelita *f.* novelette
novelón *m.* weighty tome
noventa ninety
novia *f.* bride; fiancée
noviazgo *m.* engagement
noviembre *m.* November
novilla *f.* young cow, heifer
novio *m.* bridegroom, fiancé; suitor; **viaje de —s,** wedding trip
nubarrón *m.* large, threatening cloud
nube *f.* cloud
nubecilla *f.* little cloud
nublar to cloud, darken; to obscure; **—se,** to become cloudy
nudo *m.* knot; joint; tie

nuestro –a our; la —a, ours
Nuestro Señor Our Lord
nuevamente again
nueve nine
nuevo –a new; de —, again
nuez *f.* walnut; cáscara de —, walnut shell
número *m.* number
numeroso –a numerous; (of a city) densely populated
numismático *m.* numismatist (expert in the science of coins and medals)
nunca never; ever

O

o or, either
obedecer to obey
obedezco *see* obedecer
obediencia *f.* obedience
obediente obedient
obispo *m.* bishop
objeto *m.* object
oblicuo –a oblique, slanting
obligación *f.* obligation, duty; de —, obligatory
obligado –a obliged; obligatory
obligar to force, compel; to oblige
obra *f.* work; — maestra, masterpiece
obrero *m.* worker, workman
obsequio *m.* obsequiousness; courtesy
obsequioso –a obsequious; obedient; obliging
observación *f.* observation; remark
observar to observe
obstáculo *m.* obstacle
obstante, no —, notwithstanding; nevertheless, however
obstinación *f.* obstinacy, stubbornness

obstinado –a obstinate, stubborn, headstrong
obstinarse to be obstinate; to persist
obtener to obtain, attain; to maintain
obtuvo *see* obtener
ocasión *f.* occasion; chance, opportunity; en —es, at times
ocasionar to cause, occasion; to move; to jeopardize
ociosidad *f.* idleness, leisure
ocultar to hide, conceal
ocupante *m.* occupant
ocupar to occupy; to take possession of; to fill, hold; —se, (de, en), to busy one's self (with); to pay attention (to)
ocurrir to occur, happen; —se, to occur (to one) .
ochavo *m.* small brass coin
ochenta eighty
ocho eight
odiar to hate
odio *m.* hatred
odioso –a odious, hateful
odre *m.* wine skin (usually of a goat); churn
ofender to offend; to make angry; —se, to take offense
oficial official
oficiala *f.* trained workwoman; forewoman; saleswoman
oficio *m.* work, occupation; office, function
ofrecer to offer, to present; to manifest; no ofrece duda, there is no doubt; ¿ qué se le ofrecía? what is it? what did you want?
ofrezco *see* ofrecer
ofuscar to dazzle; to blind; to confuse
¡ oh ! O ! oh !
oído *m.* ear; decir al —, to whisper; hablar al —, to whisper in one's ear

oiga *see* oír
oír to hear; to listen
ojeada *f.* glance, glimpse
ojito *m.* little eye
ojo *m.* eye; — de la cerradura, keyhole; —s saltones, bulging eyes
ola *f.* wave
oler to smell; — a, to smell of
olfatear to smell, scent, sniff
olfato *m.* smell
olímpico –a Olympic
Olimpo Olympus
olor *m.* smell; odor, fragrance
oloroso –a fragrant
olvidar to forget; —se de, to forget
ominoso –a ominous, foreboding ill
once eleven
onomástico –a onomastic; of or pertaining to names; fiesta —a, name day
ópalo *m.* opal
operación *f.* operation, action
operario *m.* hand; operator
opinar to judge, be of the opinion
opinión *f.* opinion
opondría *see* oponer
oponer to oppose; to hinder; to object to ; —se, to oppose, object
oportuno –a seasonable, opportune
oposición *f.* opposition
oprimido –a, oppressed
oprimir to oppress; to press, push; to weigh down
opulencia *f.* opulence
opulento –a opulent, wealthy
opuse *see* oponer
oración *f.* oration; orison, prayer
oráculo *m.* oracle
orador *m.* orator
oral oral
orbayo *m.* (*in Asturias*) drizzle; fine rain, mist

orden *f.* order, command; *pl.* orders, instructions
orden *m.* order; class; relation; salir del — creado, to be inconceivable
ordenado –a arranged, planned
ordenar to arrange; to plan; to order, command
ordeñado –a milked; drawn
ordeñar to milk; vuelta a —, back to milking
ordinariamente ordinarily, usually
ordinario –a ordinary
oreja *f.* ear (external)
organismo *m.* organism
órgano *m.* organ
orgullo *m.* pride; echar —, to become proud
orgulloso –a proud; haughty; conceited
origen *m.* origin, source
original original; novel
originar to originate, create
orilla *f.* border; edge; bank (of a river); shore; — de, along, on the banks of, along the shore (edge) of; a —s de, on the banks of
orlado –a bordered
ornado –a ornamented, ornate
oro *m.* gold
osar to dare, venture
oscuras, a —, in the dark
oscurecer *m.* twilight, nightfall
oscurecer to obscure, darken; to dim; to grow dark
oscurezcas *see* oscurecer
oscuridad *f.* darkness
oscurito –a a little dark, rather dark
oscuro –a dark; gloomy; el — y brillante, the glossy darkness
ostensible ostensible, apparent
ostentar to show, exhibit; to boast
otoño *m.* autumn, fall

otorgar to consent, agree to; to grant

otro –a another, other; —a cosa, something else, anything else; —a vez, again; —as cuantas, a few more; —as veces, on other occasions; —(s) tanto(s), as much (as many) more; en — tiempo, formerly, in former times; entre los unos y los —s, among them, between them; los —s, others; una y —a vez, again and again; uno(s) y —(s), both, all of them

ovetense m. native of Oviedo

Oviedo, city in the province of Oviedo (Asturias); about 69,000 inhabitants

oye see oír

P

pacer to graze; to gnaw, nibble

paciencia f. patience

pacífico –a peaceful; mild, gentle

pación f. (in Asturias) second growth (of grass); rowen

Paco Frank

Pacho proper name

padecer to suffer

padre m. father; pl. parents

padrino m. godfather; groomsman, best man; pl. best man and bridesmaid

pagado –a paid; satisfied; conceited; estar — de, to be conceited about

pagar to pay; to reward; — en la misma moneda, to return like for like; to return in kind; —lo con todo el mundo, to make everybody suffer for it

página f. page

pague see pagar

país m. country

paisaje m. landscape

paisanaje m. peasantry; being of the same country

paisanín m. (in Asturias) countryman, fellow countryman

paisano m. fellow countryman, compatriot; peasant, farmer

paisanuco m. hypocritical peasant

paja f. straw; chaff

pajar m. barn, straw loft; hay loft

pajarito m. little bird

pájaro m. bird

pala f. shovel; blade of a hoe or spade

palabra f. word; speech; con — entrecortada, in a hesitating voice; dar —, to give one's word; dirigir la — (a), to address, speak to; las —s no querían salir, the words refused to come out

palabrita f. few words; short word or expression full of meaning

palacio m. palace

paladear to taste with pleasure; to relish

palidez f. paleness, pallor

pálido –a pale; ponerse —, to turn pale

palisandro m. rosewood

palito m. small stick

palitroque m. rough little stick

paliza f. cudgelling, caning; cada —, such beatings

palma f. palm tree; palm (of the hand)

palmatoria f. small candlestick

palmo m. span (8 inches)

palo m. stick, cudgel; club, pole; pl. blows, cudgelling

palomina f. (in Asturias) young pigeon; dear child

palpar to feel (of); to touch; to grope in the dark

palpitar to palpitate, beat, throb

pan m. bread; — de escanda, whole wheat bread; ganarse el

pan, to earn one's living; leche con — migado, bread and milk; ser un pedazo de —, to be as good as gold

pana f. corduroy

pandero m. tambourine

pandilla f. party, faction; gang

panneau m. (Fr., pl. panneaux) panel

panoja f. ear of corn

pantagruélico –a Pantagruelian, pertaining to Pantagruel, gigantic son of Gargantua

pantalón m. trousers; —es, trousers

paño m. cloth; woollen stuff

pañolín m. (in Asturias) shawl; kerchief

pañolito m. kerchief

pañolón m. large square shawl

pañuelo m. handkerchief; kerchief

papá m. papa

papel m. paper; — de fumar, cigarette paper; hacer —, to play a rôle, part

paquete m. package

par m. pair, couple; team; a la —, at par; de — en —, wide open; sin —, inimitable

para for, too, in order to, toward; — servir a usted, at your service; estar —, to be about to

parada f. stop; stay; halt; parade

paraguas m. umbrella

paraíso m. paradise

paraje m. place, spot; condition, state

paralelamente parallel to

paralizar to paralyze; to impede

parar(se) to stop; —se en firme, to stop short

parecer m. opinion; look, appearance; al —, seemingly, to all appearances

parecer to appear; to seem; —se (a), to resemble; me parece (que sí), I think (so); parece mentira, it's hard to believe

parecido –a found; similar; — a, resembling, like; bien (mal) —, good- (bad-) looking

parecido m. resemblance, likeness; guardar — con, to resemble

pared f. wall

paredilla f. little wall

pareja f. pair; couple; dancing partner

parentela f. kindred, kinsfolk, relatives

parentesco m. kindred, relationship; tie

parezco see parecer

pariente –a m. or f. relative

parihuela f. handbarrow; litter

parir to give birth, bring forth young

París Paris

paroxismo m. paroxysm, fit

parrafito m. little paragraph

párrafo m. paragraph; echar un —, to converse; to chat

párroco m. parson; cura —, parish priest

parroquia f. parish, parochial church; congregation and clergy of a parish

parroquial parochial

parroquiano m. parishioner; customer, client

parte f. part; share; place, spot; — de arriba (abajo), upper (lower) part; dar —, to inform, notify; en —, partly, in part; en todas —s, everywhere; la mayor — de, most of; por otra —, on the other hand; por su —, on his part

participar to inform, notify; to announce; to participate

particular particular, peculiar, special; **de —,** unusual

particularmente particularly; especially

partido *m.* party; advantage, profit; **sacar — de,** to turn to advantage, take advantage of

partir to split; to divide; to depart, leave; to originate, start; **— la mitad,** to split the difference

parto *m.* childbirth; newborn child; **estar de —,** to be in childbed

parva *f.* heap of hay (corn); light breakfast (usually a piece of bread and a small glass of brandy)

pasado –a past; **el año —,** last year; **huevo — por agua,** soft-boiled egg

pasaje *m.* passage

pasajero –a passing, transient

pasar to pass; to cast; to spend; to go in, come in; to happen; to suffer; to live; to exceed, be over; **— recado,** to announce; **le pasó sobre los hombros,** put over her shoulders; **pasando a ser,** by becoming; **¿ qué le pasa a . . . ?** what is the matter with . . . ? **¿ qué pasa?** what is the matter? **te pasa lo que a mí,** you're having the same trouble as I

pascua *f.* each of the Church holidays: Easter, Twelfthnight, Pentecost and Christmas; **contento como unas —s,** as happy as a king

pase *m.* pass; stroke

paseante *m.* walker, pedestrian

pasear to take a walk; to ride or sail for pleasure; to promenade; **— la mirada por,** to look around;

—se, to take a walk; to pace up and down

paseo *m.* walk; stroll; drive; ride; promenade; **dar un —,** to take a walk

pasión *f.* passion; sentiment

pasivamente passively

pasivo *m.* liabilities

pasmado –a astounded

pasmo *m.* spasm; astonishment; wonder; amazement

pasmoso –a marvellous, wonderful

paso *m.* step; pass, way; gait, walk; **abrir(se) —,** to make (one's) way; **al —,** going along; in passing; **apretar el —,** to quicken one's step; **dar los primeros —s,** to take the first steps; to learn to walk; **dar un —,** to take a step; **enderezar los —s,** to make one's way; **volver sobre los —s,** to retrace one's steps

pasta *f.* paste

pastor *m.* shepherd; herdsman; pastor

pastoral pastoral, rural, rustic

pastorcito *m.* little shepherd

pastoreo *m.* pasturing, tending flocks

pastoril pastoral

pata *f.* duck; foot (of an animal)

patata *f.* potato

patear to kick; to stamp the foot

patillita *f.* small foot; *pl.* side whiskers

patinador *m.* skater; skier

pato *m.* duck, drake

patria *f.* native country

patricio –a patrician

patrimonio *m.* patrimony, inheritance

paulatinamente gradually, by degrees

pausa *f.* pause; delay; repose; slow pace

pavimento *m.* pavement

paz *f.* peace

peatón *m.* walker, pedestrian; postman; **andén de los —es,** sidewalk

pecadillo *m.* slight sin, little sin

pecado *m.* sin; guilt

pecador *m.* sinner; offender

pececito *m.* little fish; **— coloradito,** little goldfish

pechera *f.* shirt bosom

pecho *m.* chest; breast; bosom; heart

pechuga *f.* breast (of a fowl)

pedagógico –a pedagogical

pedazo *m.* piece, bit; **ser un — de pan,** to be as good as gold

pedernal *m.* flint

pedir to ask (for), request, solicit; to demand; **— prestado,** to borrow; **entró pidiendo,** he began by asking

pedregoso –a stony, rocky

pegado –a stuck, glued, close

pegar to stick; to unite, fasten; to sew on, pin; to attach; to give; to hit, slap; **— un bocado a,** to bite into, take a bite of

pegote *m.* sticking plaster; thickening

peinado *m.* hairdressing; coiffure

peinar to comb *or* dress (the hair)

peine *m.* comb

pelagato *m.* ragamuffin; poor wretch

pelar to cut *or* pull out the hair of; to pluck; to skin, peel; to rob

peldaño *m.* step of a staircase

pelear to fight; to quarrel; to toil, struggle

peligro *m.* danger, risk

peligroso –a dangerous

pelo *m.* hair; **hidalgo de poco —,** poor nobleman

pellejo *m.* skin; pelt; wine skin

(usually, the entire skin of a goat); **lo que es a mi en tu —..., as for me, if I were in your place ...

pellizcar to pinch

pena *f.* pain; sorrow; trouble; pity; **da —,** it's pitiful; it grieves

penacho *m.* tuft (of feathers, leaves); crest

pendanga *f.* strumpet; shrew

pender to hang; to dangle; to depend

pendiente hanging; dangling

pendiente *m.* earring, pendant

penetración *f.* penetration; sagacity

penetrante penetrating; piercing; keen

penetrar to penetrate, pierce; to enter

península *f.* peninsula

penoso –a painful; laborious; distressing

pensado –a deliberate, premeditated; thought out; **el día menos —,** when least expected, " some fine day "

pensamiento *m.* mind; thought, idea

pensar to think; to expect; **— en,** to think of (about, over); to intend

pensativo –a pensive, thoughtful

peor worse; worst

Pepa Josie

Pepe Joe

pequeñín –a (*in Asturias*) very little, tiny

pequeño –a little, small

peral *m.* pear tree; pear orchard

percal *m.* percale, muslin, calico

percatar to think, consider; to beware

percibir to perceive; to see; to hear; to receive, collect

percha *f.* perch; clothes rack; roost

perder to lose; to ruin; to betray; — **cuidado,** not to worry; — **de vista,** to lose sight of

pérdida *f.* loss; privation; damage

perdidamente desperately; uselessly

perdido –a lost; ruined; **mayormente** —a, practically ruined

perdón *m.* pardon, forgiveness

perdonado –a pardoned; forgiven

perdonar to pardon

perenne perennial, perpetual

perentorio –a peremptory; urgent

pereza *f.* laziness

perezosamente lazily

perezoso –a lazy, idle

perfección *f.* perfection; beauty, grace

perfectamente perfectly; very well (health)

perfecto –a perfect

perfil *m.* profile; outline

perfumado –a perfumed

perfumar to perfume

pergeñar to prepare, make (perform) skilfully

Perico Pete

perífrasis *f.* periphrasis, circumlocution

perilla *f.* small pear; — **de goma,** rubber bulb

periódico *m.* newspaper; **chico de los** —s, newsboy

período *m.* period, stage

perita *f.* small pear; — **de goma,** rubber bulb

perjudicar to damage, hurt, injure

perla *f.* pearl; **de** —s, much to the purpose; fitting to a tee

permanecer to remain

permanente permanent, lasting

permitir to permit, allow

pernicioso –a pernicious; injurious, harmful

pero but, except, yet

perpetuar to perpetuate

perplejo –a uncertain, perplexed

perro *m.* dog

persecución *f.* persecution; pursuit

perseguir to pursue; to persecute; to importune

persistente persistent

persistir to persist

persona *f.* person; — **de confianza,** trustworthy person

personita *f.* little person

perspicacia *f.* perspicacity, acumen

perspicaz acute, sagacious

persuadido –a persuaded

pertenecer to belong; to concern; to behoove

pértigo *m.* carriage; plow beam

pertinaz pertinacious, obstinate, opinionated

perverso –a perverse, wicked

pesadamente heavily; sorrowfully; slowly

pesadilla *f.* nightmare

pesadísimo –a very heavy; very tiresome; very dull

pesado –a heavy; tiresome; annoying

pésame *m.* condolence

pesar to weigh; **a** — **de,** in spite of; **pese a quien pese,** whatever anyone says; let them say what they will

pesca *f.* fishing

pescador *m.* fisherman

pescante *m.* coach box; driver's seat

pescar to fish; to catch ›

pescuezo *m.* neck

pesebre *m.* crib, rack; manger

peseta *f.* silver coin (par value $.193); **de a** —, at a peseta

peso *m.* dollar; (silver coin = five pesetas); weight

pesque *see* pescar
pestaña *f.* eyelash
pestañear to wink; to blink
petición *f.* petition, demand, claim;
— de mano, formal request for
the hand (of a lady)
petrificado –a petrified
piadoso –a pious; merciful
piano *m.* piano
picado –a pricked; piqued, hurt;
minced, chopped
picadura *f.* pricking; sting; cut
tobacco
picar to prick, pierce; to sting,
bite; to mince, chop; — espuela a, to spur
pícara *f.* rogue, rascal
picardía *f.* knavery, roguery; malice
picarescamente roguishly, ras-
cally
picaresco –a roguish, knavish
picarilla *f.* little rascal
pico *m.* beak *or* bill of a bird; brim
of a hat; de — caído, with
drooping brim *or* visor; de —
en —, from peak to peak
picotear to strike with the beak; to
peck
pidiendo *see* pedir
pie *m.* foot; trunk (of trees and
plants); a —, on foot; en *or* de
—, standing; poner los —s, to
set foot; ponerse en —, to get
(stand) up
piedra *f.* stone; flint; rock; — de
afilar, whetstone
piel *f.* skin; hide, pelt; leather;
fur
piensa *see* pensar
pienso *m.* daily feed given to
horses
pierda *see* perder
pierna *f.* leg
piesco *m.* (*in Asturias*) peach
pieza *f.* piece; room

pilongo –a peeled and dried (chestnuts)
pillo *m.* knave, rascal; petty thief;
¡ canasto de —s! pack of rascals!
Pin *proper name*
pinar *m.* pine grove; pine tree
pinchar to prick, puncture; to
hurt; pincha que es una maravilla, hurts like anything
Pinón *proper name*
Pinta " Spotty " (from pinta,
spot, mark)
pintado –a painted; depicted
pintar to paint
pintorescamente picturesquely
pintoresco –a picturesque
pipa *f.* cask, hogshead
piramidal pyramidal
pirata *m.* pirate; cruel wretch
piropo *m.* compliment, flattery
pisar to tread on, trample
piso *m.* floor, pavement; story (of
a house)
pisotear to trample, tread under
foot
placentero –a merry, pleasant
placer *m.* pleasure
placer to please, gratify, humor;
—se, to delight
plácidamente placidly
plan *m.* plan; design, scheme
planchar to iron; to press (clothes)
plano *m.* plane; level
planta *f.* sole of the foot; plant;
— baja, ground floor
plantado –a standing; standing
pat
plantar to plant; to erect; to
place; —se, to stop, halt; to
make a stand
plañidero –a mournful, weeping,
moaning
Plasencia, Casto, Spanish painter
(1851–1904)
plata *f.* silver

plática *f.* talk, chat, conversation; lecture, sermon

plato *m.* plate, dish; **nada entre dos —s,** much ado about nothing

plausible plausible

plaza *f.* plaza, square; market place; **rendir la —,** to make the conquest

plazo *m.* term, time

plazoleta *f.* small square

plebeya *f.* plebeian

plebeyo –a plebeian

plenitud *f.* plenitude, fullness, abundance

pleno –a full, complete; **respirar a —s pulmones,** to breathe deeply

pliego *m.* sheet (of paper)

plomizo –a lead-colored

pluma *f.* feather; pen

plutocracia *f.* plutocracy

población *f.* population, city, town, village

poblado –a populated, inhabited

poblar to populate, people

pobre poor

pobre *m. and f.* poor person; beggar; poor thing

pobrecilla *f.* poor little thing

pobrecita *f.* poor little thing; poor girl

pobrecito *m.* poor little thing

pobremente poorly

pobreza *f.* poverty

pobrina *f.* (*in Asturias*) poor (little) thing

pobrísimo –a very poor; very barren

pocilga *f.* pigsty, hog pen; dirty place

poco –a little, scanty; few, some; **—a cosa,** a trifling sum; very little; **—as veces,** infrequently, seldom; **al — rato,** in a little while; **al — tiempo,** in a little

while; **hidalgo de — pelo,** poor nobleman

poco little; in a short time; **— a —,** little by little, gradually; **— corriente,** unusual; **—hemos de poder,** we shall know the reason why, *Lit.,* we shall be able (to do) little; **— más o menos,** more or less, about; **(ni) — ni mucho,** (not) at all; **a —,** shortly (after), presently; **a — se desmaya,** she almost fainted; **antes de —,** before long; **hacía —,** shortly before; **por —,** almost, nearly; **un — más allá,** a little farther on

poder *m.* power, authority; command; possession

poder to be able; can, may; **no — con,** not to be able to manage; **no — menos de,** cannot but, cannot help; **no puedo más,** I'm exhausted; **poco hemos de —,** we shall know the reason why, *Lit.,* we shall be able (to do) little; **puede que,** it may be that; **¿se puede?** may I come in?

poderosamente powerfully; greatly

poderoso –a powerful, mighty; wealthy

podrido –a rotted

poema *m.* poem

poeta *m.* poet

poético –a poetic(al)

polka *f.* polka (dance of Polish origin)

pollino *m.* donkey, ass

pollo *m.* chicken; young man

pomada *f.* pomade; salve

pomar *m.* orchard (especially of apple trees); apple tree

pomarada *f.* apple orchard

Pompadour, la (Jeanne Antoinette Poisson le Normant d'Étioles,

1721-1764) a favorite of Louis XV

ponderar to ponder; to praise

pondrás *see* **poner**

poner to put, place, lay; to make; — **aire por medio,** to put distance (air) between them; — **como una breva,** to tame; to make as soft as a glove; — **en comunicación,** to communicate; — **la mesa,** to set the table; — **los pies,** to set foot; — **reparos,** to make objections; —**se,** to become; get (angry); —**se a,** to begin; —**se en marcha,** to start out; —**se en pie,** to get (stand) up; —**se pálido,** to turn pale; —**se rojo,** to turn red; to blush; —**se seria,** to become serious; **no me pongas cara de** ..., don't look at me like ...

ponga *see* **poner**

popa *f.* poop; stern; prosperity; **marchar viento en —,** to sail before the wind; to be prosperous

popular popular

populoso –a populous

poquito *m.* a wee bit

por by; for; through, along, across; on; in, during; — **ahí,** around here, there; — **ahora,** for the present; — **aquellos días,** about that time; — **ciento,** per cent; — **cierto,** certainly, surely; — **cima de,** above; at the very top of; — **de contado,** of course; — **delante (de),** in front (of); — **el (lo) contrario,** on the contrary; — **el extranjero,** abroad; to a foreign country; — **ello,** therefore; as a result; — **eso,** therefore, that's why; — **fin,** finally; at last; — **hablar algo,** (in order) to say something; — **interés,** for advantage, for money; —

la mañana, in the morning; — **la noche,** during the night; at night; — **la(s) tarde(s),** in the afternoon; — **lo visto,** apparently; — **momentos,** continually; every minute; any moment, soon; — **poco,** almost, nearly; — **si,** in case

pordiosero *m.* beggar

porfía *f.* obstinacy; instance; **a —,** vying with each other; insistently

pormenor *m.* detail

por qué why

porque because

portal *m.* porch, entry; entrance

portar to carry; to behave

portátil portable

portera *f.* janitress

portero *m.* porter, janitor

portezuela *f.* little door; carriage door

pórtico *m.* porch; hall; lobby, vestibule

portilla *f.* gate; gateway; porthole

porvenir *m.* future

pos, en — de, after, behind; in pursuit of

poseedor *m.* possessor, owner

poseer to hold, possess, own

posesión *f.* possession; property

posible possible; **el tiempo —,** as long as possible; **lo más pronto —,** as soon as possible

posición *f.* position, station

positivo –a positive; absolute; real; practical

postrimería *f.* last stage of life; —**s,** last days

postura *f.* posture, position

pote *m.* jug; pot; jar; (*in Asturias*) stew

potencia *f.* power, capacity

potro *m.* colt; wooden horse, rack; anything that torments

práctico –a practical; skilful, experienced

pradera *f.* meadow

pradería *f.* meadow

pradín *m.* (*in Asturias*) little meadow, field, lot; — (**prado**) **de arriba,** upper lot, field

pradiquín *m.* (*in Asturias*) little meadow, field

pradito *m.* little meadow, field

prado *m.* lawn; field, pasture ground; — **abajo,** down the field; — **de arriba,** upper lot *or* field

praduco *m.* little field, meadow

precario –a precarious

precaución *f.* precaution

preceder to precede

precio *m.* price

preciosa *f.* dear one

preciosidad *f.* beautiful object; beauty

precioso –a precious; beautiful

precipitado –a precipitate, hasty

precipitar to precipitate; to rush, hasten; —**se,** to throw one's self headlong; to rush

precisamente precisely, exactly; necessarily

preciso –a necessary; indispensable; precise, accurate; clear

preconizado –a praised, eulogized; preconized

predicar to preach

predilección *f.* predilection

preferencia *f.* preference, choice

preferible preferable

preferido –a preferred, favored

pregunta *f.* question; **hacer una** —, to ask a question

preguntar to inquire, ask; — **por,** to ask for (a person); to inquire about

prelado *m.* prelate

prematuro –a premature

premio *m.* prize

prender to seize, grasp; to take (catch) fire; to pin, fasten

preñado –a pregnant; with calf

preocupación *f.* preoccupation, worry

preocupado –a preoccupied; worried

preocupar to preoccupy; —**se,** to worry

preparación *f.* preparation

preparado –a prepared, ready

preparado *m.* preparation, compound

preparar to prepare

presa *f.* capture, seizure; prey; flume, mill race

presbítero *m.* priest; presbyter

prescripción *f.* prescription

presencia *f.* presence

presenciar to witness, see; to attend

presentar to present; to introduce; to show; to give; —**se,** to appear, present one's self

presente present; **a la hora** —, at the present time; **de** —, now; **tener** —, to bear in mind

presentimiento *m.* presentiment; misgiving

presidir to preside (over); to govern

presión *f.* pressure

preso –a imprisoned, seized

preso *m.* prisoner; convict

prestado –a lent, loaned; **pedir** —, to borrow

prestamista *m.* money lender; pawn broker

prestar to lend; to loan; to render; —**se,** to lend one's self; to submit; to offer

presteza *f.* quickness, promptness, haste

prestigio *m.* prestige

presto soon, quickly

presumir to presume, surmise; to boast

presunción *f.* presumption, conjecture; presumptuousness, conceit

presuroso –a prompt, quick

pretender to pretend; to try, attempt

pretensión *f.* pretension, claim; presumption

pretextar to give as pretext, pretend

pretexto *m.* pretext

Prety (*for* Pretty) *name of Gustavo's horse*

prevención *f.* prevention; foresight; warning; a —, by way of precaution

prevenir to prepare; to foresee; to prevent, avoid

prever to foresee, anticipate

previamente previously

previsto *see* prever

primavera *f.* spring

primer(o) –a first; —a cura, first aid; a (las) —a(s) hora(s), earlier; at an early hour; (billete de) —a, first-class ticket; dar los —s pasos, to take the first steps; to learn to walk; hasta s, until the beginning; juzgado de —a instancia, civil court of primary jurisdiction; lecciones de —as letras, primary lessons (the three R's); lo —, the first thing; los —s tiempos, the early times; maestro de —as letras, primary school teacher

primita *f.* little cousin

primitivo –a primitive

primo –a *m. or f.* cousin; —a hermana, first cousin

primoroso –a neat, elegant, exquisite; beautiful

principado *m.* princedom; principality

principal principal, chief; important; illustrious

principal *m.* principal; chief

principalmente principally, mainly

príncipe *m.* prince

principiar to begin

principio *m.* beginning; al —, at first

prisa *f.* haste, dispatch; a toda —, with the greatest speed; de —, in a hurry, quickly

pristino –a pristine; original

privar to deprive; to prohibit, forbid

privilegiado –a privileged

probable probable, likely

probar to try, test; to prove; to taste; to try on; to agree with, suit

problema *m.* problem

procaz impudent, bold

proceder *m.* conduct, behavior, action

proceder to proceed; to behave; to issue; to arise

prócer *m.* person in an exalted station, worthy; *pl.* grandees

proclamar to proclaim

procurador *m.* attorney, solicitor

procurar to endeavor, try; to manage; to obtain

prodigar to lavish; to squander; to supply (lavishly)

prodigioso –a prodigious

prodigues *see* prodigar

producir to produce; to yield; to bear; —se, to be produced; to arise; to result

producto *m.* product; article

productor –a productive

produjesen *see* producir

proeza *f.* prowess, feat

profecía *f.* prophecy

proferir to utter, speak

profirió *see* **proferir**
profundamente profoundly, deeply
profundo -a deep; profound; intense
prohibir to prohibit, forbid
prolijamente prolixly, tediously; minutely
prolijo -a prolix, lengthy
prolongadamente protractedly, long
prolongar to prolong; to extend, continue
promesa *f.* promise
prometer to promise, offer
prometido *m.* betrothed
pronto -a prompt, quick
pronto soon; promptly, quickly; **al** —, at first; **de** —, suddenly; **lo más** — **posible,** as soon as possible; **tan** — **se creía,** she was as quick to believe herself; **tener** — **arreglo,** to be easily remedied
pronunciado -a pronounced, steep; sharp
pronunciar to pronounce, enunciate; to say, utter
propicio -a propitious, disposed
propiedad *f.* ownership; property; propriety; —**es territoriales,** real estate
propietario *m.* proprietor, owner, landlord
propinar to treat; to prescribe
propio -a one's own; proper, suitable; peculiar, characteristic; selfsame, very
proponer to propose; —**se,** to purpose, plan
proporción *f.* proportion; opportunity, chance
proporcionar to proportion; to supply, provide, furnish
propósito *m.* purpose, design; aim; **a** —, for the purpose; suitable, apropos; by the way

propuesto *see* **proponer**
propuso *see* **proponer**
proscrito -a proscribed, banished
proseguir to pursue, prosecute; to go on, proceed
prosperidad *f.* prosperity
prosternarse to prostrate one's self
protección *f.* protection, care
proteger to protect
protestar to protest
provecto -a advanced in years, learning or experience; mature
provecho *m.* benefit, advantage; profit; **buen** —, may it benefit you; *prosit;* **de** —, useful
proveer to provide, furnish
providencia *f.* foresight, forethought; measure, means; providence
providencial providential
provincia *f.* province
provisión *f.* provision; supply, stock; **hacer** —, to gather a supply
provisto *see* **proveer**
provocar to provoke, excite, incite, anger
próximo -a next, near
proyectado -a projected, planned
proyectil *m.* projectile, missile
proyecto *m.* project, plan
prudencia *f.* prudence, circumspection; moderation
prudente prudent, circumspect
prueba *f.* proof; trial; fitting; test
prueba *see* **probar**
psicólogo *m.* psychologist
público -a public; common, general
público *m.* public
pucherito *m.* small pot
puchero *m.* cooking pot; olla, dish of boiled meat and vegetables
pudieran *see* **poder**

pudo *see* **poder**
pueblecito *m.* small town, village
pueblo *m.* town, village; people
puedes *see* **poder**
puente *m.* bridge
puerca *f.* sow
puerco *m.* hog
puerta *f.* door; **dar con la — en las narices,** to slam the door in one's face
Puerta del Sol, large square in the center of Madrid from which ten streets radiate
puertecilla *f.* small door
puertecita *f.* small door
pues since; well; why; — **bien,** very well; now then; well then
puesta *f.* setting; **la — del sol,** sunset
puesto -**a** placed, put, set; — **que,** since, inasmuch as; although; **traer —,** to have on; to wear
puesto *m.* place; stall, stand, booth; position
puesto *see* **poner**
pulcritud *f.* pulchritude, neatness; care
pulmón *m.* lung; **respirar a plenos —es,** to breathe deeply
pulsar to feel the pulse of
pulular to swarm; to be lively
punta *f.* point, sharp end; end, tip
punto *m.* point; period; instant; **a — de,** on the point of; **a las doce en —,** at twelve o'clock sharp; **a tal —,** to such a degree; **coche de —,** hackney coach; carriage (for hire); **en —,** exactly
punzante pricking, sharp
puñado *m.* handful; a few
puño *m.* fist
pupilaje *m.* board and lodging; boarding house
puramente purely; strictly

purga *f.* physic, cathartic
purgar to purge, cleanse; to physic
puro -**a** pure
púrpura *f.* purple
pusiera *see* **poner**
puso *see* **poner**

Q

que that, which, who, whom; because, for, as; than; — (+ *pres. subj.*) let; **¿a —?** I'll wager, bet; **desde —,** since, ever since; **el — ...,** that, the fact that; **no más —,** only
qué what; **¡—...!** what a ...! how; **¡— he de dormir!** the idea! of course (I'm) not (asleep)!
quebrar to break, crush, smash, burst
quedar to remain; to become; to be; — **en,** to agree; —**se,** to remain; —**(se) dormida,** to fall asleep; —**(se) yerto,** to be stunned; **que le quedaba,** that he had left
quedo -**a** quiet, still; easy, gentle
quedo softly; in a low voice
queja *f.* complaint; grumbling
quejarse to complain; to grumble; — **de,** to regret, lament
quemar to burn; to scald; —**se,** to burn; to be very hot
querer to wish; to will; to endeavor, attempt; to love; — **decir,** to mean; **las palabras no querían salir,** the words refused to come out
querida *f.* paramour, mistress; dear
queridísimo -**a** dearest
querido -**a** wished, desired; dear
queso *m.* cheese

quien (*pl.* quienes) who, whom, whoever, whomsoever

quién who, whom, whoever, whomsoever, which, whichever; ¿— sabe? perhaps; who knows?

quieto –a quiet, still

quietud *f.* quietude, quietness; tranquility

quilo *m.* sudar el —, to work hard

quimera *f.* dispute, quarrel

químico –a chemical

quince fifteen; — días, two weeks

quisiera *see* querer

quiso *see* querer

quitar to take away; to take off, remove; to separate, take out; —se, to take off; to leave; —selo de encima, to rid themselves of it

quizá, quizás perhaps, maybe

R

rabia *f.* rage, fury

rabiar to rage, be furious

rabieta *f.* fit of temper

rabillo *m.* little tail; stem; tail (of the eye)

rabioso –a rabid, mad; furious

rabo *m.* tail; stem

radiante radiant, brilliant, beaming

radicar to take root; to be

rama *f.* branch, twig, bough

Ramiro *proper name*

ramo *m.* bough, branch; bouquet

Ramón Raymond

rapacín *m.* (*in Asturias*) youngster

rapaz –a *m. or f.* young boy (girl); ¡hay que ver la —a! just look at the lass!

rápidamente rapidly, swiftly

rapidez *f.* rapidity

rápido –a rapid, swift

raposo *m.* fox

raro –a rare; scarce; strange; —a vez, seldom

rascar to scratch; to scrape

rasgar to tear, rend, rip

rasgo *m.* dash, stroke; deed, feat; characteristic

raso *m.* satin

rastra *f.* track, trail; a —s, dragging, by force

rastro *m.* track; rake; harrow

rasurado –a clean-shaven

rato *m.* short time, while, little while; a —s, from time to time, occasionally; al poco —, presently; hace (un) —, a (little) while ago

rayo *m.* ray, beam; ¡mal —! hang it all! confound it!

razón *f.* reason; fairness; — social, firm name; dar la — a, to agree with; tener —, to be right

razonable reasonable; moderate; fair, just

razonablemente reasonably

reaccionar to react

reacio –a obstinate, stubborn, averse

real real, actual; royal; grand

real *m.* real, a silver coin (at par, about five cents)

Real *m.* = teatro Real (*see note p. 22*)

realidad *f.* reality, fact, truth; en —, in fact, really

realizar to realize, fulfill; to sell; —se, to take place

realmente really, truly

realzar to raise, elevate; to heighten

reanudar to renew, resume

rebajar to abate, lessen; to reduce, lower

rebanada *f.* slice

rebelde rebellious; stubborn

rebosar to overflow; to unbosom one's self; — **de,** to teem (with)

recado *m.* message, errand; — **de escribir,** writing materials; **pasar —,** to announce

recaer to fall back, relapse; to devolve

recalcar to cram, pack; to emphasize

recayó *see* **recaer**

recelo *m.* misgiving, fear

receloso –a distrustful, suspicious

recepción *f.* reception, admission

receta *f.* prescription; recipe

recetar to prescribe

recibimiento *m.* reception; hospitality; greeting; reception room

recibir to receive

recibo *m.* reception; receipt; **salón de —,** reception hall

recién recently, just, lately, newly

reciente recent, new, modern

recinto *m.* inclosure; place

recio –a strong, robust; loud, coarse; rude; hard to bear

reclamar to claim, demand; to complain

reclinar to recline, lean back

recobrar to recover, recuperate, regain

recoger to gather, pick; to pick up; to receive

recogido –a taken in, sheltered; retired; secluded

recogimiento *m.* concentration, abstraction

recoja *see* **recoger**

recolección *f.* crop; harvest, gathering

Recoletos, broad avenue beginning at the *Plaza de Cibeles* and running into the *Castellana* at the *Plaza de Colón*

recomendable commendable, laudable

recomendación *f.* recommendation, request

recomendar to recommend; to commend; to request

recompensa *f.* compensation; recompense

recompensar to compensate; to reward

reconocer to examine; to recognize; to admit

reconocido –a acknowledged; examined

reconocimiento *m.* examination

recordar to remember; to recall; to remind

recorrer to go (pass) over; to travel

recoser to mend

recrear to amuse, delight; —**se,** to amuse one's self

recreo *m.* recreation

rectificar to rectify; to correct

recto –a straight; erect; righteous, honest

rectoral rectorial

rectoral *f.* rectory, rector's office (house)

recuerdas *see* **recordar**

recuerdo *m.* recollection; memory

recuperar to recover, recuperate

recurso *m.* resource; *pl.* resources, means

rechazar to repel, repulse; to reject

rechoncho –a chubby

red *f.* net, seine; grate; snare

redondo –a round

reducido –a reduced; small

reducir to reduce; to diminish, decrease; — **a,** to convert (into)

referencia *f.* reference

referente referring, relating

referir to refer, relate; to tell, narrate; —**se,** to refer (to) refinado –a refined

refinamiento *m.* refinement

reflejar to reflect; to think, ponder

reflexión *f.* reflection

reflexionar to think, reflect

refrescado –a refreshed, cooled

refrescar to refresh; to cool; to renew

refugiar to shelter; —se, to take refuge

regalado –a regaled; donated, given

regalar to present, give

regalito *m.* little gift

regalo *m.* present, gift; pleasure; luxury

regar to water; to irrigate

regatear *m.* haggling

regato *m.* small rivulet, rill; pool

régimen *m.* régime; management, rule, system

región *f.* region

regla *f.* rule; **por — general,** as a (general) rule

regresar to return

regreso *m.* return

regular in order; regular; orderly; moderate; ordinary

rehacer to rebuild; to do over

rehecho *see* rehacer

reina *f.* queen

reinar to reign

reír to laugh; **— a carcajadas,** to laugh loudly; **—se de,** to laugh at; **soltar a —,** to burst out laughing

reja *f.* grate, grating, railing; plowshare

relación *f.* relation; connection; report; account; **—es amorosas,** courtship, engagement; **en —es,** engaged; **entró en — con,** began to associate with

relampaguear to lighten; to flash

relatar to relate, narrate, tell

relativamente relatively

relato *m.* statement, narrative, report

releer to reread; to revise

religioso –a religious

religioso *m.* religious, member of a religious order; monk

relincho *m.* whinny, neigh

reloj *m.* watch; clock

relojito *m.* little watch

rellano *m.* landing; level spot

remediar to remedy; to assist; to liberate; to avoid

remedio *m.* remedy; help; **no hay más —,** there is nothing else to do; **no tendría más — que,** she could not help but

remendar to patch, mend; to darn

Remigia *proper name*

remilgadito –a affected, finical, fastidious

remirar to look at again

remonísimo –a very neat; exceedingly pretty

remordimiento *m.* remorse

remoto –a, remote

remover to move, remove; to stir

remueve *see* remover

rencor *m.* rancor, animosity, grudge

rendido –a fatigued, submissive

rendija *f.* crevice, crack

rendir to subdue; to surrender; to render, offer; **— la plaza,** to make the conquest

renglón *m.* line

renombre *m.* renown, fame

renta *f.* income, rental

renunciar to renounce, give up

reñir to quarrel, fight; to scold, chide

reojo *m.* de —, askance, out of the corner of the eye; **mirar de —,** to look askance

repalpar to feel of (examine) again

reparador –a repairing; restoring
reparar to repair; to observe; to notice
reparo *m.* repair; remark, advice, warning; objection; **poner —s,** to make objections
repartido –a distributed, divided
repartir to divide, distribute, allot
repasar to repass; to whet (the scythe)
repentinamente suddenly
repentino –a sudden
repertorio *m.* repertory
repetido –a repeated, many; **—as veces,** repeatedly
repetir to repeat
repique *m.* chopping; peal, ringing
repisa *f.* mantelpiece; shelf; bracket
repitiendo *see* **repetir**
repleto –a replete, very full
replicar to reply, answer; to contradict
repliquen *see* **replicar**
reponer to replace; to restore; to answer, reply
reposadamente peaceably, quietly
reposar to rest, repose; to stand (on)
reposo *m.* rest, repose; sleep
reprender to reprove, scold, reproach
representación *f.* representation, description
representar to represent, depict
reprimir to repress, check, curb
repugnancia *f.* repugnance, aversion
repugnante repugnant; reluctant; loathsome
repulsa *f.* refusal, rebuke, repulse
repuso *see* **reponer**
reputación *f.* reputation, fame
requerimiento *m.* summons; demand; request

requerir to summon; to investigate; to request
requetebién very well (good); fine
resentimiento *m.* resentment, grudge
reservado –a reserved; cautious
reservar to reserve, keep
residencia *f.* residence, abode; stay, sojourn
residir to reside
resignación *f.* resignation
resignado –a resigned
resignar to resign, give up; **—se,** to resign one's self, be resigned
resistir to resist; **—se,** to offer resistence
resolución *f.* resolution; determination, courage; **tomar la — de,** to make up one's mind
resolver to resolve, determine; to solve; **—se,** to resolve, determine, decide
resonante resounding
resoplar to snort
resoplido *m.* snort
resorte *m.* spring; means, resources
respectivo –a respective
respecto *m.* relation, proportion; respect
respetable respectable; considerable
respetar to respect
respeto *m.* respect; attention; **campar por sus —s,** to act independently; to do as he pleased
respetuoso –a respectful; dutiful; honorable
respiración *f.* breathing; respiration
respirar to breathe; **— a plenos pulmones,** to breathe deeply
respiro *m.* breathing; respite
resplandeciente resplendent
resplandor *m.* splendor

responder to answer, reply; to respond

respuesta *f.* reply, answer

restablecimiento *m.* reëstablishment; restoration; recovery

restante remaining

restar to deduct, subtract; to be left, remain

restituir to restore; to return; to refund; to repair; —se, to return

resto *m.* remainder, rest

resueltamente resolutely

resuelto –a resolute; determined

resuelva *see* **resolver**

resultado *m.* result

resultar to result, follow; to turn out; to be

retaguardia *f.* rear, rear guard; a —, in the rear

retener to retain, keep back; to stop

retirar to retire; to withdraw; to lay aside; —se, to withdraw; to retire

Retiro = Parque del Buen Retiro, a large, beautiful park in Madrid

retontísimo –a very stupid

retonto –a *m. or f.* big fool, idiot

retoque *m.* retouch; finishing touch

retorcer to twist; to contort; to wring

retórica *f.* rhetoric

retraerse to take refuge; to retire

retrasar to defer, put off, delay

retraso *m.* delay, backwardness, slowness

retrete *m.* water-closet

retroceder to go back, fall back, draw back; to recede

retuerzo *see* **retorcer**

retuvo *see* **retener**

reuma *m. or f.* rheumatism

reunido –a assembled

reunión *f.* union; meeting, gathering

reunir to unite; to gather; to join; —se, to join; to meet, get together

revelar to reveal

reventar to burst; to blow up

reverencia *f.* reverence; bow

reverente reverent

reverso *m.* reverse; back, rear

revestir to dress, clothe

revistió *see* **revestir**

revivir to revive

revolución *f.* revolution

revolver to turn (over); to stir; to ted (hay)

revuelta *f.* second turn; revolution; turn

revuelve *see* **revolver**

rey *m.* king

reyerta *f.* dispute, wrangle, quarrel

rezar to say (a prayer); to say (mass); to pray

rezo *m.* prayer; praying; devotions

ría *f.* estuary

riachuelo *m.* rivulet, streamlet; small river

ribeteado –a bound; rimmed

ricachón *m.* very rich man

rico –a rich; **hacerse** —, to become rich

ridículo –a ridiculous; odd

riendo *see* **reír**

rigurosamente rigorously; scrupulously

riguroso –a rigorous; exact; severe

rimero *m.* heap, pile

rincón *m.* corner

riñó *see* **reñir**

río *m.* river; — **arriba,** upstream

rió *see* **reír**

Riojano *m.* pertaining to Rioja in Old Castile

riqueza *f.* wealth

riquísimo –a very rich

risa f. laugh, laughter; cosa de —, laughable thing; lo echaban a —, they laughed at it

ristra f. string of onions or garlic; bunch; row, string

risueño –a smiling; pleasing

rítmico –a rhythmic

Ritz, fashionable hotel near the Prado Museum in Madrid

rival m. and f. rival

robe tailleur f. (Fr.) tailored dress

roble m. oak

robustecer to make strong

robusto –a robust, vigorous

rociar to fall in dew; to sprinkle, spray

rodar to roll

rodeado –a surrounded, encircled

rodear to surround, encircle

rodilla f. knee; de —s, on one's knees

roer to gnaw, eat

rogar to pray, request, entreat

rojo –a red; ponerse —, to turn red, blush

rollizo –a plump, stocky

Román Romanus

romance m. romance, tale of chivalry; ballad

romántico –a romantic

romería f. pilgrimage; picnic, excursion

romero m. pilgrim; picnicker

romper to break; to tear; to give way; —se los sesos, to rack one's brains

rompimiento m. break, rupture; breach, violation

ronco –a hoarse, raucous

rondar to patrol, go the rounds; to haunt, hover about

ropa f. wearing apparel, clothes, clothing; costume; — blanca, linen; — interior, underclothes

ropón m. wide, loose gown

rosa f. rose; botón de —, rosebud

rosario m. rosary

Rosette Rosie

rostro m. face; dar en el —, to reproach, throw in one's face

roto –a broken, chipped; torn; ragged

rotundamente explicitly, categorically

rubio –a blond, golden, fair

ruborizado –a flushed, blushing

ruborizarse to blush

rucio m. silver gray horse (donkey)

rudeza f. roughness, rudeness, coarseness

rudo –a rude, rough; stupid

rueda f. wheel

ruego m. request, petition, entreaty

ruego see rogar

Rufina proper name

rugido m. roar

rugir to roar, bellow, howl

ruido m. noise; rumor; dispute

ruidosamente noisily; loudly

ruin mean, vile, base

ruin m. wicked, mean or vile man

ruina f. ruin

rumbo m. course, direction; route; pomp; con — a, in the direction of; for

rumiar to ruminate, chew the cud

rumor m. rumor; sound

ruptura f. rupture; breaking

rústico –a rustic

rústico m. rustic

S

sábado m. Saturday

sábana f. sheet

saber m. learning, knowledge

saber to know, understand; to know how, be able; to find out; to learn; hacer —, to make known; ¿ quién sabe? perhaps; who knows?

¿ sábestetú? = ¿ te sabes tú? understand? don't you understand?

sabio –a wise, learned; cunning

sable m. saber

sabrosísimo –a very savory, tasty; delicious

sabroso –a savory, tasty; pleasant, delightful

sacar to take out, draw out; — a bailar, to invite (a lady) to dance; to dance with; — en limpio, to make out; to gather; — la lengua, to scoff, make fun (of); — lumbre, to strike (make) fire; — partido de, to turn to advantage, take advantage of

sacerdotal sacerdotal

sacerdote m. priest

saco m. sack, bag; sackful, bagful

sacrificar to sacrifice; to kill, butcher

sacrificio m. sacrifice

sacristán m. sacristan, sexton

sacristía f. sacristy, vestry; office of a sexton

sacudir to shake; to jolt, jerk; to beat; to shake off

sagaz sagacious; discerning

sagrado –a sacred, holy

sala f. drawing room, parlor; hall; large room

saldar to settle, liquidate

salga see salir

salida f. start, departure; exit; sally; outskirts

salir to go out, come out; to depart, leave; — a flote, to get out of difficulties; — del orden creado, to be inconceivable; las palabras no querían —, the words refused to come out; —se, to leave, escape; me salí con la mía, I was right; I had my way

salita f. little room

salón m. salon; parlor; — de recibo, reception hall

saloncito m. little parlor; — tocador, dressing room

saltar to leap, spring, jump, hop; to burst; to flash

salto m. spring, jump; — de cama, dressing gown, kimono; dar un —, to jump, leap

saltón –a hopping, leaping; ojos —es, bulging eyes

salud f. health

saludable healthful, wholesome

saludar to greet, bow to

saludo m. bow, salutation, greeting

Salustio Sallust

salva f. salvo, burst; salver, tray; oath

salvación f. salvation; deliverance

salvaje savage, wild, rough

salvaje m. savage

salvar to save; to clear (an obstacle); to go (pass) over; así Dios me salve, may Heaven help me

salvo save, excepting

sallar (in Asturias) to hoe, cultivate

San Andrés Saint Andrew

San Antonio Saint Anthony

sanar to heal, cure; to recover; to be cured

sanatorio m. sanatorium

sandunga f. gracefulness, elegance; winsomeness

sangrar to bleed

sangre f. blood; race, family; — fría, calmness, composure

sanguinario –a sanguinary, cruel, bloody

San José Saint Joseph

San Pablo Saint Paul

San Pedro Saint Peter, first of the

twelve apostles; martyred during the reign of Nero

Santa Sede Holy See

santiguar to bless; —**se,** to cross one's self

santísimo –a most holy

santo –a saintly, holy; —**s días tenga usted,** good morning

santo –a *m. or f.* saint; saint's day

Santo Sacrificio = Santo Sacrificio de la Misa, the Holy Sacrifice of Mass

santurrón –a sanctimonious, hypocritical

sarcásticamente sarcastically, tauntingly

sarcástico –a sarcastic

sardo *m.* frame of interwoven twigs on which nuts are spread out to dry

sardónico –a sardonic; insincere; affected (laughter)

sarmiento *m.* vine-shoot

sartén *f.* frying pan

sastre *m.* tailor

satisfacción *f.* satisfaction

satisfacer to satisfy; to settle; to atone for

satisfactoriamente satisfactorily

satisfecho –a satisfied

satisficiese *see* **satisfacer**

savia *f.* sap

sazón *f.* maturity, ripeness; season; **a la** —, then, at the time

se himself, one's self, herself, itself, themselves; to himself, etc.; each other; to each other

se = le *or* **les** before **le, la, lo, los, las** (**se los di,** I gave them to him, to them, etc.)

sé *see* **saber**

seas *see* **ser**

sebe *f.* stockade, fence

sebo *m.* tallow, fat, candle grease

secamente dryly; coldly; indifferently

secar to dry

seco –a dry; withered; lean, lank

secretamente secretly

secreto –a secret

secreto *m.* secret; secrecy

secundar to second, aid, favor

seda *f.* silk

sedante soothing, sedative

sedante *m.* sedative

sede *f. (ecclesiastical)* see; **Santa Sede,** Holy See

sedentario –a sedentary

seducido –a seduced, enticed

seducir to seduce, entice, lead astray; to charm, captivate

seductor –a fascinating, attractive; tempting, seductive

seductor *m.* seducer; deceiver

sedujo *see* **seducir**

segado –a mowed, reaped, harvested; cut off; **lo** —, that which had been mowed

segador *m.* mower, reaper, harvester

segar to mow; to reap, harvest

seguida *f.* sequence; **en** —, directly, immediately

seguido –a followed; consecutive

seguir to follow; to pursue; to continue; **¿cómo sigue?** how is (are)?

según according to; as; it depends

segundo –a second

segundo *m.* second

seguramente surely, certainly

seguro –a sure, certain

seis six

seiscientos –as six hundred

sello *m.* seal; stamp

semana *f.* week; **desde hacía dos** —**s,** for two weeks

semblante *m.* mien, countenance, face; expression; aspect

sembrar to sow

semejante similar, like; such

semejante *m.* resemblance; fellow creature

semejanza *f.* resemblance, similarity

semejar to resemble

sementera *f.* sowing, seeding

sencillamente simply; easily; candidly

sencillez *f.* simplicity; candor

sencillo –a simple; plain; guileless

senderito *m.* little path

sendero *m.* path, footpath

sendos –as one each, one for each; an equal number of

seno *m.* chest; breast, bosom

sensación *f.* sensation

sensible sensible, appreciable; sensitive

sensiblemente sensibly; perceptibly

sentado –a seated

sentar to seat; to become, suit; to agree with one (food or climate); —se, to sit down

sentencia *f.* sentence, verdict

sentido –a felt, experienced; sensitive

sentido *m.* sense, feeling; meaning; — de la vista, sense of sight

sentimental sentimental

sentimiento *m.* sentiment; feeling; grief

sentir to feel; to perceive; to hear; to see; to smell; to endure; to grieve, regret; —se, to feel

seña *f.* sign, mark; nod, gesture; signal; *pl.* address

señal *f.* sign, mark, symptom

señalado –a distinguished, noted; marked; indicated

señalar to stamp, mark; to point out, make known

señor *m.* sir, mister; lord, master; gentleman

señora *f.* lady, mistress; madam; wife

señorear to master; to lord it over

señoril lordly

señorío *m.* seigniory; command; gravity *or* stateliness of deportment; social position

señorita *f.* young lady; miss

señorito *m.* young gentleman; master

separar to separate; —se de, to part from

sequedad *f.* dryness; surliness

ser *m.* existence, life; being

ser to be; — las diez, to be ten o'clock; — menester, to be necessary; — muy amigos, to be very good friends; — un pedazo de pan, to be as good as gold; — verdad, to be true; era de ver, it was a worthy sight to see; ¿ es a mí? do you mean me? es decir, that is to say; es igual, it's all the same; esle *for* le es; ¡ eso es! that's right; esto es, that is; that is so; no es para tanto, it isn't as serious as that; no hay que —, one must not be; pasando a —, by becoming; ¡ sea enhorabuena! congratulations!

serenado –a cleared up, fair; settled

serenidad *f.* serenity, calm; tranquility

sereno –a clear; serene, calm

seriedad *f.* seriousness, gravity; severity

serio –a serious, grave; en —, seriously; ponerse —, to become serious

sermón *m.* sermon

servicio *m.* service; tea *or* coffee set; favor, kind turn

servido –a served

servidor –a *m. or f.* servant

servilleta *f.* napkin

servir to serve; to act; to wait on; —(se) de, to act as, serve as; de nada le servían, availed her nothing; para — a usted, at your service

sesenta sixty

seso *m.* brain; brains, intelligence; romperse los —s, to rack one's brains

setecientos –as seven hundred

setenta seventy

severamente severely, sternly

severidad *f.* severity, rigor

severo –a severe; strict, stern

Sevilla, Seville, largest city in Andalusia; about 227,000 inhabitants

si if; why, indeed

sí himself, herself, itself, one's self, themselves; fuera de —, beside one's self

sí yes; indeed; ¿ verdad que —? isn't it so?

sido *see* ser

sidra *f.* cider

siega *f.* reaping, mowing, harvest; estar de —, to be ready for mowing

siegan *see* segar

siempre always; de —, customary

sien *f.* temple

siendo *see* ser

sienta *see* sentar *or* sentir

sientes *see* sentir *or* sentar

sierra *f.* saw; ridge of mountains, sierra

siete seven

siga *see* seguir

siglo *m.* century

significación *f.* significance; meaning

significar to signify, mean

signo *m.* sign, mark; signal

siguiendo *see* seguir

siguiente following, next; al día —, on the following day

siguieron *see* seguir

siguió *see* seguir

sílaba *f.* syllable

silencio *m.* silence; guardar —, to keep silent

silenciosamente silently

silencioso –a silent

Silverio *proper name*

silla *f.* chair; saddle; jaca de —, saddle pony

sillón *m.* armchair; easy chair

Simón Simon

simpatía *f.* sympathy; good will

simpático –a sympathetic; congenial, pleasant

simple simple; mere; plain; silly

simplificado –a simplified

simular to simulate, pretend

sin without; — acudir, without her responding, coming; — embargo, notwithstanding, nevertheless, however; — que, without; — par, inimitable

sinceramente sincerely

sinceridad *f.* sincerity

sinfonía *f.* symphony

Sinforosa *proper name*

singular singular, unique; extraordinary

singularmente singularly

sino but, except

sintió *see* sentir

sinvergüenza *m.* scoundrel, rascal; shameless person

siquiera even; at least; ni —, not even

sirvienta *f.* servant girl, maid

sirviesen *see* servir

sistema *m.* system

sitio *m.* place, space, spot; seat; location, site

situación f. situation; position

situado –a situated, located

situar to place; —**se,** to settle in a place; to station one's self

skys (skis) m. pl. long strips of hard wood used for gliding over snow

sobaco m. armpit

soberano –a sovereign; supreme, royal; most potent; **me las tiene dado** —**as,** gave me some superb ones

soberbio –a arrogant, haughty; superb, grand

sobradamente abundantly; excessively

sobrado –a abundant; excessive; bold; rich

sobrar to exceed; to have more than enough; to be over

sobre on, upon, over, above; about, concerning; — **las diez,** after ten o'clock; — **si,** about, concerning; — **todo,** above all, especially

sobre m. envelope

sobrenatural supernatural

sobrenombre m. nickname; surname

sobrepelliz f. surplice

sobresaltado –a frightened, terrified

sobresaltar to rush upon; to frighten, terrify

sobresalto m. sudden assault; startling surprise; sudden dread or fear

sobrina f. niece

sobrinita f. little niece

sobrino m. nephew

sobrio –a sober, temperate, frugal

socarrón –a cunning, sly, crafty

socarronamente slyly, artfully

social social; sociable; **razón** —, firm name

sociedad f. society

socio m. partner; companion; member

socorrer to aid, help

sofá m. sofa

sofocado –a suffocated, choked

sofocar to choke, suffocate, smother; to extinguish

soga f. rope, cord

sol m. sun; **la puesta del** —, sunset; **no dejar (a uno) a** — **ni a sombra,** to molest or pursue a person constantly; **tomar el** —, to bask in the sun

solamente only; solely, merely

solana f. sunny place; sun gallery; sun bath

solariego –a manorial; of noble ancestry

solazar to solace, comfort; —**se,** to be comforted; to rejoice

soleado –a sunny

solemne solemn

solemnemente solemnly

soler to be in the habit of; to be wont, used to

solicitar to solicit; to entreat

solícito –a solicitous

solicitud f. solicitude; importunity; demand

solideo m. calotte, skull cap

solitario –a solitary, lonely

solo –a alone; a —**as,** alone

sólo only

soltar to untie, loosen; to turn loose; to let go; to shed; — **a reír,** to burst out laughing; — **el trapo,** to burst out laughing; — **la mosca,** to give (spend) money; — **(una) carcajada,** to burst out laughing; ¡ **qué había de** —! nonsense !

soltera f. spinster, unmarried woman

soltura f. freedom; agility

solventar to settle (accounts)

sollozar to sob

sollozo *m.* sob

sombra *f.* shadow, shade; **no dejar (a uno) a sol ni a —,** to molest *or* pursue a person constantly

sombreado –a shaded

sombrear to shade

sombrerete *m.* small hat; cap

sombrero *m.* hat; **— de copa,** silk hat

sombrío –a gloomy, sombre

son *m.* sound

son *see* ser

sonado –a noted, famous; talked about

sonar to sound; to ring; to rustle

sonido *m.* sound; noise

sonoro –a sonorous, resounding, loud

sonreír to smile

sonriente smiling

sonrisa *f.* smile

sonrosado –a rose colored; blushing

soñar to dream; **— con (en),** to dream of

soñolencia *f.* sleepiness, drowsiness

sopa *f.* soup

sopapear to chuck under the chin; to slap

sopapo *m.* chuck under the chin; box, slap

sopicaldo *m.* very thin soup

soplar to blow; to blow out; to whisper

soplón *m.* talebearer, informer

soportar to suffer, bear; to support

sorber to sip, suck; to imbibe, soak; to swallow

sordamente secretly, silently; in an undertone

sordo –a deaf; silent, still; muffled; dull

sorna *f.* sluggishness, laziness; drawl; **con —,** with a drawl

sorprendente surprising

sorprender to surprise

sorprendido –a surprised

sorpresa *f.* surprise

sortija *f.* ring

sosegado –a quiet, peaceful, calm

sosegar to appease, calm, quiet; to rest

sosiego *m.* tranquility, calm, quiet

sospechar to suspect

sostener to sustain, support; maintain

sostenido –a supported; maintained

sotana *f.* cassock

soy *see* ser

su (*pl.* sus) his, her, its, their, one's, your

suave smooth, soft, delicate, gentle

suavemente softly, gently

suavidad *f.* softness, smoothness; ease; gentleness

subastar to sell at auction

subido –a high; strong, loud, exaggerated

subir to raise; to come up, go up, climb, mount

súbito –a sudden

subyugado –a subjugated, subdued

suceder to succeed, follow; to happen

sucedido –a, lo —, the event, happening

sucesivamente successively

sucesivo –a successive, consecutive; following

suceso *m.* event; outcome

suciedad *f.* filth, dirt

sucio –a dirty, soiled

sucio *m.* dirty fellow; " pig "

sucumbir to succumb; to yield

sudar to sweat, perspire; **— el hopo,** to work hard; **— el quilo,** to work hard

sudor *m.* sweat, perspiration

sudoroso –a sweating, perspiring freely

suegro *m.* father-in-law

sueldo *m.* salary

suele *see* **soler**

suelo *m.* ground; soil; pavement; floor; story

suelta *see* **soltar**

suelto –a loose; free; voluble, fluent

suenen *see* **sonar**

sueño *m.* sleep; drowsiness; dream

suero *m.* whey; buttermilk

suerte *f.* chance, luck; good luck; fate; **hombre de —,** lucky man; **tener —,** to be lucky

suficiente sufficient

sufrimiento *m.* suffering

sufrir to suffer, endure; **harto de —,** tired of suffering

sugerir to suggest, hint, insinuate

suicidio *m.* suicide

suizo –a Swiss

sujetar to subject, subdue, conquer; to hold fast, grasp

sujeto –a fastened; subject, liable

sujeto *m.* subject; person

suma *f.* sum; amount; total; **en —,** in all

sumar to add; to amount to; to recapitulate

sumergirse to submerge (one's self)

sumido –a sunk, submerged

suministrar to supply, furnish, provide

sumo –a high, great, supreme

suntuosamente sumptuously, gorgeously

suntuoso –a sumptuous, gorgeous

supe *see* **saber**

superficial superficial

superior superior; upper

superior *m.* superior

suplemento *m.* supplement

suplicante suppliant, entreating

suplicar to entreat, implore

supo *see* **saber**

suponer to suppose, assume; to have weight, importance; to matter, mean; **—se,** to be imagined

suponga *see* **suponer**

supremo –a supreme; last, final

suprimir to suppress; to cut out; to omit

sur *m.* south

surcar to plow, furrow; to cut through

surco *m.* furrow; rut; wrinkle; **a —,** adjoining, separated by a furrow

surgir to come forth; to present itself

suspender to suspend; to stop

suspendido –a suspended, hanging; delayed, interrupted

suspirar to sigh; **— por,** to long for, crave

suspiro *m.* sigh

sustento *m.* sustenance; support

sustituir to replace; to substitute

susto *m.* scare, fright

susurrar to whisper; to murmur; to rustle

suyo –a his, hers, theirs, one's; his own, etc.

T

tabaco *m.* tobacco; cigar

tabaquero *m.* cigar maker; tobacconist

taberna *f.* tavern, saloon

tabernera *f.* tavern keeper's wife; barmaid

tabernero *m.* tavern keeper; barkeeper

tabla *f.* plank; board

tablero *m.* board; table

taciturno –a taciturn, reserved

tafetán *m.* taffeta, thin silk

tajuela *f.* rustic seat

tal such, so, as; equal, similar; as much, so great; — **y tan,** so; — **vez,** perhaps; a — **punto,** to such a degree; **de** — **modo,** so that; so; ¿ **qué** —? what's the news?

talante *m.* manner of performing anything; mien; desire, will

talar long

talento *m.* talent

talón *m.* heel

talla *f.* carving; stature, size

tallado –a carved, engraved

talle *m.* form, figure; waist; **bajo de** —, low waisted

taller *m.* workshop, factory; **compañero de** —, fellow workman

tambalear to stagger, reel

también also, too, likewise; as well

tambor *m.* drum; drummer

tampoco neither, not either; either; — **yo,** nor I either

tan so, as; — **pronto se creía,** she was as quick to believe herself; **tal y** —, so

Tanasio *proper name*

tanque *m.* tank

tanto –a so much, as much; — ... **como** ... , both ... and; — **tiempo,** so long; **mientras** —, meanwhile; **no es para** —, it isn't as serious as that; **otro(s)** —(s), as much (many) more; **por lo** —, therefore; **un** —, a bit; a little; a trifle

tapadera *f.* loose lid, cover of a pot; cover

tapar to cover; to hide, cover up; to stop up, plug

tapete *m.* small carpet, rug; cover for a table

tapiz *m.* tapestry

taquilla *f.* ticket office

tardar to delay; to be late; to take long; to be long; — **en,** to be long in; to delay

tarde late; too late; **más** —, later

tarde *f.* afternoon; **buenas** —**s,** good afternoon; **por la(s)** —(s), in the afternoon

tarea *f.* task

tarjeta *f.* card; label

tarrito *m.* little jar

tasado –a appraised; rated; taxed

tasar to appraise; to rate; to tax; to regulate

taza *f.* cup; cupful

tazón *m.* big cup, large bowl; basin

te *m.* tea

teatro *m.* theatre

teclear to finger a keyboard

tecleo *m.* drumming, fingering

técnico –a technical

techo *m.* ceiling

tela *f.* cloth

Telesforo *proper name*

Telva *proper name*

tema *m.* theme, subject

temblar to tremble, shake; to shiver

tembloroso –a trembling, shivering

temer to fear; **dar que** —, to give cause for fear

temeroso –a dreadful; timid

temido –a feared

temor *m.* dread, fear

temperamento *m.* temperament

templado –a tempered; temperate, moderate

templo *m.* temple; church

temporada *f.* season, spell

temporal temporal; temporary; worldly

temprano early

ten *see* **tener**

tenacidad *f.* tenacity

tenada *f.* fold, shed for cattle; (*in Asturias*) straw loft, hay loft

tender to stretch, stretch out, spread out

tendero *m.* shopkeeper

tendezuela *f.* small shop

tendido –a stretched out; lying

tendrás *see* **tener**

tendría *see* **tener**

tenedor *m.* holder, keeper; fork

tener to have; to take; to hold; — **anchas** (**buenas**) **tragaderas,** to be gullible; to be easygoing (with reference to morals); — ... **años,** to be ... years old; — **buena fama,** to be well thought of; — **cuidado** (**con**), to be careful (about); — **empeño en,** to be anxious to; — **fama de,** to have the reputation of being; — **gana**(s) **de,** to desire; to feel like; — **gracia,** to be funny; — **gusto en,** to be glad to; — **la culpa** (**de**), to be to blame (at fault); — **miedo,** to be afraid; to be suspicious; — **necesidad de,** to be obliged; — **presente,** to bear in mind; — **pronto arreglo,** to be easily remedied; — **que,** to have to, must; — **que ver con,** to have to do with; — **razón,** to be right; — **suerte,** to be lucky; — **vergüenza,** to be ashamed; to have shame; **le tenía sin cuidado,** didn't interest (worry) him; **me las tiene dado soberanas,** gave me some superb ones; **no tendría más remedio que,** she could not help but; **no** — **cuidado,** not to worry; **no tiene el diablo por donde cogerle,** is too slippery for the devil himself; ¿**qué he de** — **con Vd.?** what could I have against you? ¿**qué tiene Vd. conmigo?** what have you

against me? **santos días tenga usted,** good morning; **tenga Vd. la bondad de,** please; kindly

tengo *see* **tener**

tentación *f.* temptation

tenue thin, tenuous

teñido –a tinged, dyed; stained

tercamente obstinately

tercero –a third; (**billete de**) —**a,** third-class ticket

tercio *m.* one third, third

terciopelo *m.* velvet

terco –a stubborn; hard

terminado –a finished, ended

terminar to end, close, terminate, complete; finish

término *m.* end, ending; term; **llevar a** —, to carry out

ternerillo *m.* young (little) calf

ternerito *m.* young (little) calf

ternero –a *m. or f.* calf; *f.* veal

ternura *f.* tenderness, fondness

terquedad *f.* stubbornness, obstinacy

terraza *f.* terrace; border in a garden

terrible terrible

terriblemente terrribly

territorial territorial; **propiedades** —**es,** real estate

terror *m.* terror

tertulia *f.* tertulia, social gathering for conversation or entertainment; party

tertuliano *m.* one who attends a tertulia

tesoro *m.* treasure; treasury

testarudo –a stubborn

testero –a *m. or f.* front face, fore part; — **de la pared,** front wall

testigo *m.* witness; second

testimonio *m.* testimony

tez *f.* complexion (of the face)

tía *f.* aunt

tibio –a tepid, lukewarm

Tiburcio *proper name*

tiburón *m.* shark

tiempo *m.* time; a un —, at once; at the same time; al poco —, in a little while; cuanto más — mejor, the longer the better; ¿ cuánto —? how long? el — posible, as long as possible; en otro —, formerly, in former times; hace —, for some time; los primeros —s, the early times; mucho —, a long time; tanto —, so long

tienda *f.* shop, store; tent; — de campaña, tent; — de comestibles, grocery store; ir de —s, to shop, go shopping

tienes *see* tener

tiernamente tenderly

tierno –a tender, soft; delicate; affectionate

tierra *f.* earth; land; soil; native country; field; a flor de —, flush (on a level) with the ground

tierrina *f.* little (dear) home country

tiesto *m.* flowerpot

tigre *m.* tiger

tila *f.* tea of linden flowers

timbre *m.* bell

tímidamente timidly

timidez *f.* timidity

tímido –a timid, shy

tiniebla *f.* darkness; en las —s, in darkness

tinto –a red (wine); dyed

tío *m.* uncle; good old man, fellow; *pl.* uncle and aunt

tiple *m.* treble, soprano voice; *f.* soprano

tipo *m.* type

tirado –a pulled, drawn; como —s, very cheap; as if given (thrown) away

tirador *m.* drawer

tirano *m.* tyrant

tirar to throw, cast; to cast off, throw away; to fire, shoot; to draw; to pull; — al alto, to throw into the air; — de la lengua a uno, to " pump " one

tiro *m.* cast, throw, shot; poco faltó para que me diese un —, I almost shot myself

tirón *m.* pull, haul, tug; effort

tísico –a consumptive

tísis *f.* tuberculosis

titánico –a titanic; gigantic, immense

titulado –a entitled

título *m.* title; titled person; diploma

tizón *m.* firebrand; half burnt wood

toalla *f.* towel

tocado –a touched; wearing (on the head)

tocador *m.* kerchief for the head; dressing table; dressing room, boudoir; saloncito —, dressing room

tocante touching; (en) — a, respecting, as regards, with regard to

tocar to touch; to feel; to play (an instrument); to ring (a bell); to comb and dress (the hair) with ornaments; to be one's turn; le toca callar, it behooves you to keep silent; tocaba a su fin, was drawing to a close

tocinillo *m.* — del cielo, confection of eggs and sirup

tocino *m.* bacon; salt pork

todavía still; yet; even; — no, not yet

todo –a all, everything; every; — cuanto, all that; — el mundo, everybody; —s ellos, all of them; —s los años (días, etc.) every year (day, etc.); —s los

domingos, every Sunday; **a —
escape,** at full speed; **a — esto,**
during all this time; **a —a
prisa,** with the greatest speed;
a — trance, at any cost; **ante
—,** first of all; **así y —,** nevertheless, even so; **con —,**
notwithstanding, however, nevertheless; **de — corazón,** heartily,
sincerely; **de —s modos,** nevertheless, at all events; **en —as
partes,** everywhere; **pagarlo con
— el mundo,** to make everybody
suffer for it; **sobre —,** above all,
especially

Toledo, city about 50 miles south
of Madrid on the river Tajo;
about 25,000 inhabitants

tolerante tolerant

tolerar to tolerate

¡ toma ! here ! come here ! take
that !

tomar to take; to eat, drink; **— a
mal,** to take badly; to resent;
— billete, to buy a ticket; **— el
sol,** to bask in the sun; **— informes,** to investigate, secure information; **— la resolución de,**
to make up one's mind to; **—
vientos,** to take (get) the scent;
—se, to take

tómbola (*Ital.*) *f.* bazaar, lottery

tonada *f.* tune, song

tonel *m.* cask, barrel

tónico *m.* tonic

tono *m.* tone; manner; conceit;
darse —, to put on airs

tonto –a silly, foolish, stupid

tonto –a *m. or f.* fool, dunce,
dolt

toque *m.* touch; peal, ringing

toquecito *m.* slight touch, pat

torear to fight bulls; to banter; to
provoke; to irritate

toribio *m.* fool; boob

Toribión *proper name*

tormento *m.* torment, torture

tornar to return; to turn; to
change, alter; **—se en,** to change
(into); to become

torno *m.* **en —** (**de**), about,
around

toro *m.* bull; **corrida de —s,** bullfight

torpe slow, heavy; stupid; dull

torrente *m.* torrent, flood; rush

torrezno *m.* rasher of bacon

tortuoso –a winding

toscamente coarsely, rudely,
roughly

tosco –a coarse, rough, unpolished

toser to cough

tosta *f.* (*for* **tostada,** *in Asturias*) a
slice of toast; **— de manteca,**
buttered toast

tostado –a toasted

tostador *m.* toaster

totalmente totally, wholly, completely

trabajador –a industrious

trabajador –a *m. or f.* worker,
laborer

trabajar to work, labor; to cultivate

trabajo *m.* work, labor, employment; **sin —,** easily, without
effort

traer to bring, fetch; to have; **—
puesto,** to have on; to wear;
¿ qué viento te trae ? what
brings you ?

tragaderas *f. pl.* gullet; **tener anchas (buenas) —s,** to be gul-
lible; to be easygoing, (with
reference to morals)

trágico –a tragic

trago *m.* draught; swallow, mouthful

traición *f.* treason; treachery;
hacer — a, to betray

traicionar to betray

traidor *m.* traitor; betrayer

traigan *see* traer

traje *m.* dress, costume, gown; suit of clothes; — de baile, evening gown; — de equitación, riding habit; — de noche, evening gown; baile de —s, fancy-dress ball

traje *see* traer

trajeado –a clothed

trajeron *see* traer

trajinar to carry from place to place; to busy one's self

trajo *see* traer

trampa *f.* trap, snare, pitfall; trick; fraud; bad debt

trampolín *m.* springboard

trance *m.* peril, danger; critical moment; a todo —, at any cost

tranquilamente quietly, peacefully

tranquilidad *f.* tranquility, peace

tranquilizar to calm, appease

tranquilo –a tranquil, calm

transatlántico *m.* (transatlantic) liner

transcurrido –a passed, elapsed

transcurrir to pass (time), elapse

transeúnte *m.* passer-by; sojourner

transformar to transform; —se, to be *or* become transformed

transitar to travel

transportar to transport, carry

trapero *m.* ragpicker; rag dealer

trapo *m.* rag, tatter; soltar el —, to burst out laughing

traqueteo *m.* shaking, jolting, jerking

tras after, behind; beyond; besides

trascender to extend; to spread; to transpire, leak out

trasconejarse to be missing; to be lost track of

trasero *m.* rump (of animals)

trasladar to move, remove, transfer

traslucirse to be transparent; to show through; to be inferable; to transpire

traspasar to pass over, go beyond; to cross; to go through; to transfer, sell

traspié *m.* slip, stumble; dar un —, to stumble; to err

trasponer to transpose; to transfer; to pass

traspuesto –a drowsy, sleepy

traspuesto *see* trasponer

traspuso *see* trasponer

traste *m.* dar al — con, to spoil, ruin, destroy

trastero –a, cuarto —, storeroom, garret

trastornar to upset; to disarrange

tratamiento *m.* treatment; courteous title or form of address

tratar to treat; to discuss; to deal with; — de, to endeavor, try

trato *m.* treatment, use

través *m.* al — de, through, across

travieso –a cross; restless; mischievous

traza *f.* sketch; plan, scheme; manner; appearance

trazado –a traced, outlined

trazar to design, devise; to trace

trecho *m.* space, distance, stretch

treinta thirty

trémulo –a trembling, quivering

tren *m.* train; — carbonero, coal-burning train

tres three

trescientos –as three hundred

tresillo *m.* ombre (a card game)

treta *f.* feint; trick

tribu *f.* tribe

tribulación *f.* tribulation, affliction

tribuno *m.* tribune; orator

tricornio *m.* three-cornered hat

trigo *m.* wheat

triplicar to treble, triple

triste sad; gloomy

tristemente sadly, sorrowfully

tristeza *f.* sadness, sorrow

tristísimo –a very sad

triunfal triumphal

triunfante triumphant, victorious

triunfo *m.* triumph, victory; exultation

trompetín *m.* small trumpet

trompicón *m.* stumbling; **a —es,** stumblingly; with difficulty

tronco *m.* trunk; log; team of horses

tropel *m.* rush, hurry; crowd; **en —,** tumultuously

tropezar to stumble; to meet; **— con,** to strike against; to meet, stumble upon

trote *m.* trot

trousseau *m.* (*Fr., pl.* trousseaux) trousseau, a bride's personal outfit, as of clothes, jewelry, etc.

trucha *f.* trout

tuberculosis *f.* tuberculosis

tufillo *m.* vapor; odor

tul *m.* tulle (a fine silk net for dresses)

tumbado –a lying down

tumbar to fell, throw down; to knock down; **—se,** to lie down

tunante *m.* idler, rake; rascal

turbado –a disturbed; confused; upset; alarmed

turbar to disturb, upset; to alarm, embarrass

turno *m.* turn

tutear to address familiarly

tuviese *see* **tener**

tuvo *see* **tener**

U

u or (before **o** or **ho**)

ubre *f.* udder

ufano –a conceited, proud

último –a last; **hasta la —a hora,** till the last moment; **por —,** finally

uncir to yoke

ungir to anoint

únicamente only, simply, solely

único –a only; unique, rare; **lo —,** the only thing

unido –a joined, fastened; together, connected, attached

uniforme uniform

unir to join, unite; **—se,** to join, unite, get together; to bind

unísono –a unison; **al —,** in unison; together

universidad *f.* university

un(o), una a, an, one; *pl.* some, a few; **—as cuantas,** a few; **—s y otros,** both, all of them; **los —s,** some (people)

uno –a *m. or f.* one, someone, any one; *pl.* some, a few; **entre los —s y los otros,** among them, between them

uña *f.* nail (of finger and toe)

urgente urgent, pressing

urgir to be urgent; to require immediate action

usar to use; to wear; to be accustomed

uso *m.* use; custom; habit

usurero *m.* usurer; money lender

V

va *see* **ir**

vaca *f.* cow; **— de leche,** milch cow

vacilación *f.* reeling, staggering; hesitation

vacilar to vacillate; to hesitate

vacío –a vacant, empty

vacuno –a bovine; **ganado —,** cattle

vagamente vaguely

vajilla *f.* table service; dinner set

valer to be worth; to avail; **vale más,** it would be better

valeroso –a brave, courageous; strong

valiente valiant, brave; strong

valioso –a valuable; highly esteemed; rich

valor *m.* value; price; worth; amount; valor, courage; *pl.* securities, bonds, stocks

valle *m.* valley

vámonos let's go

vanidad *f.* vanity; nonsense

vano –a vain; shallow, empty; **en —,** in vain

vara *f.* twig; stick; rod; yard; stack (of hay)

vario –a various, varied; changeable; *pl.* various, several; **—as veces,** several times

varón *m.* male; man of respectability

vas *see* **ir**

vasallo *m.* vassal, subject

vaso *m.* glass; receptacle; glassful; vase

vasto –a vast, huge, immense

vaya indeed; certainly; ¡ — ! well now! — **un(a),** my, what a! **—, —,** come, come

vaya *f.* scoff, jest; **dar — a,** to jest with; to play a joke on

vayan *see* **ir**

ve *see* **ir**

vea *see* **ver**

vecindario *m.* neighborhood, vicinity

vecino –a neighboring, next, near; **— de,** close to

vecino –a *m. or f.* neighbor, resident

vega *f.* flat lowland

veinte twenty

vejez *f.* old age

vela *f.* vigil; candle; sail; **barco de —,** sailing ship

velado –a veiled, hidden

velar to watch; to be awake; to be vigilant; to guard

velocidad *f.* velocity, speed

velozmente rapidly, swiftly

velludo –a hairy

vena *f.* vein; seam, lode

vencer to conquer, subdue; to surpass; to overcome; to convince

vencido –a conquered, subdued; due; payable; **darse por —,** to surrender; to give up

venda *f.* bandage

vendar to bandage

vender to sell; **—se,** to be for sale

vendremos *see* **venir**

venga *see* **venir**

venganza *f.* vengeance; revenge

vengativo –a revengeful, vindictive

venial venial, pardonable

venida *f.* arrival; return; coming

venido –a come, arrived; brought

venir to come; to fit; to suit; **venga ese capítulo de agravios,** let's have those charges, complaints

ventaja *f.* advantage; profit; **llevar — a,** to have advantage over; to be ahead of

ventajoso –a advantageous; profitable

ventana *f.* window

ventanilla *f.* small window

veo *see* **ver**

ver to see; **— la luz,** to be published, come out; **—se necesitado a,** to be obliged; **a —,** let's see; **era de —,** it was a worthy sight to see; **estaba visto,** it was to be expected; ¡ **hay que — la rapaza!** just look at the lass! **por lo visto,** apparently; **tener que — con,** to have to do with; **vamos a —,** let's see

vera *f.* edge, border

verano *m.* summer

veras *f. pl.* reality, truth; earnestness; **de —**, in truth, really

verdad *f.* truth; ¿ —? isn't it so? is that so? don't you know? ¿ — tú? don't you think? **a la —**, truly, really, in truth; **de —**, in earnest, truly, really; **en —**, in truth, really; **ser —**, to be true

verdaderamente truly, really

verdadero –a true, real; truthful

verde green

verdulera *f.* market woman

vergonzante bashful, shamefaced

vergonzosamente shamefully

vergüenza *f.* shame, bashfulness; **dar —**, to make one ashamed; **tener —**, to be ashamed; to have shame

verídico –a truthful

verter to pour, shed, cast

vertiginoso –a giddy

ves *see* **ver**

vespertino –a evening

vestido –a dressed

vestido *m.* dress

vestidura *f.* vesture; *pl.* vestments

vestir to dress; to put on; to wear; **a medio —**, half dressed

vete *see* **ir**

veterinario *m.* veterinarian

vetusto –a very ancient *or* old

vez *f.* turn; time; occasion; **a la —**, at the same time; **alguna —**, sometimes; **algunas veces**, sometimes, several times; **cada — que**, whenever; **de una —**, once for all; **de — en cuando**, from time to time; **en — de**, instead of; **muchas veces**, frequently, often; **otra —**, again; **otras veces**, on other occasions; **pocas veces**, infrequently, seldom; **rara —**, seldom; **repeti-**

das veces, repeatedly; **tal —**, perhaps; **una —**, once; **una y otra —**, again and again; **unas veces**, sometimes; **varias veces**, several times

vi *see* **ver**

viajar to travel

viaje *m.* journey, voyage, trip; passage; **— de novios**, wedding trip; **hacer un —**, to take a trip

viajero –a *m. or f.* traveler; passenger

vianda *f.* food, viands, victuals

Viático *m.* viaticum; the Communion *or* Eucharist, when given to persons supposedly dying

vibrar to vibrate

vicio *m.* vice; (bad) habit

vicioso –a vicious; licentious

víctima *f.* victim

vida *f.* life; living, sustenance; **casa de mala —**, house of ill repute; **darse — de**, to live the life of; **la — que haces**, the life that you lead

vieja *f.* old woman, old lady

viejecito *m.* little old man

viejo –a old

viejo *m.* old man

viendo *see* **ver**

vienen *see* **venir**

viento *m.* wind; **— gallego**, northwest wind; **marchar — en popa**, to sail before the wind; to be prosperous; ¿ que — te trae? what brings you? **tomar —s**, to take (get) the scent

vientre *m.* abdomen; belly

viernes *m.* Friday

vieron *see* **ver**

viese *see* **ver**

vigilar to watch (over); to keep guard; to look out (for)

vil vile, mean, base

vileza *f.* baseness, meanness; infamous deed

villa *f.* town; government of a town; villa

villano –a rustic, boorish; villainous, base

viniendo *see* venir

viniese *see* venir

vino *m.* wine

vino *see* venir

vió *see* ver

violencia *f.* violence

violentamente violently

violento –a violent; impulsive, irritable; furious

violeta (*for* violado –a) violet colored

violeta *f.* violet

virgen virgin, unspoiled

virgen *f.* virgin; **Virgen,** Virgin Mary; **Virgen del Carmen,** Our Lady of Mount Carmel

virtud *f.* virtue

visible visible, evident

visiblemente visibly

visión *f.* vision; dream, fantasy

visita *f.* visit; social call; visitor, caller, guest

visitar to visit

vislumbrar to glimpse; to see dimly; to suspect, surmise; —se, to be glimpsed

vista *f.* sight; seeing; vision; view; vista; **anteojos de larga** —, telescope; field glass; **hasta la** —, au revoir, good bye; **perder de** —, to lose sight of; **sentido de la** —, sense of sight

visto *see* ver

vistoso –a beautiful; showy; loud

vituperable blameworthy

viuda *f.* widow

viudedad *f.* widow's pension

viudo *m.* widower

vivamente vividly; quickly; deeply

viveza *f.* liveliness, sprightliness

vivienda *f.* dwelling; **casa** —, dwelling house

viviente living

vivir to live

vivo –a alive, living, live; lively; intense; bright; keen, vivid; **llorar a lágrima** —a, to weep bitterly

vocación *f.* vocation, calling

vocear to cry out, shout

vociferar to vociferate, bawl; to boast

vocinglero –a prattling, chattering; vociferous

volandas, en —, in the air, as if flying; rapidly, swiftly

volar to fly

volatín *m.* ropedancer; acrobat; acrobatic feat

voluntad *f.* will; good will, kindness; desire

voluntariamente voluntarily

voluptuosidad *f.* voluptuousness

volver to turn; to turn up, turn over; to return; — a, to ... again; — **la espalda,** to turn one's back on; — **sobre los pasos,** to retrace one's steps; — **sobre sí,** to recover one's equanimity; —se, to turn around; —se **loco,** to become crazy, lose one's mind

vomitar to vomit; to eject, throw out; — **injurias,** to break out into insults

vómito *m.* vomit; — **negro,** yellow fever

voy *see* ir

voz *f.* voice; cry; — **de alarma,** warning; **a** — **en cuello,** loudly; at the top of one's lungs; **anudándosele la** — **en la garganta,** getting a lump in his throat; **con altas voces,** in a loud voice; **dar voces,** to cry, scream, shout, yell; **en — alta,** in a loud voice; **en — baja,** in a low tone; **la — de alerta,** the cry of alarm

vuelan *see* **volar**

vuelco *m.* tumble; overturning

vuelta *f.* turn, turning; return; **— a ordeñar,** back to milking; **a la otra —,** on the next turn; **a la —,** round the corner; on turning; **al cabo de muchas —s,** after beating about the bush; **dar la — a,** to turn (ride, go) around; **dar — a,** to go around; **dar —s,** to turn; to walk to and fro; **estar de —,** to be back; **la — de,** towards, on the way to

vuelve *see* **volver**

vulgar vulgar, common

X

Xuan (*in Asturias: pronounced shuan*) John

Y

y and

ya already; now; at once; presently; ¡ **—**! Oh, yes! ¡ **—, —**! surely! **— lo creo,** of course; **— no,** no longer; **— que,** since; **es algo —,** it is something at least

yacer to lie; to be located; to be lying down

yendo *see* **ir**

yerba *f.* herb; grass; hay; **días de —,** haying; harvesting of

hay; ¡ **lástima de —**! what a pity about that hay!

yerno *m.* son-in-law

yerto –a stiff, motionless; rigid; **quedar(se) —,** to be stunned

yesca *f.* tinder, punk

yugo *m.* yoke; nuptial tie

yunta *f.* yoke (of draft animals)

Z

zafiro *m.* sapphire

zagala *f.* shepherdess; lass, maiden

zagalón *m.* overgrown lad

zalamería *f.* flattery

zalamero –a flattering, fawning

zanja *f.* ditch, trench, furrow

zapatero *m.* shoemaker

zapato *m.* shoe; **— descotado,** low-cut shoe, pump

zar *m.* czar

zarandear to winnow; to separate; to move, shake

zarina *f.* czarina

zarpar to weigh anchor; to sail

zarramplina *f.* bungler, botcher

zarzamora *f.* blackberry

zarzuela *f.* musical drama; vaudeville

zoquete *m.* chunk, block; bit *or* morsel of bread; blockhead

zorro –a cunning; foxy

zorro *m.* fox; knave, foxy person

zote *m.* dullard, ignoramus

zozobra *f.* worry, anguish, anxiety

zumbar to buzz, hum; to flutter around

zurcir to darn, finedraw

zurupeto *m.* curb-broker